云中岳武

仗剑天涯系列

浊世情鸳

台湾 云中岳 著

（上）

太白文艺出版社

图书在版编目（CIP）数据

仗剑天涯/云中岳著．—西安：太白文艺出版社，
2004

（云中岳武侠精品）

Ⅰ．仗… Ⅱ．云… Ⅲ．侠义小说—中国—当代
Ⅳ．I247．5

中国版本图书馆 CIP 数据核字（2004）第 015889 号

仗 剑 天 涯 系 列

浊 世 情 鸳 （上下）

作者：云中岳　　　　组稿：钮琦　　　　责任编辑：王岩

出版发行：太白文艺出版社
社　　址：西安北大街 131 号
印　　刷：中牟华书印务有限公司
经　　销：新华书店
开　　本：850×1168　1/32
印　　张：130
字　　数：3000 千字
版　　次：2004 年 5 月第 1 版　　2004 年 5 月第 1 次印刷

ISBN 7 - 80680 - 170 - 7/I·089　　（全 12 册）定价：240.00 元

写 在 前 面

　　二十世纪六十年代，台湾与香港的武侠小说，自式微邅递断层期，奋然蜕变以新面目崛起。正当跃然茁壮期间，文坛随即出现不同的声音。批评与赞誉各趋极端，因而掀起所谓武侠小说论战风潮。当时，似乎真正执笔的武侠小说作者诸先进，并没积极挺身而出，为自己的作品辩护，默默地为这片园地耕耘。

　　笔者当年枵腹从公，与文坛并无渊源，意识中仅感觉出，反对与批评的声浪中，某些人士似乎曾以文坛大师胡适先生对武侠小说几句讽刺性的话作蓝本，口诛笔伐作了极为严苛的批判，似欠公允。

　　笔者读史囫囵吞枣，不甚求解。但对古春秋游侠，颇心向往之，太史公并没摒弃这些侠而为之立传。这些渊源于墨家的游侠豪客历史，一度曾经光芒万丈，比东方日本的武士早一千年；比西方的剑客早两千年；比美洲的西部英雄早三千年；源远流长，任由他们淹没在变化有如沧海桑田的历史洪流中，实在有点可惜。

　　无可讳言，历史无情，适者生存。这一阶级的豪客们，不得不接受自然发展率的无情淘汰，自晚唐以降，便已日渐式微，黯然退出历史舞台。终极则变；明清两代，又复以多彩多姿的面目出现，可惜已非本来面目，蜕变为品流复杂的三教九流江湖人士，在光怪陆离的环境中挣扎图存。但笔者仍然相信，其中仍有一些人，依然保持有古春秋豪侠的精神与风骨，默默地存在于市井中，受到市井小民的尊敬，甚至崇拜。

　　小说有千百种，良窳互见各有千秋，好坏都有其存在的环境背景，问题是读者能否明智地抉择取舍。往昔男不许看《水浒》，女不许看《西厢》，避免败坏人心的时代，已经一去不复回，读者有权欣赏与探索哪些作品值得品味。因此，武侠小说论战，触动笔者内心深处，对古春秋豪侠的向往情怀，觉得该写下一些逝去了的脉络与传承，供读者于茶余饭后，意念飞驰在遥远的岁月涓流中，舒解因生活而产生的紧张情绪。

　　写作动机十分单纯，念生意动想到就写，秉一枝秃笔，写下一系列自认为主题不算歧异的作品。此期间，幸而苛责的声音，并不比谬赞的声浪高，聊可告慰，十分感谢读者的支持与鼓励，让作品得以流传。

　　笔者的作品散处海内外刊行，自小短篇至百万字长篇，先后在报章杂志刊载，显得杂乱无章，以致伪书充斥坊间，读者与笔者同蒙其害，确有整理统筹发行的必要。

　　承蒙太白文艺出版社诸君抬爱，慨允以云中岳新武侠小说全集名义，作有系统地发行，深感荣幸。今后，读者将不再受伪书所愚弄，可窥云中岳作品全貌。特向太白文艺出版社诸君，鼎力支持全集发行的盛情，致上衷诚谢忱。

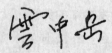

2004 年元月于台湾台中市寓所

目　　录

第一章　天斩邪刀

二月天，解冻期将届，河南大地一片白茫茫，冰封的大地没有生物活动的迹象。

天宇中彤云密布，凛冽的罡风，一阵阵掠过死寂的原野，宽阔的南北大官道，看不见任何旅客，没有车马往来，显得更为空茫，更为死寂。

已经是黄昏将临，旅客早就该未晚先投宿了。

郭店驿是新郑的惟一大镇，在城北四十里，是一处良好的宿站，南来的旅客该在郭店驿投宿，因此这段大道，黄昏时光不会再有旅客行走了。

大官道最为明显，车马行人把路踏得成了暗黄色，与两侧被冰雪覆盖的大地不一样，天色一暗便成了一条黑色的巨蟒，南北首尾似乎直通向天尽头。

云沉风恶寒风刺骨，路上出现了一个孤零零的步行旅客身影，以坚定沉实的脚程，一步步向南又南，似乎他是天底下惟一的生物。

三片瓦皮风帽，放下掩耳仅露出双目，身材修伟，穿了一件及膝的老羊皮大袄，背了一个走长途的旅行用背篓，腰间有百宝囊和一把佩刀。

露在外面的一双大眼睛，在暮色暗沉中，似乎有隐约的怪异光芒闪烁，像暗夜中的猛兽眼睛。

佩的是狭锋单刀，长两尺八寸，厚背薄刃，但不是尖刀。刀尖前六寸，两面收，两面开刃，与传统的单刀不同，可以刺戳挑剔。

这是说，这种刀已经失去拼命单刀的功能，不能用于硬砍硬劈，而是须用技巧取胜的特殊武器。使用时本身所冒的风险甚大，必须走险取胜，稍一大意疏忽，结果很可能两败俱伤。

江湖道上，使用这种刀的人极为罕见。

他带了刀，所以敢天将黑还在赶路。

这条大官道上赶夜路很危险。连年旱、涝、蝗天灾不断，人祸连绵，亡命之徒日众，聚结成小股强盗的所谓盗群出没无常。夜间正是亡命之徒们，流窜打劫的好时候，旅客碰上了，保证尸体深埋在野地荒原之下，永远从世间消失无踪。

他以沉稳的步伐，昂然向南趱程，不理会天色，更不在乎天寒地冻的恶劣天气。

他一双手也暴露在刺骨寒风中，与其他戴皮手套的旅客不同，手大指长，肌色在冷风中依然红润。

南面出现小山的形影，满山的凋林，枝头上有由雪转结成的冰棱，像满山挤满了张牙舞爪的妖怪。间或有一丛丛松柏，比其他凋了的乔木臃肿庞大，似乎枝丫不胜负荷，随时都可能被冰雪压垮折断。

那是新郑北面的高地，当地人称为抱獐山或捕獐山，表示他已经距城仅二十里左右了，天色已经黑沉沉。

路右的行道树枝干的空隙中，突然出现闪烁的灯光。

"唔！真该找地方歇息。"他喃喃自语，口中的水蒸气化为一阵阵白雾涌出："也许前面有村落，或者有路旁的野店。距县城不远了，该不会是卖人肉包子的野店吧？"

其实他并没走过这条路，只是在途中打听出有关这条路的概略情形而已。到底走了多少路，他并不清楚，反正早晚会到达目的地，何时到达他并不怎么介意，走一步算一步。遨游天下浪迹天涯的人，对宿处要求不苛，任何地方都可以落脚。天寒地冻固然有点不便，但对不畏寒暑的人影响不大。

有客店投宿，当然是最好不过了，至少可以有热腾腾的食物，和暖洋洋的床。

不久，他失望了。

那盏灯不在官道旁，而是远在路右一两里的山脚下。官道岔出一条小径，通向那座聊可算山的小山。

"那里一定有村落，一定可以找到地方借宿。"他喃喃自语，大步踏入了小径。

不是村落，是一座古木森森的破庙。

远看灯光似在一两里外，其实近大道仅百余步。那盏气死风的灯笼光度有限，因此似乎相当遥远。

庙有三进殿堂，两厢还有偏殿，规模不小，可惜无人照料，成了破败的古庙。

居然在山门外悬了灯笼，令人起疑。

他站在阴森破败的山门外，留心察看附近的古林，满地枯枝，落叶已被冰雪所覆盖，隐约可以看出有人走过的遗痕。

没错，庙内有人。那盏灯笼悬挂在背风的断垣下，不住迎风摇晃，闪烁不定。

踏入山门，殿前的广场杂树丛生，枯草及肩，中间有被人踩踏的痕迹。大殿的门都不在了，殿内有灯光，果然有人。

踏入幽暗的大殿，原来灯光是从偏殿透出的。不但有灯光，而且有人声。

踏入半坍的偏殿，寒风刺骨，幸好没有风灌入，因为有人用旧木板，把透风的窗户坍墙钉死了。一枝松明插在没有神像的破神龛上，红色的火焰吐出略显呛鼻的黑烟，照亮了上面各处蛛网重封的梁柱，与下面到处有碎瓦破木板的积尘地面。

两个面貌奇丑，穿了臭味熏人破老羊皮袄的老人，分坐在没有脚摆平在地的斑驳神案上，兴高采烈下棋，不时相互嘲弄挖苦对方的棋艺差劲。

棋盘是一块羊皮绘成的，可以折叠或卷起收藏。棋子白的是用碗瓷烧制的，黑白分明光亮匀称，似是出于江南名窑。

"妙哉，又来了一个送死的！"那位留了花白山羊胡，满脸横肉狰狞丑恶的老人，抬起头盯着他狞笑着说："今天似乎闯入地狱的人不少呢！"

"唔！年轻、剽悍、带刀，是有意来闯地狱的。"

另一个三角脸颧上无肉，三角眼冷电森森的老人接口："来者不善，善者不来；孔老哥，也许咱们收拾不了他呢！"

"笑话！"丑恶老人推子而起。

"哈哈哈……"他大笑，取下背篓走近，顺手放在一旁："你黄泉双魔的孔老大，奸猾使诈有名的泼赖，这盘棋你已经输了，无法挽救，乘机扫了棋局。你看你，手中就偷藏了棋子。哈哈！我敢赌你一文钱，你手中最少也有三个棋子。"

"那是给你的。"孔老大声出手动，三颗棋子一黑两白，幻化为光芒破空而飞。

松明的火光不怎么明亮，棋子飞行速度惊人，即使目力锐利惊世，也看不到白棋子。黑的更不能看到，能看到白棋子的光影，已经是了不起的神目如电了。

相距不足两丈，棋子一发即至。

他大手一抄，速度更是骇人听闻。黄泉双魔总算目力老而更佳，但也只看到他的手动了一下而已。

棋子射向胸腹，却蓦地失踪。

他浑如未觉，似乎不知棋子射来。

"呵呵呵……"他的笑声变了怪腔调，泰然走近在一旁坐下：

"孔大魔，你这个有名的小气鬼……"

"你说什么？"孔大魔厉声问，三角眼中有惊讶的神情，在他的胸腹观察，似乎想找棋子的射孔创口。

"你这些棋子是在江西景德镇特地订制的，正是所谓全磁化白玉棋子，你舍得给我？你本来就是一个吝啬鬼。"

"喂！你们俩老魔，在这荒郊破庙搞什么鬼？"

两老魔惊疑不定，孔大魔居然重新坐下，并没有出手行凶，已经断定三颗棋子，并没有射中这个年轻人。

"你是干什么的？"孔大魔反问。

"赶路的，错过了宿头。"他笑吟吟毫无敌意，像在和老朋友寒暄："天气冷，饿得快，像我这种牛高马大的年轻人，晚上不饱餐一顿，是睡不着觉的。两位想必早就来了，有东西吃吗？肚子饱才会暖和，漫漫寒夜也好过些，是吗？"

"少废话！从哪儿来？"

"郑州。"他信口答。

"你认识咱们黄泉双魔？"

"听说过，从两位下棋猜中的。你们都是大名鼎鼎的魔道老名宿，江湖朋友谁不知道你的棋子，可在五丈外杀人，发则必中。"

"说你的来历，来意。"二魔沉声问。

魔道人士在最近三十年，人才辈出，老一辈的名宿依然在江湖横行，高手名宿的数量，比侠义道的英雄更多，正所谓道高三尺，魔高一丈。

黄泉双魔，正是众多老魔中凶名颇为昭著的魔头。大魔孔成，二魔关功，三十年来一直走在一起，秤不离砣联袂为祸天下，杀孽之重，江湖侧目。

他们很少白天出现，所以称为黄泉双魔，专门替那些大豪大霸杀掉对头，索取花红甚重，普通的豪霸还真请不动他们的大驾呢!

所以,他们是名震江湖的杀手。他们的黑白棋子,可在五丈外杀人,劲道之强骇人听闻,重量比飞钱更轻的棋子,在三丈外根本不可能造成伤害,但他们竟能在五丈外,击中要害而且发则必中。

"没有什么可说的,前辈。"他将右手伸出,丢下接来的三颗棋子在棋盘上:"在下姓桂,你们不可能知道我这个小人物。在武林中,没有我桂星寒的排名。在江湖道上,没有我的地位。"

"混蛋,凭你这一手绝技!"大魔孔成拾起一枚白棋子察看,眼中有惊骇的神情:"没有人能在暗夜里,在两丈内接住老夫的三枚猝发夺魂棋子。所以,在江湖道上,你必定有甚高的地位。"

"名望地位,在每个人的心目中,认定标准各有不同。你认定是你个人的看法,没有追究的必要。哦!你们两个狼狈为奸三十年,人见人怕的老魔,躲在这荒野破庙中,张开地狱之门,下毒手杀害闯来的人,到底有何图谋?"

"小辈,你不配问!"大魔乖戾地说。

"这……"

"你得死!"

"我要知道理由!"桂星寒语气坚决地说。

"你可以向阎王投告。"

"你的意思,我非死不可?"

"是的,你不该闯来。"大魔语气冷厉无比。

"没有其他理由?"

"没有。"

"好。"桂星寒长身而起:"你们也得死!"

"混蛋,你小辈……"

"你们要我死,我有权回报。"桂星寒虎目怒睁,一字一吐:"在下遨游天下,宗旨是人不犯我,我不犯人。你们要我的命,我也有宰你们的权利。你这老狗已经下过一次毒手，你必须为你所做的事负责。"

大魔一声怒叫，抓起搁在身侧的问路杖跳起来。

双魔都有一根四尺余长的乌木问路杖，但知道双魔底细的人都知道那不是老年人用来探路，用来助力的问路杖，而是威震江湖的凶器杖中剑。

江湖人士所用的剑种类繁多，重量、长短、宽窄各有不同，通常可分为普通的长剑和狭锋剑。

长剑可以砍劈，狭锋剑以轻灵戳刺为主。

杖中剑可归属于狭锋剑，也可以称之为刺形兵器。

桂星寒既然知道两老魔的来历，当然知道杖中剑的底细。

"噗"一声闷响，他扭身一脚扫在大魔的小腹上。

大魔狂叫一声，倒摔出两丈外，直滑至壁根下，滚了一身积尘，挣扎难起，这一脚的力道可怕极了。

"你可以把杖中剑拔出来了。"他向吓了一跳的二魔招手："一比一，公平交易。"

二魔死死地瞪着他，似乎仍然无法接受他一脚把大魔摆平的事实。

"你……用什么秘密兵刃暗算了他?"二魔指着挣扎难起的大魔，用不稳定、充满怀疑的嗓音问："他已经运功护体了，刀劈锤击也伤不了他。"

"他幸亏已经运功护体，所以受伤并不重。"

"你……"

"我踢了他一脚而已!"

二魔一咬牙，拔剑出鞘。杖是剑鞘，也可当作兵刃使用。剑身宽仅一寸，棱形开锋，锋尖锐利，尖锐如刺，刺中人体，贯穿人体轻而易举。

人的名，树的影，面对大名鼎鼎的黄泉双魔，他不敢大意轻敌，冷然拔刀出鞘。

他先摆平大魔，就是不敢大意的具体表现。

面对不熟悉的强敌，他从不大意轻敌。

二魔看清他的刀形，阴厉的眼神一变。

刀长两尺八寸，造型怪异，刀尖前六寸两面开刃，像是剔肉的刀。刀身冷冽晶亮如一泓秋水，在暗红色的松明火焰映照下，依然令人感到森森冷冽的刀气，令人触骨生寒。

"老夫听说过这把刀。"二魔冷然说。

"是吗?"桂星寒冷冷一笑。

"好像是……是……"

"天斩邪刀。"

"对，天斩邪刀!"二魔讶然惊呼："你就是两年前，一鸣惊人的天斩邪刀?"

"对，那就是我，天斩邪刀桂星寒。"他刀向上直伸，刀发出亮红色的光华，那是反射松明火光的光芒："你的杖中剑重量在三斤以上，我的天斩邪刀只有两斤半，你可以毫无顾忌地硬封硬架。而且你的剑长了四寸，一寸长一寸强，上啦! 兵刃上你已占了先机。"

尖锋两面开刃的刀，不能用刀背挡架对方的兵刃，更别想用来硬封硬架了，功能丧失了一部分。

"该死的小辈，你成名没几天，说话的口气，已经狂得不像话了!"二魔怒叫，右手疾扬。

一串棋子鱼贯破空飞出，速度快得目力难及，相距仅丈余，没有闪避的任何机会。

刀光闪烁，爆炸的棋子化为粉屑，每一颗棋子皆被刀身所挡住，黑白色的粉屑像飞雾，一颗连一颗急剧爆炸，蔚为奇观。

一声冷叱，刀光蓦然划空。

二魔大喝一声，撒出重重剑网。

刀光过处，才传出刺耳慑心的破风刀气迸发声。如虚似幻的刀光，从剑网的几微空隙中切入，悠然破网而出，倏然隐没。

人影也乍动乍静，这短暂的刹那变化，为期太短暂了，似乎刚才并没发出任何变故，刀光剑影的闪动只是幻觉而已，交手的事实并没真的发生。

一声轻响，已换了方位的桂星寒，冷然收刀入鞘，脸上神色一片平静。

二魔以杖中剑支地，左手掩住右胁，指缝有血沁出，皮袄裂口飘落一些断老羊毛，裂口有血迹，里面的创口并不大，流出的血不多。

大名鼎鼎的一代老魔，一刀受创。

"在下另找地方休息。"桂星寒提了背箩向幽暗的后殿走："妄想打扰的人，后果自行负责！"

正殿方向传来一声鬼啸，蓦地风生八步，黑气旋动，松明的火焰摇摇，怪异的形影挟罡风君临。

桂星寒丢掉背箩，长啸震天压下了鬼啸，身形骤动，掌发拳攻势若排山倒海，冲入黑气旋中，掌拳交挥风雷乍起。

整个偏殿像被狂风所撼动，尘埃滚滚，黑气涌腾，惟一的松明终于熄灭，殿中黑得伸手不见五指，慑人心魄的风雷声殷殷不绝。

黄泉双魔连滚带爬，潜伏在壁根下浑身战栗。

片刻，各种声息突然消失，从外面传入的隐隐风声，是惟一的声息。

脚步声消失在后殿，有一个人在走动。

先前挟黑气涌入的形影，不知是人是鬼，天太黑，无法看到结果。

火光再现，有人击亮了火熠子。火刀击打火石的声音一响，火星飞溅。

蜷缩在壁根的黄泉双魔，挣扎而起脸色泛灰。

松明旁站着一男一女，年约半百，人才一表，气概不凡。男的穿玄袍，佩的是七星宝剑。女的黑衣黑裙，外加玄狐短袄，也佩了剑。

他们头上的皮风帽，分别掉落在地上。铺放在地上的神案板四分五裂，黑白棋子洒了一地。

"你们还好吧?"中年人脸色不正常，脸上仍残留着冷汗的痕迹，可知这片刻的交手，耗损了不少精力。

"内腑有点离位。"大魔苦着脸说。

"这一刀属下受得了。"二魔脸上的沮丧神情可悯，有欲哭无泪的表情流露。

"这人到底是何来路? 你知道?"中年人指着二魔问。

"听说过而已。"二魔脱下老羊皮大袄，从百宝囊中取物裹伤。

"我在听。"

"两年前，在山东河间府，北地侠义道名宿，尚武山庄主人一剑横天尚人杰，带了十二名山庄子弟途经河间，在酒楼与这个使用邪刀的年轻人，一言不合大打出手。"二魔的话有气无力。

"结果，尚武山庄的人，被打得落花流水。"大魔接着说: "尚庄主到了街心，亮剑挑战。"

"结果如何?"中年人问。

"天斩邪刀砍飞了尚庄主头上的英雄巾。"大魔苦笑，呼出一口长气: "尚庄主不得不服老，自古英雄出少年。"

"天斩邪刀一鸣惊人，江湖道上有他的地位。"二魔加以补充: "但这两年来，很少传出这人的行踪下落，所以名号并不怎么响亮，绝大多数江湖朋友，不知他是老几，反而对所谓天斩邪刀留有印象。也许，天斩邪刀四个字相当慑人吧! 而知道他叫桂星寒的人，恐怕没有几个。"

"你是说，他是与侠义道结怨的人？"中年人追问。

"刀称之为邪，应该是的。"二魔点头。

"应该是？"

"由于以后很少传出这人的消息，所以没有人知道他真正的作为。属下仅凭个人臆测定论，是否正确就无法断言了。"二魔实话实说，不敢胡乱下定论。

"好，先不要招惹他。"中年人说："找机会接近他，探他的口风再说。"

"属下哪敢再招惹他？"二魔沮丧地服老，哪有勇气再向天斩邪刀挑衅？

"我会另派人留意，你们小心了。"

中年美妇已拾起两顶风帽，两人戴上帽离去。

"我的棋子……"大魔咬牙切齿叫，心疼地一一拾起洒了一地的棋子。

后殿有火光闪动，里面有人。

"他在里面。"大魔低声说，脸上涌起惊容。

"应该是。"二魔敷衍的话冲口而出。

"你知道，长上是从不饶人的。"

"没错。"

"但今晚……"

"他夫妇已用了神兵绝学，输了。"

"可是……"

"他俩是十分聪明的。我想，他俩是要等大少主赶到之后，再定对策，犯不着冒不必要之险。"

"看来，你我栽得不冤。"大魔不禁打了个冷战。

"这小辈刀下留情。"二魔摸摸右胁。

"长上夫妇神术通玄，已获大少主真传，武功神术出类拔萃，宇内称雄，威震江湖，没料到竟然栽在这个出道仅两载的年轻人手中，难怪你我遭殃。天杀的，老二，恐怕你我真的老了。"

黄泉双魔年届花甲，其实不算老。内功火候精纯的人，打熬筋骨放勤快些，八十岁依然龙马精神，依然矫捷灵活。老不以筋骨为能，但并不等于他们不能。

年登花甲，仍在江湖横行的高手名宿，多得很！

"老大，咱们如果服老，那就一切都完了。"二魔冷冷地说："而且，长上不会因为我们老了，就放咱们一马，让咱们隐世逃俗以享天年。"

"说的也是。"大魔长叹一声："咱们已是身不由己，至死方休。"

"别提了。"

"提也没有用，反而丧气。"大魔整衣而起："走，咱们进去找他谈谈。"

"找他谈谈？"二魔冷笑："他如果说几句狂话，你受的了？"

"这小子似乎修养不错，即使说几句狂话，何必计较？年轻人狂是正常的现象，你不去我去。"

"有你怎少得了我？走吧！"

后殿更为破败，但仍可避风雨。

今晚没有良好的宿处了，这间破庙根本没有庙祝住持。

遨游天下的浪迹天涯客，随身携行的日用品应有尽有，所以携物的囊称为百宝囊，袋称为乾坤袋，里面盛了日用品、救急药品、工具、甚至食物。

点燃一根蜡烛，他取出背囊所藏的食物，坐在神案下进食，一手持烙饼，一手抓肉脯，身侧还摆了个酒葫芦，吃得十分惬意。

其实，他心中提高警觉严防意外。

黄泉双魔是魔道的名宿，为何躲在荒郊破庙中，布下地狱等人闯来送死，为何？

他知道，即将有莫测的事故发生。

他不想示弱走避，谁知道何处可以找到宿处？离开这里，恐怕连可蔽风雨的地方也找不到了。

酒香四溢，他已喝了半葫芦酒。

火光摇曳，双魔擎着松明进来了。

“你小子备有食物。”大魔一面说，一面将松明插在砖缝上。

“这表示我是一个不按宿站赶路的人。”他吞下了最后一块烙饼，满意地拍拍肚子：“喂！你两个老魔鬼鬼祟祟，一脸奸相，像盯着鸡笼的黄鼠狼，在转什么遭瘟的鬼念头？不会是打我这些食物的主意吧？”

“老夫的五脏早就填饱了。”大魔笑着在一旁坐下。

“那两个男女是何来路？”他喝干了半葫芦的酒，脸上笑容可掬。

“无可奉告。”

“奇怪！”

“有何可怪？”大魔问。

“你两个老魔，是天不容地不留的魔道名宿，怎么可能年老变性，做起别人的奴才来了？”

“你说什么？”大魔愤怒得几乎要跳起来，按捺不住要爆发了。

“你们称他为长上，厚颜无耻，卑态可憎。”他安坐不动，但虎目中冷电暴射。

“你……”

“你最好给我安分些，不要给脸不要脸，想在我面前撒野，我一定把你整治的成一堆零碎，不信你试试看？最好不要试！”

"小辈……"大魔心中一虚,口气仍硬,一听便知色厉内荏,火爆不起来。

"那双狗男女的天煞炼魂术,已有七成火候。这是白莲社的绝技之一。你们是弥勒教的人?"

双魔脸色一变,像被蝎子蜇了一下。

"在下对什么社什么教并无成见。"他继续用平淡的口气表明立场:"问题是,必须不影响在下的利益。一旦有了利害冲突,在下只重视自己的利益。"

"什么意思?"大魔硬着头皮问。

"意思简单明了:井水不犯河水。"

"这……"

"那两个狗男女,不该遽下杀手。"

"你伤害了老夫……"

"你给我听清了!"他虎目怒睁,声色俱厉:"是你们下毒手在先,这是事实。这两个狗男女总算太过自恃,不曾进一步拔剑行凶,一看形势不利,便用五行潜踪术躲起来,没进一步激发我报复的怒火。你们告诉他,今晚的事到此为止。"

"你的意思是……"

"今后你们的人,如果再向在下采取挑衅的行动,在下反击之烈,将让你们做噩梦。"

"你不要威胁、恫吓,该知道咱们有威加天下的实力。"大魔口气仍硬。

"是吗?"他冷笑:"你们的仇敌也遍天下。你如果忽视在下的警告,灾祸是可以预见的。酒足肉饱,呵呵,在下要休息了,你们不想走吗?"

"你又不是猪,吃饱了就睡。"大魔悻悻地说:"小辈,老夫不相信你真是路过的旅客。"

"那你相信什么?"他泰然问。

"有所图谋的人。"

"你们有什么好事让人图谋的?"

"少管闲事,你最好赶快离开,奔你的前程,介入别人的闲事,是会送命的,你该知道江湖禁忌。如果你是冲着咱们的事而来的,定会送掉你的小命。说吧!你介入有多深?"

"呵呵,你这横行江湖的老魔,简直像一个初闯江湖的无知白痴!"他嘲弄地说。

"你……"

"我如果介入,你俩个老混蛋早就没命了!"

"哼,你在等候时机。"

"少废话了,你们滚吧!不要打扰在下安眠。"他下逐客令:"我可要熄烛了。"

黄泉双魔横行江湖三十年,三十年是一世。积了三十年的江湖经验,应该知道目下的情势脉络。

"你狂不了多少时候的。"大魔取下松明,往外退:"届时你即使想走,也来不及了,哼!"

双魔并不愚蠢,怎敢再撒野?连他们的长上也栽了,再逞强撒野,真可能丢掉老命。

蜡火一熄,殿中黑沉沉,想闯入的人,须冒受到暗器致命攻击的风险。

奇寒彻骨,罡风呼啸,殿中黑得伸手不见五指,似乎充满阴森诡谲的杀气。

一个黑影在殿外停留片刻,悄然退走。

鬼鬼祟祟的人影,先后抵达破庙。至于那一双俊伟的中年男女,离开后就不曾返回。

黄泉双魔在庙外接待抵达的人，把来人悄悄安顿在大殿的东面房舍内。

三更后不久，七个人悄然接近桂星寒歇息的偏殿。

黑得伸手不见五指，除了风声之外，没有其他声息，接近十分容易，其实用不着郑重其事接近，天寒地冻，人早该沉睡如死。

投入一颗小物体，砰然一声爆响，火光闪耀，烟屑涌腾，是江湖朋友使用的所谓火弹，用途是照明与吓唬潜藏的人。

火光爆发的瞬间，冲入六个人，十二条大手挥动，暗器似飞蝗，向蜷缩在壁根下干草丛射击，向用作被褥的一大张狼皮集中。

到处为家的江湖浪人，夏天是一块布，冬天是一块狼皮或狗皮、鹿皮、羊皮，在任何角落皆可露宿，不需多花客店的宿费。

当然有身份的人是不屑出此下策的，甚至带了仆从随行，投宿旅店神气得很。

那块狼皮下的确像有人在沉睡，当然是天斩邪刀桂星寒在睡觉。

六个人拔刀剑随暗器冲出，似乎打出的十二枚暗器缺乏必中的信心。

火光渐熄，刀剑皆指向狼皮。

一把刀挑开了狼皮，所有的人皆怔住了。

狼皮下没有人，仅干草堆积得像蜷缩的人而已。

殿口出现黄泉双魔，竟然不敢冲入。

"怎么？死了？"大魔急问。

"没有人。"挑起狼皮的人大声宣布，甩掉狼皮："这小辈溜掉了！"

"咱们被愚弄了。"另一个也收剑退走："他娘的混蛋，是个怕死鬼！"

"可是他如果真怕死，溜走岂不省事？"大魔抢入，拾起了狼皮："犯得着丢掉保暖的皮裘？你们在皮上留下了十二个洞孔。"

十二个洞孔，是暗器所造成的。

六个人踢飞干草，拾回自己的暗器。

"这叫做金蝉脱壳。"有人说。

"对，这才能吸引咱们的注意，他才能神不知鬼不觉偷偷溜走，丢掉皮裘值得的。"另一个人同意。

"我总觉得有些不对，咱们该小心些。"大魔大感不安，实在想不出桂星寒留下狼皮的理由。

众人不再逗留，出殿走了。

云沉风恶，辰牌时分，天色依然暗沉，不像是大白天。

桂星寒背了背篓，从小径进入大官道。

背篓中，少了一条狼皮裘。

他真有点冒火，但忍下了这口恶气。

六个家伙袭击，那时他躲在神龛上，目睹袭击经过，几乎忍耐不住要操刀报复。但他忍下了，一比八毕竟有点冒险，而且他不想树下强敌，一个刚出道不久的年轻人，多树强敌不是什么聪明的事。

知道弥勒教底细的人，都不敢与这个江湖道上实力最庞大、最神秘，人才辈出的秘密会社为敌。

十余年前，教主龙虎大天师在洛川造反，把陕西搞得烈火焚天。

后来，龙虎大天师李福达兵败溃散，走京师用劫掠得来的金银珠宝，捐官做了山西太原卫指挥使，官位不小，与山西的勋臣世家武定侯郭勋狼狈为奸。

龙虎大天师被捕之后，牵扯出武定侯。结果，满朝文武大臣打错了算盘，必欲置武定侯于死地，反而触怒了皇帝，犯了皇帝的忌讳。结果，武定侯没死，龙虎大天师也没死，死的却是四十余名文武大臣，杀头抄家，惨绝人寰。

直至龙虎大天师的徒孙在四川造反，招出从前的罪案，新皇帝才替这些被杀头抄家的文武大臣"昭雪"。

龙虎大师从天牢中逃得性命，在天下各地重建秘窟，实力转入地下，更为强大，更为嚣张，气候渐成，弥勒教的香坛，如雨后春笋般在各地建立。

一个出道不久的年轻好汉，与弥勒教结怨必定凶多吉少。

桂星寒当然有所顾忌，能忍则忍。

他却不知，伤害了在弥勒教地位甚高的黄泉双魔，更挫折了地位更高的两个中年男女，弥勒教怎会轻易地放过他？

躲了一夜，次日他束装就道，不打算与这些人计较，但心中难免愤火难平。

他昨晚如果不事先提防意外，十二枚暗器一定全射在他的身上了。

"这些混蛋真可恶，他娘的！他们最好见好就收！"他一面走，一面低声咒骂。

年轻人耐性有限，他心中的怒火在燃烧。

他以为双方争个宿处，是极为平常的事，事过后没有牵缠的必要，黄泉双魔应该见好即收。

仅走了两里路，他终于明白，是福不是祸，是祸躲不过。

黄泉双魔并没有见好就收。

六个人影急如星火，正从后面快速地赶来。

背箩往路旁的行道树下一放，他冷然踱至路中心。

官道平坦笔直，正好施展。

六个面貌狰狞的中年人，形成大包围。

"他娘的混蛋！"他盯着前面那位大牛眼中年人大骂："光棍打九九，不打加一；你们还加二呢，干什么，说！"

"要你的命！"大牛眼中年人凶狠地说。

"就这么简单？"他强忍怒火，浑身的肌肉跃然若动。

"对，就这么简单。"

"不需要理由？"

"你发现咱们的联络站，非死不可。消息不能走漏，死人是不会走漏的。"

"联络站？"他一怔。

江湖忌讳甚多，知道的秘密越多，死的机会也越多。他真不该一头闯进秘密会社的联络站，难怪这些人不择手段，群起而攻。

"对，联络站，咱们要在这条路上办事。小辈，你真不该闯进来，认命吧！"

"你们要办什么事？"

"你可以向阎王爷打听！"中年人傲然地说。

他知道是祸躲不过，呼出一口长气，冷然四顾，功行百脉早做准备。

"你们走吧！"他出奇的冷静，一字一吐："贵教目下正在发展期间，不宜使用威吓杀戮手段与天下为敌。我天斩邪刀成名没几天，不希望与贵教结怨。昨天我怕你们才加以回避，你们应该心满意足了。阁下，我相信贵教也不希望树敌，我走我的阳关道，留一分情义，日后好相见，是吧？"

"小辈，你说的真轻松。"那人不领情，不住狂笑："闯入咱们的鬼门关禁区，你非死不可，小辈，你认命吧！"

故事重演，十二条臂膀齐挥，暗器漫天，以惊人的速度向他集中攒射。

人向下一挫，幻化为令人目眩的贴地旋风，脱离了暗器聚集的中心，飞起一道炫目的光华，到了第一个人的脚下。利刃破风的慑人锐啸传出，光华已旋至第二名中年人脚下，人影也随之幻现。

"啊！"第一个人狂叫着倒了，右脚齐膝而折。

旋风更快，光华如逸电流光。

只有一个人来得及拔出长剑，但没有出招的机会，光华已急似雷霆斜掠而至，刚拔出剑的人右手齐肘中分，手与剑同时落地。

六个人比赛谁倒的快。

一眨眼间，倒了五个人，不是断手就是折脚，痛得站立不牢。

惟一没倒的人，是最后中刀，断了右小臂的大汉，忍住痛保持不倒。

蹄声急骤，北面来的骑士策马冲到，人飞跃而下，半空中长剑出鞘。

好俊的轻功，好俊的骑术。

"歹徒该死！"娇叱声震耳。

虽则是女性嗓音，仍然令人入耳心惊。

娇叱声与剑光从天而降，光华熠熠的锋尖，有如从天而降下的雷电，扑势之猛空前狂野。

桂星寒身形疾转，一刀拍偏了斜降而下的剑尖，传出一声铿锵金鸣，女骑士斜飘八尺，轻灵地着地。

桂星寒心中暗惊，这一剑如果偏了小小的角度，他恐怕逃不出剑下，女骑士剑上的劲道也令他心惊，虎口仍感到发热。

又来了更高明的劲敌，激起了他的豪气。一声怒啸，他挥刀抢攻，刀风似沉雷，火辣辣无畏地反击。

女骑士显然也感到吃惊，剑上传来的反震力，已明白表示对方的分量，也一声娇叱，剑起处，吐出了无数目力难及的闪烁光华，放弃硬接的念头，用深奥的技巧寻暇蹈隙反击、进攻。

以快打快，一沾即走，变化万千，刀风剑气迸发直逼三丈外，人影闪动已难辨实体，金铁交鸣，声震欲聋。

第二章　山雨欲来

换了三四十招，速度更快了。

"是昊天神剑!"桂星寒突然高叫:"接我的天绝三刀!"

刀光乍敛乍放，从漫天彻地的剑影中斜掠而出，传出令人心悸的利刃破风锐鸣，人影倏然中分。

女骑士斜掠出丈外，头上的皮风帽却向另一方向飞跌，露出盘着辫髻的头部，以及极为灵秀的面庞，那一双充满灵气的明眸，流露出惊骇的神情。

这一刀，如果低半寸，她的头……

桂星寒的左臂外侧，老羊皮袄出现一条两寸长，被剑尖拂过的裂口，里面的羊毛从裂口翻出。

"真该死，你的武功超绝，刀法通玄，竟然在往来大道上杀人行凶。"年轻貌美的女骑士，发起怒来仍流露出动人的风情:"你这种人活在世间，日后……"

"闭嘴! 女人。"桂星寒怒叱，虎目怒睁:"你们这六个杂碎，每个人都是武功出类拔萃的名家，用暗器杀人的高手。你们可以行凶，在下就不能自卫伤人? 你这话简直狗屁!"

这六个断手断脚的人，的确配称高手名家，内外功成就不凡的有名人物，居然一再倚多为胜，向他明暗下手，本来就激起他无比的愤怒。这个女人竟然指责他行凶，可把他的怒火激得爆发了。

女人的武功，比这六个人高明得多，猝然向他袭击，更引起他的仇视。

他以为女人也是弥勒教的妖孽，怎配指责他下毒手？骂的话当然刺耳，他一点也不在乎对方是女人。

"你自卫伤人？"美丽少女颇感意外。

"咦？你不是他们的人？"他听出女人的口气不对。

"你是见鬼啦！我根本不认识他们。"女人大声抗议。

他愣了一下，举目察看在路旁的坐骑。鞍后有马包，是长程旅客所携带的大马包，里面有睡具、日用品的旅行马包。

"冒失鬼！"他悻悻地说。气消了一半。

"你说什么？"女人沉声质问。

"你既然不是他们的人，为何猝然加入攻击？"

"我是……"

"所以你是一个冒失鬼，不问情由便拔剑表现你的打抱不平勇气。哼！你最好问问他们为何向在下行凶，为什么行凶与倚众群殴。"

"这……"女人一怔。

"不过，你最好不要问。"

"为何？"

"问了你会害怕，而且会惹祸上身。"他冷冷地说，收刀入鞘。

"什么意思？"女人黛眉一挑。

"他们是弥勒教颇有地位的人，你敢问？哼！害怕了吧？"

"你……"

他急步到了树下，抓起背箩大踏步走了。

六个人咬牙切齿，互相协助用腰巾裹伤，天寒地冻，伤口不至于恶化，但不可能行走了。断了手的人，不可能背了断了腿的同伴，远走两三里路返回破庙，只能在原地等候同伴赶来施救。

女郎牵了坐骑走近，凤目中有警戒的神色。

"你们是弥勒教的人？"她冷然问。

"是又怎么样？"断了右小臂的人怪眼一翻，口气依然强横。

"本姑娘就知道你们是理屈的一方。"女郎自以为是。

"少管闲事，哼！"

女郎冷冷一笑，扳鞍上马。

"活该！"女郎扭头说，健马前跃。

"我回去叫人来抬你们。"断了右臂的人向同伴说，用左手握住断臂的上端，痛得浑身抽搐，也许是精力耗尽而冷得发抖。

"两个老魔应该跟着一同出手的。"一个断了右脚的人，咬牙切齿抱怨："天刚亮，那边根本不必留下人负责接待，他们分明是贪生怕死，不敢一同前来宰了那小狗灭口。"

"不要怨天尤人了，兄弟。"断臂人失声长叹："两个老魔已经是惊破胆的老鼠，当然会找借口逃避灾祸。怪只怪咱们学艺不精，六个一流高手，也对付不了一个方出道小有名气的小辈，咱们哪有脸怨天尤人？你们定下心等候，我回去……"

"哈哈哈……"路右狂笑声震耳，凋林中钻出一个背了包裹，手中有一根老山藤杖的人，风帽系得牢牢的，只露出一双炯炯有神的双眼，一跳两跳便到了路中，像一头饿虎，狠盯着即将到口的美味羔羊。

断臂人已看出来意不善，但并不紧张，哼了一声，狠盯着在一旁怪笑的不速之客，意思是说：你这家伙能耍出什么花招来？

只看到一双眼睛，怎知道来人是谁？

但看到可以断定身分的特征，却又不同了。

怪人抄起老羊皮大袄的下摆，露出里面的一截银扇袋。

"银扇勾魂客杨其昌。"断臂人大骇，认出那一段银色扇袋的来历。

用短兵刃的人，通常用袋盛装兵刃，当然是特制的，与刀鞘剑匣的作用相同。比方说：箫、扇、笔、新月刀等等，一看便知不是一般实用的盛器。

这个用银织成的扇袋，长度将近两尺，里面的扇，长度一尺八，比一般用来扇凉的折扇长了将近一倍，没有人会用这种大折扇来扇风。

大惊之下，左手慌乱地拔剑。

银扇勾魂客杨其昌，一个在江湖侠名远播，称雄二十载盛誉不衰的怪杰，邪魔歪道恨之切骨的高手名宿，惩戒歹徒恶棍的手段相当狠，所以绰号叫勾魂客。

其实，侠义英雄中，那些欺世盗名的伪善者，也把银扇勾魂客看成了毒蛇猛兽，极为仇视。

真正方方正正的英雄豪杰，也不见得欢迎他。所以，他只能称怪杰。

"妙哉，你们这几个混蛋，像是遭遇了什么祸事，不曾是受到天谴吧?"银扇勾魂客不理会伸出的剑，狂笑像得意拾得金锭的花子："哈哈哈，据在下所知，天老爷最势利，很少惩罚你们这种作恶多端的匪徒。我敢打赌，绝不是天老爷弄断了你们手脚，哈哈哈……"

"不要过来!"断臂人举出的剑不住地抖动，色厉内荏喝阻慢慢接近的银扇勾魂客。

"那就刺我一剑呀! 哈哈……"

"站住! 你想怎……样……"

"我要知道，你们在这条路上搞什么鬼。"

"你……"

"你还是乖乖从实招来的好，免得我再弄断你另一条手臂，哈哈! 你知道我一定会下手不留情的，我一定会得到所要的消息。"

断臂人一咬牙，一剑吐出。

铮一声怪响，山藤杖一伸，搭住了断臂人的右肩。

右手断了小臂，右肩本来就承受不了压力，断臂人狂叫一声，向下挫倒。

"我勾魂客心硬如铁，决不因为你们是些半死人而手软，乖乖招供，保证你们快活。"银扇勾魂客的山藤杖，轻点着对方的右肩："招！"

"你……不要卖狂，本教……"

"你想把弥勒教的招牌抬出来唬我？"

"你这专门与本教作对的混蛋！哎……"

山藤杖抵住了右肩井，断臂人快要痛昏了。

"在下暗中盯住你们一群杂碎，已经有好些日子，始终猜不透你们这群人，在这条路上鬼鬼祟祟，到底在弄些什么玄虚。"银扇勾魂客得意地说："今天好不容易发现你们成了半死人，正好乘机要口供。"

"你也算是一代侠义高手……"

"哈哈！我说过我是侠义高手吗？我什么都不是，只是一个看不顺眼，就多管闲事的无聊武林人。而贵教所作的许多事，都让在下看不顺眼，难免双方都有是非啦。"

"我不信你敢把我一个受了重伤的人，用丧心病狂的手段逼供。"断臂人强忍痛楚，说的话居然咬字清晰："我不怕你……你……"

"哈哈，难怪你一口咬定我是侠义高手，原来打量我不敢用残忍手段逼供，你这一厢情愿的主意，错得离了谱，我立刻纠正你的错误……"

山藤杖正要向断臂人敲落，路对面人影乍现。

银扇勾魂客非常了得，人向下一挫，斜掠出两丈外，快逾电光石火。

一道冷电掠过他先前站立处，几乎贴他的头皮飞过，假使他不见机身形下挫，难逃冷电贯体的噩运。

冷电掠过后才传出锐利的破风声，速度之快令人胆寒。

两个人影，取代了他先前的位置。

"好家伙，你这妖女的飞剑绝技惊世骇俗，悄然发射令人无法防备，天知道你用这种阴毒手段，谋杀了多少人？"银扇勾魂客悚然高叫："我猜，你们是传说中七仙女中的两个妖女。我碰上妖教中的重要人物了，运气真不错。"

小飞剑飞射出五丈外，劲道消失翩然落在路旁的树林内。

两个皮风帽已经掀起掩耳，露出美丽面庞的年轻女人。

严寒天气，依然保持红润的健康面庞，眉目如画，尤其一双明亮的大眼极为动人。胴体被浅蓝色的大氅所掩盖住，隐约可以分辨佩剑的位置。

"你走的是死运。"那位身材稍高，曾经用小飞剑猝然偷袭的女人语气凶狠："你好大的狗胆，竟敢残害我们六个人，本仙女要抓住你示众江湖，所以刚才没用飞剑取你的性命！"

行家一出手，便知有没有，银扇勾魂客也是个高手行家，当然知道刚才那把小飞剑，并没有志在要他的命，仅意在逼他自救，以便逼他放弃断臂人。目的达到了。

妖女要活捉他示众江湖，语气近乎狂傲，没把他这个一代怪杰看成劲敌，似乎吃定了他。

弥勒教据说有七个年轻貌美，妖术通玄的美丽女人，称为七仙女，见过七仙女本来面目的人并没有几个，所以江湖朋友仅当成传说而已。

十余年前，弥勒教在陕西举事失败，教主龙虎大天师被擒囚入天牢，该教的主事人死伤殆尽，元气大伤。以后从半公开活动改为秘密发展，所罗致吸收的人才，数量越聚越多，其中不乏身手超绝的高手，也暗中网罗了不少高手名宿替该教卖命，声威如旭日初升，已赫然成为诸多江湖秘密组合中实力最庞大，人才最鼎盛的会社。

龙虎大天师打出的旗号是弥勒教，是白莲社所属的各种组织之一。

当年参与推翻蒙古大元皇朝，举兵反抗天下的各路群雄中，白莲会是其中的主流。一斗米教、焚香教、弥勒教、拜天教……大多数是白莲会的分支组织，或者借白莲会的旗号招兵买马。

大明的开国皇帝朱元璋，所参加的香军，其实也是白莲教的分支，至少他们共举教主韩山童做领袖，也拥护过小明王。

朱元璋登基，着手铲除白莲会，彻底整顿天下寺观，严格控制和尚老道的数量，杜绝造反的病源。白莲会不敢称教，也不称会，改称社。

后来徐鸿儒在山东造反，才正式恢复白莲教的名称。

汉末晋代期间，和尚之多骇人听闻，各地寺产之丰，几乎到了天下税赋皆空地步。

因为和尚不完粮，不出徭役。田地寄名在寺庙，就可免缴粮赋。

结果，和尚造反有案可稽的，大规模的造反事件，足有三十七宗之多。

朱元璋早知弊病所在，出家人的条件规定得十分严格，不论男女，四十岁以前，绝对不许为僧为道，而且必须考试，发给度牒。

少林寺原来有三千多位僧侣，目下还不到五百名。

· 少林是惟一允许建立僧兵的寺院，人数已经少得可怜了。其他各地小寺院，有一二十个和尚已经不错啦！

上次山东响马造反，官府曾经出动少林的僧兵助阵。结果，由于人数太少，在徐州附近的亳州，三百名僧兵，被白衣军消灭了三分之一，少林僧兵从此一蹶不振，只好改弦易辙，暗中调教俗家门人子弟。

由于有了俗家门人子弟，逐渐形成"派"的气势。

武当也是朱家皇朝一手扶植的，早就暗中调教俗家门人子弟，因此成"派"的气势，比少林更大些。

"派"是江湖朋友弄假成真的戏称。武林朋友也自画门户，一知半解的分武技为内外功。

结果，少林与武当有了"派"的名称，也分别成为外家内家的总称。

其实，一寺一观的俗家门人，皆称少林弟子或武当弟子，并不称少林派或武当派门人。

反而是各地练武人，对称门称派十分热衷，三个人可以称门，五个人就可以称派。

白莲社供神也供佛，神佛不分，非驴非马，名符其实的大杂烩。

河南地区是少林弟子的势力范围，白莲社弥勒教在这里没有发展的空间，被看成异端。

而现在，弥勒教的七仙女出现在少林左近，难怪黄泉双魔一群人，夜间活动频繁。

银扇勾魂客一听对方自称"本仙女"，便知道不幸而料中，碰上了可怕的强敌。

拼武功，武朋友一言不合就生死相拼。

但要他们与会妖术幻术的人玩命，绝大多数提不起勇气充好汉，胜之不武，败了可能枉送性命。

银扇勾魂客是少数不在乎妖术幻术的人，所以敢和弥勒教作对。

他并不害怕，妖女的话也激怒了他，山藤杖递交左手，右手取出他威震江湖的尺八九合银织大扇，唰一声抖开扇，银光耀目生花。

"我银扇勾魂客在江湖道上,还算不了什么人物。"他左杖右扇,豪勇地逼近:"就算被你们擒住示众江湖,也增加不了你们多少声威。听说你们妖术通玄,可移山倒海驱神役鬼,在下不信邪,陪你们玩玩。"

据说,龙虎大天师身上有龙虎刺青图案。又说刺青在双臂上,左青龙右黑虎,行法时双手一动,龙虎齐出腾云驾雾搏击,十分可怕。

妖女缓步迎上,剑从大氅内拔出,剑身幻发青蒙蒙的奇光,有令人心悸的魔力。

"原来你就是再三与本教为敌,浪得虚名的银扇勾魂客。"妖女的明眸中,幻射出阴冷无比的光芒:"你好大的狗胆,为何无缘无故残害本教的几位功曹?"

"你可以问问他们呀!他们还没死,也没成为哑巴。"银扇勾魂客不承认也不否认:"当然啦!你不妨把账记在我头上。"

另一名仙女将断臂人扶至一旁,引至五位同伴远离斗场。

"是这个浪得虚名的人伤害你的吗?"这位仙女向断臂人问。

"他还不配!"断臂人咬牙说。

"是谁?"

"一个叫天斩邪刀的人。"

"天斩邪刀?"

"叫桂星寒,是真名是假名还不知道。黄泉双魔被那人打伤了,所以由我们出面对付他,没想到……"

"他一个人就残害你们六个人?"这位仙女意似不信。

"是的,他的刀……好可怕。"断臂人痛苦地说:"弟子无能,所有暗器无效,没有人能接下他一刀,任由他放手切割,弟子……"

"那人呢?"

"被一个女人赶走了。"断臂人向南面一指。

"那个女人是何来路?"

"不知道。"断臂人摇头。

银扇勾魂客听了个字字入耳,对断臂人的坦率颇感佩服。对方尽可指证他是凶手,以掩饰嫁祸给他。

"四姐,先擒下姓杨的匹夫。"这位仙女向同伴高叫:"我们的人需要及早治疗,不能拖延。"

"我这就擒下他。"与银扇勾魂客对峙的妖女娇叫,青钢剑一挥,青霞蒙蒙,罡风乍起。

银扇勾魂客只感到眼一花,接着眼前的妖女蓦然消失,一丛青光罩住了他,神智一乱,不由自主被奇异的罡风带动身形,向青光特别明亮处冲去。

感觉中,他是被风飘走的,像是御风而飞,身躯的重力消失了。

半昏沉中突然感到腰背一紧,有一条强劲的手臂攫住了他,腾云驾雾的感觉更强烈了。

耳中同时听到妖女的一声暴叱,以及有物在身侧不远处砰然爆裂。

"不可鲁莽穷追,追不上了。"是另一名妖女的急叫声。

六个受伤的功曹,或坐或躺,脸有惊容。

"谁看清刚才的人影了?"被称为四姐的妖女,向六个功曹沉声问。

六个功曹你看我我看你,没有人回答。

仙女的地位比他们高得多,武功与妖术皆出类拔萃,面对面的强敌被救走,居然连人影也没看清,他们还在四五丈外,怎知道来的是人是鬼?

即使看清了,他们也不便回答,以免引起误会,怕得罪妖女有伤妖女的自尊。

"那狗东西用的是五行遁术。"另一妖女脸上惊容仍在。"四姐，你如果穷追，恐怕克制不了他，反而会吃亏。这个人，将是咱们最难对付的劲敌。"

"我怀疑是高人用法术将人攫走的。"四姐不安的表情刻画在脸上："只看到一个朦胧的光影，似乎并没具有人的形态。"

"是人，没错。"另一妖女坚决地说。

"可是……"

"咱们并没留心，变化太突然，我的眼角的确看到人影掠动，眼角余光是相当锐利可靠的。"

"算了，以后再调查，我到联络站找人来善后，六妹你在这里必须小心些。"四姐泄气地说。

路旁不远就是树林。救人的速度太快，一起落便消失在林中，她俩没看清是人是鬼，不是她们的错，对方的速度太快了，事出突然，眼睛出了差错平常得很。

两个人坐在林中的雪地上，轮番喝着葫芦里的酒。天寒地冻，喝几口挡寒是一大享受。

银扇勾魂客脸色还没恢复正常，经历过莫测凶险的人，所表现的就是这副德性，对所发生的事实半信半疑。

天斩邪刀将皮袄反穿，所穿的夹裤本来就是两用的：一面青一面白，反穿便与反穿的羊皮大袄同色，也与冰封的大地色彩相差不远。

他救走银扇勾魂客时，速度本来就快极，整个人抱住银扇勾魂客，像一条巨大的八爪鱼，难怪已失去人的形态，目力佳的人也不易看清。

"我发誓，我完全是神智清醒的。"银扇勾魂客脸红耳赤地为自己辩护："还没开始交手，怎么可能受制？分明……分明……"

"分明是身躯临时出现什么症状，所以暂时失去控制，对不对？"天斩邪刀笑问。

"这……"银扇勾魂客脸一红。

"哈哈！当然啦！像你这种所谓问心无愧的怪杰，邪不胜正，妖术岂奈你何？你武功高强，定力够，真正的妖怪也奈何不了你，何况一个小女人的妖术？"

"好了好了，我栽了是事实。"银扇勾魂客泄气地说："我眼前除了怪异的光芒外，一无所见，也是事实，不明白的是，妖女并没有施妖术呀！"

"只有你这种自以为心正则百邪回避的大呆瓜，才会相信妖术对你无效。"

"你……"

"你像个大笨蛋似的，面对面与她打交道，自以为正式交手时，对方才会发动施术。其实，你与她面对面一站，她已控制了你的心智，她要你看到什么，你就看到什么。你看到了怪光，神智就毫不迟疑指挥你的躯体，不由自主地投入，她的剑就会在光中等候你。"

"罢了，这些妖术委实不可思议，该如何破解？"

"你必须出其不意，毅然地向她发起猛烈的攻击。务必在她的目光、声音、法器等等有效及体之前，以闪电似的奇速摆平她。不然，你就会被她摆平，够简单吧！"

"说来容易，老弟。"银扇勾魂客叹了一口气。

"做起来其实困难，老哥，所以如果没有这种机会，你必须谦虚些，断然放弃溜之大吉。"

"你对付得了她们？"

"雕虫小技，何足道哉？"

"你也会妖术？"

"我不明白你口中所说的妖术，到底意指什么？任何东西都有正反两种作用。你武功高强,用武功帮助人救苦救难,同时也可以用武功为非作歹,杀人害人。告诉我,武功是什么术?不会是单纯的技击术罢?"

"我明白你的意思。"银扇勾魂客不住点头。

"我涉猎过这种颇为深奥的心灵控制术,如果我一旦成为众所共尊的侠义英雄,我使用在歹徒恶棍身上,不会有人认为是妖术。"

"我知道,你会被捧为神圣,你用的是神术。"银扇勾魂客苦笑:"所以,你最好走侠义英雄的道路。老弟,帮助我对付这些为祸江湖的妖孽。"

"没胃口。"天斩邪刀摇头拒绝:"那不关我的事,老兄。"

"你……"

"我自己的事已经够烦了。你知道,人要想活得如意,并非容易的事,哪有闲工夫去管什么妖孽?我不知道什么是侠义英雄,也不明白侠义英雄是干什么的。我觉得,我犯不着去找我不了解的道路走。"

"人只要立志……"

"有志者事竟成,是吗?这些话,古圣先贤说了几千年啦!"

"你要往南走?"银扇勾魂客知趣地话锋一转,知道他不愿谈论有关接触内心的敏感话题。

"是的,荆州。"天斩邪刀将半空的酒壶放入背篓,整衣而起:"听说九灵丹士在荆山深处,挖到一些空青,在那儿炼丹。我要去找他要一些空青,替将失明的朋友治眼疾。"

"荆山不可能有空青呀!"银扇勾魂客大摇其头:"那一带没有矿坑,没有古代富贵人家的墓葬群落,地底下不可能有空青凝结。而且,九灵丹士也不在荆山。"

"为何?"天斩邪刀大感失望。

"去年九九重阳,他在浙江天台山,与伏龙居士争古仙人留下的石室，双方死缠了一个多月之久。据说，两人都受了伤，而且伤势不轻。伤养好了，该已是年底岁末，怎么可能跑到荆山来，凑巧挖到空青炼丹？"

"哦？你怎么知道他的底细？"

"他的得意门人沧海客王琛，和我有深厚的交情，他师父的行踪，可说一清二楚。年初我和他在扬州分手，消息绝对可靠。"

"似乎我白跑一趟了！"天斩邪刀换穿皮袄夹裤，提了背篓："但我不死心，到荆州走走。杨老哥，小心珍重。"

目送天斩邪刀走远，银扇勾魂客也准备动身。

"好小子，你以为你躲得过麻烦？"他微笑着喃喃自语："弥勒教不会放过你。我只要旁敲侧击放上几把野火，就会愈陷愈深了。"

接近十里亭，便看到动身北行的旅客，成群结队顶着刺骨寒风赶程，都是脚程快的步行旅客，有些背了包裹，有些挑了箱笼。

天斩邪刀在这些规矩本分的旅客来说，没人知道他是老几。但看到他居然从北面来，不免向他投过好奇的目光。这种天气，如果不按店投宿，后果是相当严重的，可能在途中冻死。

看他从北面来，便猜想他是夜间赶路的旅客，天亮后才接近县城，这种时节赶夜路实在胆气可嘉。

当然，旅客的好奇目光也许另有用意。

他并没介意，大踏步接近十里亭。

"咦！怎么一回事？"远在百步外，他便颇感惊讶地自言自语。

亭中有五个劲装大汉，衣外加了一件背心式皮袄，两佩刀，三佩剑，五双怪眼，目光远远地便落在他身上，有两个大汉正缓缓步出亭外。

也许是弥勒教的人在等着他，消息早该传到县城了。弥勒教的人在抱獐山建联络站，破庙距县城二十余里，那么，县城毫无疑问也有他们的徒众活动。

"最好不要惹火我。"他心中暗叫："也许我该查证他们在这一带活动的目的。这些混蛋，最好不要在这一带建香坛为非作歹。"

为非作歹与他无关，只要受害人不是他。

他告诉银扇勾魂客，还没选择打算往哪一条路走，确是实情，世间有些事是不由自主的。目下是他体会世情，历练生活的游荡期，不需面临抉择关头，还有充裕的时间，让他选择想走的道路。

不管何种道路，其中没有做侠义英雄这条道路，因为他有自知之明，他不是做侠义英雄的料。

也不会走凶魔这条路，不然弥勒教那些人，包括黄泉双魔在内，昨晚都会死在他的天斩邪刀之下。

昨晚和今早，他都有把那些人斩光屠绝的充足理由，但他却聊加薄惩放过他们。

斩手断足，怎能算是"薄惩"？

他认为是薄惩，可知他决非是一个悲天悯人，量大如海，能打掉牙齿和血吞的慈悲大菩萨。

"暂且不和他们计较。"他向自己说，立即向路口一窜，越野而走。

立即引起亭中人的疑心，纷纷奔出亭，飞掠急追。

这一带是平坦的原野，麦子深埋在冰雪下，一望无涯，无处可以藏匿。

· 36 ·

　　五个人这一追，很难一口气逃至天尽头。

　　他也不想拼命有多远就逃多远，反正只要离开官道，没有旅客目击，他就可以给这些人脸上涂颜色了，他不是一个怕事的人。

　　奔出里外，他慢下来了。

　　五个人的脚程非常了得，一跃两丈快逾奔马。

　　"站住，别跑！"追得最快的大汉沉喝，声如炸雷，已追至近身后十步左右了！

　　放下背箩，他倏然止步，双手叉腰，屹立如山，脸不红气不喘，呼吸平静，哪像一个一口气逃出里外，精力将竭的胆小鬼？

　　"你们追什么？"他的嗓门也够大，声震耳膜。

　　"你逃避什么？"接着追近的第二名大汉反问。

　　"去你娘的蛋！"他感到心中好笑，火杂杂地冲上，劈面来一记黑虎偷心，铁拳如电先下手为强。

　　大汉勃然大怒，先动手的人一定理亏，招式也太狂妄，冒火啦！上盘手一拨，右手乘隙急出，一记鬼王拨扇还以颜色，这一掌同样狂妄。

　　糟糕，上盘手没能格开重拳，大拳头毫无阻滞长驱直入，砰一声击中胸口，把大汉打得飞退出丈外，几乎仰面摔倒。

　　又一声砰然大震，第一名大汉被一脚扫跌出丈外。

　　打击有如迅雷疾风，先后奔到的四名大汉，来一个倒一个，拳打掌飞招式粗俗，但劲道与速度皆快得惊人，一击便中，中了便倒。

　　眨眼间，四个鱼贯狂奔而至的人倒了三个。

　　第五名大汉脚下差了些分量，所以最后到达，大吃一惊不敢冲进，一拉马步，亮出四平门户，神色紧张地严阵以待。

　　四个同伴一上去就栽了，怎能不惊？

"咦？你们是少林弟子？"桂星寒一怔，火消了一半，看了对方所亮的门户，颇感诧异！

"不错，你是干什么的？"大汉沉声反问。

"该死的，你们少林弟子，不会是扮劫路的强梁吧，是吗？"

"废话！"

"那你们干什么？堵在十里亭看风景？"

"咱们在留意可疑的人。"

他立即想到弥勒教的人，余下的火气全消了，而且心中感到可笑。

显然少林弟子，发现了弥勒教的匪徒在这一带活动，活动的目的，也必定影响了少林弟子的权益。

"我可疑吗？我是赶路的旅客。"他心平气和地说。

"你带了刀，你心虚……"

"去你娘的！合法穿州过县的旅客，带刀自卫并不犯法呀，你们摆出劫路的姿态，我能不害怕心虚吗？"他笑骂，转身提起背篓。

"这个……"

"喂！你们少林弟子一向少管闲事，虽然有几个争强斗胜的弟子，介入江湖纠纷，但不失正派，居然大举出动公然注意往来的旅客，遭了什么祸事了？"他笑吟吟毫无敌意，语气中含有讽刺成分。

少林僧兵惨败亳州，被赵大元帅和杨虎大将军——杨寡妇红娘子的丈夫——杀得落花流水，便开始半公开地造就俗家子弟，迄今仅十余年，的确出了不少人才。少林弟子正式在江湖上大放异彩，打破闭关自守的樊笼，成就斐然，声誉甚隆。

而以内家拳崛起的武当弟子，目下已传至第五代门人了。

不论任何有组织的组合，人一多就难免良莠不齐。少林武当同是武林主流，人一多，其中难免有些不肖弟子，挟技凌人甚至沦入邪道。

有了声誉名望，难免沾沾自喜，忘了自己是老几，少不了出现自命侠义或者武断乡曲，甚至称雄道霸的子弟，江湖也就增加一些是非。

五个人聚集在一起，怒形于色跃然欲动。这些人禁受得起打击，当然是桂星寒下手也有分寸，对方不拔兵刃下毒手，他也就用普通的拳脚应付。武朋友挨上几记不致命的痛击，不会造成严重的伤害。

"咱们奉上命所差，留意过境的可疑旅客，尤其须注意携有兵刃的人。"大汉据实相告："你就是携有兵刃的人，而且形迹可疑。"

"你们打算怎么办？整了我？"

"废话，咱们又不是强盗。"

"说你们的打算。"

"咱们只负责注意你，你最好不要在本县逗留。"

"为何？"

"我也不知道，只知奉命行事，你如果逗留不走，自有人负责监视你。阁下，你真是过境的旅客？"

"很难说，遨游天下的人，随遇而安，在何处逗留无法逆料。"

"你最好早离疆界。"

"理由何在？"

"我也不知道。"大汉摇摇头："反正据我所知，最近几天，官府可能宣告戒严。"

"戒严？山里来了强盗？"桂星寒一惊。

"我们真的不知道为何。"大汉苦笑："一旦戒严，擅自携刀带剑走动的人，势将加以逮捕囚禁。阁下，我是为你好，你一表人才，不像为非作歹的人，一进监牢，可就麻烦大了，所以还是早走早好。"

"谢谢阁下的好意关照，我会小心避免意外。"

五大汉态度不错，还真有名门弟子气概。

"你们知道有弥勒教的人，在附近暗中活动吗？"他取回背篓，走了几步扭头问。

"弥勒教的人？"大汉一怔："没听说过有人在左近活动，阁下听到风声了？"

"不是听到，而是见到。"

"咦？这……"

"十里外那座小山，山下有座破庙。"他向北一指："我见过该教两个颇有地位的人，黄泉双魔。"

"哎呀！"

"他们在破庙建了什么联络站，好像人数不少，我还以为你们是他们的人呢！所以不想生事趋避。你们如果冲他们而来，最好小心了。再见，诸位。"

"阁下的话是真是假？"大汉急急追问。

"绝对真实。"

"老弟台贵姓大名？"

"在下姓桂，桂星寒。你们对付不了这些妖人，赶快把你们的长老请出来以保万全。再见。"

"请留步……"

他脚下一紧，匆匆走了。

要找的人不在荆山，他没有前往湖广的必要，往回走却又不甘心，有点进退两难。

这里即将戒严不宜逗留，好在并不急在一时，且先安顿下来再说。

这时往回走，弥勒教的人很可能在等他。多一事不如少一事，他也不想与大群妖人拼老命。

县城的南关北关最为繁荣，南关更是商业精华区，关外便是横跨涍河的南关桥，旅客往来必经的要津。著名的旅店，十之七八在南关。但过往官员的住宿驿站却位于西关，叫永新驿。所以在南关落脚的旅客，通常是不会是有身份的人物。

他就是一个没有身份名望的浪人，因此直趋南关，打算先找宿处安顿了，再决定今后的行止。

走在南关大街上，空敞宽阔的大街行人稀少，南来北往的旅客早已动身就道，天寒地冻很少有人外出走动。

街左出现一座大宅院，前面的大广场四周老槐屈曲，门楼前树立有旗杆，门前两侧有石鼓，匾额上有三个大字：进士第。

是地方上有身份的人家，闲杂人等禁止接近骚扰士绅宅院。

他却发现一个佩剑中年人，启门外出向城里走。

"也许是保镖护院的。"他想。

大户人家雇保镖护院，平常得很，但他心中生疑，却也懒得理会。

前面街右不远处，是规模不小的苑陵老店。

新郑曾经是郑国与韩国的都城，相近还有一个苑陵县。新郑一度并入苑陵，以后恢复新郑。以苑陵作店名，益显其老。

不但老，而且大，仅店前的停车驻马场，就占地三四亩，可知规模之大。

他踏入店前的广场，后面便跟来了银扇勾魂客。

"喂！小子，真巧啊！落店？"银扇勾魂客将包裹挑在山藤杖上，和他走了个并排："你在这里落店，实在不聪明。"

"怎么说?"他笑问。

"你这是明知故问。"

"是吗?"

"你废了他们六个人,居然不远走高飞,反而在这里等他们来宰你,真是愚不可及。他们来了许多妖魔鬼怪,你双拳难敌四手。"

"呵呵!他们有重大阴谋急于进行,怎会为了被我废掉他们几个小人物,便丢了大事不管?为了小事分心,会因小失大的,他们并不蠢。"

"咦?你知道他们在进行某种阴谋?"

"猜想而已。"

"你一定得到风声。"

"说实话,没得到风声。"他否认:"我不是一个多管闲事的人,事不关己不劳心。"

"关己就放手而为?"

"也许吧!人不能苟活,那是懦夫的行径,不足为法。要做懦夫,回家扛锄头种庄稼,岂不活得平安?何必佩刀在天下玩命?杨老兄,你的处境并不比我好。"

"我知道,你有天斩邪刀,自保有余。但我也有长处。"银扇勾魂客傲然地说。

"你有什么长处?"

"不打没有把握的仗,银扇勾魂客死缠的能耐,是颇有名气的。"

"哈哈!你算了吧!如果我不转回去看结果,你已落在那个什么仙女手中了!"

"上一次当学一次乖。"银扇勾魂客脸一红:"只怪我不自量,以为妖术只能吓阻凡夫俗子,没想到竟然如此可怕。呵呵!我欠你一份情，请你上酒楼喝几斤好酒，聊申谢意，如何?"

"呵呵，算起来你是前辈，会账少不了落在我头上，你少打算盘，免啦!"

两人有说有笑踏入店门，先安顿再说。

第三章　节外生枝

要保持消息灵通，必须在外面走动。

天寒地冻，新郑城似乎在沉睡中，街道上行人寥落，偶尔有三两匹马一二辆车经过，冷冷清清，似乎连狗也懒得在外面游荡。

两人并肩出店走动，顺便找酒坊午膳。

经过那家进士宅，院门外有人有马，主人像在迎客，客人有男有女，数目不少。

银扇勾魂客突然止步，讶然观察这些人。

"杨老哥，有什么不对吗?"桂星寒发现他的眼神有异，忍不住低声问道。

"你出道不过两年，认识的有头有脸人物不多。"他倚老卖老，摆出提携后进的前辈神态。

"没错，我很少管闲事。"桂星寒表现得相当谦虚，本来就与高手名宿少接触。

"我认出几个大有来头的人。"

"大概是活神仙，活菩萨。"

"伏魔剑客张永新、八臂金刚徐风、五湖逸客谷方，都是侠义道中大名鼎鼎，口碑极佳的高手名宿，他们在这里干什么?"银扇勾魂客颇感惊讶，意似不信所见的事实："伏魔剑客像是主人，透着古怪。"

"这家大院子，曾经有武林人出入。"桂星寒泰然地说："如果他们与少林弟子有关，我一点也不感到奇怪。这座城似乎即将有重大事故发生，咱们真得特别小心，最好放聪明些，及早远走高飞，免惹是非。"

"咦？你听到什么风声了？"

"我与少林弟子曾经有所冲突……"桂星寒将交手的经过说了。

"唔，是有点古怪。"银扇勾魂客欣然说："弥勒教的人、侠义道高手名宿、少林弟子，在这里大集合，官方要戒严……好呀！不弄清楚心中不舒畅，得多费心留意，看他们到底在耍什么花招。小子，你打算远走高飞？"

"在江湖游荡的人不能怕事呀，老哥！"桂星寒慢吞吞地说："怕事哪能获得见识？躲在家里岂不安全？我不逞强惹是非，但灾祸临头不会退缩。"

"所以，你废了那六个人？"

"他们毫无理性地要杀我，我废了他们回报，已经够仁慈了，是吗？"

"狗屁！"银扇勾魂客笑骂："靠武技争名夺利的人，废了他们比杀了他们更残忍。所以我的绰号叫勾魂客，一死百了，比让那些穷凶极恶的混蛋活现世，要仁慈多多。"

两人有说有笑，掀开街右郑都酒坊的厚重门帘，进入酒香扑鼻的店堂。

这是卖酒的酒坊，买酒携走的顾客进进出出。

在店堂喝酒的人不多，所供应的下酒熟食样式也不多，空荡荡的店堂，近午时分只有五六个酒鬼，占了两桌，已有了五七分酒意，大声议论，口沫横飞。

两人叫来了两壶高粱酒，几味肉脯豆干一类下酒小菜，并没引人注意，在角落的座头浅斟细酌。

"喂！老三，这几天是怎么一回事。"邻桌一位粗眉大眼的中年酒客向同伴问："不但捕快们走动得特别勤快，而且今早召集丁勇的火签，已经从县衙发出，好像将有什么大灾祸发生了，你是否听到什么风声？"

"不知道。"另一个酒客老三不住摇头："我知道的是，本城一些不安分的人，这几天一定不好过，恐怕得进监牢吃太平饭。"

"真的？"

"大概错不了。据我所知，前天从北面来了几个打扮怪异，说话腔调也怪怪的人，住进了县衙官舍。我想，一定与这几个人有关。"

"这几个人还在官舍？"

"应该在，他们不许其他的人接近官舍。"

另一桌有三位酒客，三个阴阳怪气不住喝闷酒的人。

"喂！老三。"一位生了一双鹰目的酒客，突然隔桌打招呼，脸上有令人莫测高深的怪笑："你知道县衙来了神秘的贵宾，一定在衙门里有一份差事，是吗？"

"哼！我在衙门里有没有差事，与你何干？"老三大牛眼一翻，对邻桌鹰目酒客的无礼举动大为不悦，说的话火药味十足。

"那表示我想借重你呀！"鹰目酒客笑容诡异："当然会有好处给你啦！"

"岂有此理……"

内堂的甬道人影急闪，四个男女快速地冲出，四面一分，守住了店堂的四方。

在店堂的掌柜与五名伙计，对店中的变故泰然自若，对四个皮袄内藏有刀剑的男女，丝毫不感惊讶。

桂星寒脸色一变，重重放下酒杯。

酒客老三骂声未止，人突然向桌上一伏，手脚一松，像是趴伏在桌上睡着了。

另两位同伴，也向桌上一扑。其中一个身形不稳，砰然摔倒像个死人。

桂星寒也向桌上一伏，逐渐失去知觉。

银扇勾魂客已经先一刹那，身形一歪摔倒在地。

食堂中，早就有一种令人昏迷的气体充塞其间，无色无味不能发觉，发觉到时人也倒了，而非进来的四个男女施放的。天下间决无入鼻即昏的药物，人的抵抗免疫力，是相当强烈的。

"你曾经听说过，青天大白日，在整座酒坊食厅，施放迷魂药的事吗？"桂星寒懊丧地问。

这是一间地底避兵的秘窟，位置可能在房舍侧方的地底下，屋中挖了地道通向秘窟，避兵避火有多种用途，是一般稍具财力的人家所建的。

地窖长两丈，宽一丈，堆放了一堆杂物，点起一盏幽暗的菜油灯。

共有十一个人被囚禁在内，都绑了手脚。捆绳是坚韧的牛筋索，张力奇大，而且打的是死结，猛虎也挣不断这种行家所用的绳索。

毫无疑问，十一个人都是上当的酒客，大半是本城的酒鬼，一个个萎靡不振，有两个不断哭泣，叫喊饶命，有几个却是醉昏了。

桂星寒和银扇勾魂客，也显得软弱无力，显然曾服下某种令人脱力的药物，难怪所有的人皆无力挣扎。

桂星寒没带刀，银扇勾魂客的扇囊已经不在身上了，被没收了！

"你少见多怪。"银扇勾魂客居然还有心情嘲笑桂星寒："江湖上有几个歹毒的人物，是用毒用疫的宗师级混蛋，可以在片刻间，把整个村落的人摆平，甚至弄死。日后你最好别碰上他们。"

"他们最好不要惹我。"桂星寒恨恨地说："利用酒坊捉人，这是本地的牛鬼蛇神所做的卑鄙勾当，知道他们的来历吗?"

"酒坊神不知鬼不觉易了主，人都换了。"

"这……"

"只怪我不曾留心，没有戒心铁定会上当的。我应该看出照料的伙计，整理台面的手脚不利落。"银扇勾魂客不胜懊悔："那个掌厨的混蛋，切肉脯的刀法也缓慢生硬，切的肉片比我的手法还要糟。"

"你这是后知后觉，他们的来历……"

"不久自知。"

沉重的室门外，传来隐隐的脚步声，有几个人正拾级而下，地窖外面的上升秘道似乎坡度并不高。

门被推开了，火光一亮。三个人，一个举着火把。

砰然一声响，丢下一个昏迷不醒，被打得五官流血的人，正是那位酒客老三。

举火把的人，伸手向桂星寒一指。

两个扮成伙计的大汉，如狼似虎抱起他架了便走。

那双水汪汪明眸，真有勾魂摄魄，令男人心跳加快一倍的魔力。

他仅喝了三四杯酒，平时三五斤高粱酒算不了什么，但在这双迷人的眼眸下，他却感到醉意上涌。

他相信，如果这年轻美丽的红润面庞，能有令男人心醉，让女人嫉妒的魅力，而被轻裘裹住的胴体，一旦除去轻裘，也必定具有爆炸性的、令男人疯狂的魅力。

"我想，你就是那几个香主所要捉的天斩邪刀。"安坐在太师椅上，笑容充满魅力的美丽女郎向他说："听说你伤了他们几个人，没错吧？”

他在两名扮店伙的人挟持下，动弹不得，任人摆布。

这是一间小小的厅堂，像是只供内眷活动的内厅。那位在太师椅内安坐的美丽女郎，脸蛋美得令人目眩，看年纪应该在双十年华上下，一点也不像一个练武的人，倒像一位风华绝代的大户人家小姐或少妇。

左右是两位男女侍从，男的高大健壮，满脸虬须，像一头具有无穷危险性的猛兽。

女的二十余岁年华，脸蛋也是美得出奇。一个猛兽与一个美女担任侍从，可能也兼任保镖。

男侍从背系的降魔杵，重量可能有十二斤。

女侍从的佩剑，外表的装饰十分华丽。

“他们再三向我下毒手，我有权自卫伤他们。”桂星寒听出美丽女郎的口气，似乎另有玄机：“他们，不是你们的人？”

“不是。”美丽女郎点头：“你知道他们是弥勒教的人？”

“事先并不知道。”

“不知道？你不知道她们的身份？”

“听说是什么七仙女。至于黄泉双魔，江湖朋友对他们颇为畏惧。”

“你不畏惧？”

“没什么好畏惧的。”他淡淡一笑：“一个遨游江湖的人，如果没有玩命的豪气，何必出来现世？任何人的名头也唬不倒我！”

“很好，很好，我们正需要你这种人才。”美丽女郎欣然说，水汪汪的明眸紧紧吸住他的眼神。

“你们？你们是什么？”他一怔，心中恍然，这些人显然不是弥勒教的人，而且显然不在乎弥勒教。

弥勒教势力固然庞大，但并不是势力最强大的组合。吸收的愚夫愚妇虽多，但只能在广大的民间发挥影响力，与那些玩命的黑道组合相较，实力显得单薄了些。

庞大与强大是不同的，不能相提并论。

"先不要问我们是什么。阁下，弥勒教正在调兵遣将计算你。"

"我知道，我不介意。"

"你对付得了他们？"

"他们也知道要对付我，需要付出惨重的代价，所以在还没准备妥当之前，不会冒失地发动。所以在这期间，我是安全的。"

"我会帮助你对付他们。你愿意在互利之下，和我们合作吗？"

"合作什么？"

"我们已经来了三天，来得匆忙，人手不足，要在这附近办事。我们帮助你把弥勒教的人赶走，你帮我们办事，了事悉从尊便，并无约束。阁下可以权衡利益，短期的合作双方同蒙其利，我希望你心甘情愿和我携手合作。"

"你们要办什么事？"

"届时自知，事先不能泄漏天机。"

"这……如果我不愿合作呢？"

"你对我们已没有利用价值，结果你应该知道。"

江湖鬼蜮，没有利用价值的结果，任何一个江湖闯道的人，都知道是怎么一回事。

杀人灭口，这是残酷的江湖金科玉律。

合作什么？绝不会是大仁大义的好事。

"我需要时间考虑，需要冷静地权衡利害。"他设法争取时间："仓促决定，表示我是一个轻于言诺，信口开河，不负责任的匹夫，给我三天时间，小姑娘。"

"恐怕没有三天时间。我给你一夜的工夫考虑，明早你必须给我肯定的答复。"美女语气坚决。

"这……"

"一夜。"女郎加以强调，不容误解："因为你是一个出道不久，小有名气的好人才，所以我破例给你一夜时间权衡利害，我希望合作愉快，双方没有遗憾，办起事来必定一切顺利。带下去！"

两名扮店伙的人应诺一声，挟了他重回地窖。

银扇勾魂客随后被带走了，返回时口角溢血，举步维艰，显然吃了不少苦头。

银扇勾魂客是成名人物，所受的待遇也就不同。

两店伙将人往壁角下一推，架走了另一名酒客。

"受得了吧？"桂星寒关切地低声问。

"还受得了，至少老命仍在。"银扇勾魂客有气无力，但口气并不绝望。

"那鬼女人向你要求什么？"

"混蛋要求！"银扇勾魂客不屑地说："我年已四十出头，不是毛头小伙子，江湖有我的声誉地位，毕竟我是江湖怪杰之一。他娘的混蛋，居然要我向一个黄毛丫头，宣誓效忠，简直岂有此理！"

"呵呵！看来成名人物，日子也不好过。"

"该死的！你还笑得出来？"银扇勾魂客瞪了他一眼。

"我哭，能解得了困境吗？"

"说的也是！"银扇勾魂客苦笑。

"当然啦！笑并不等于我心情愉快！"

"能苦中作乐，这才叫洒脱，他们要求你什么？"

"合作……"他将经过说了。

"他娘的！这是年轻英俊的好处。"银扇勾魂客发起牢骚来了："那妖女媚骨天生，她看上你了。"

"老哥，你在睁眼说瞎话，呵呵!"他怪笑："那漂亮的小女人，只露出美丽的面庞，浑身裹在狐裘内，你居然有透视眼，看出她天生媚骨。如果是真，我算是服了你，能不能把透视女人的秘技教给我? 谢啦!"

"去你的! 凭我的相人术，老弟。"

"原来你还是一个相人师，失敬，靠看相混口食，你日后至少不会饿死，呵呵!"

"他娘的，我看你真的是心情愉快呢!"

"生死关头能心情愉快，常可化险为夷。老哥，知道那女人的来路吗?"

"不知道。"

"那……"

"她年纪太轻，可能和你一样，出道没几天，知道底细的人不多。这种出道没几天的人最危险，行事不顾后果，而且心狠手辣，急于立威扬名，高手名宿是她们取而代之的目标。我看，我是完蛋了。"

"有我在，而且有一夜工夫，希望未绝，老哥。"

"屁希望，咱们被软骨散制住了，没有解药，你站起来给我看看，你想逃?"

"不是软骨散。"

"咦? 你知道是……"

"是一种可压抑经脉暂时麻痹的药物，药效大约一个对时。"他以行家的口吻说："我需要时间。"

"你只有半个对时的时间。"

"放心啦，你最好睡一觉，心理上有所准备。除非他们在今晚之前处死你，你死不了!"

"你保证?"

"包打保票。当然，首要条件是，他们在今晚之前，没把你带离这座地窖。"他说得信心十足。

"不管以后变化如何，他娘的！先歇息养神再说！"银扇勾魂客欣然说，心情开朗，喜形于色。

美丽女郎所料不差，弥勒教的人正在调兵遣将，等候时机对付桂星寒，眼线早就布置妥当，桂星寒一落店，就落在眼线的有效监视之下了。

桂星寒与银扇勾魂客在郑都酒坊进膳，只见进不见出，再笨的眼线，也知道两人在酒坊出了意外。

酒坊的后面是一条风火巷，用来阻绝火灾的火路，平常不会有人行走。巷对面，是另一条横街的一座大宅后院，建有丈余高的粉墙。

天黑后不久，十余个黑影有如鬼魅，悄然出现在大宅的后院，无声无息，逐渐侵入堂内。

两仙女并肩出现在小院子里，面对黑沉沉的厅门。寒风刺骨，两仙女改穿了青灰色的夜行劲装，外面加了一件狐皮背心。

"你们如果不出来打交道，本仙女用驱煞术把你们全弄死在里面。"那位称四姐的仙女语气凶狠，她是七仙女中排名第四的仙女。

弥勒教上次不幸败亡之后，组织加强，内部的职称严密而繁多，只有该教的人才知道他们排名的高低，外人无法从职称中分辨地位的等级。

七仙女是圣堂香主，圣堂香主有多少，恐怕连圣堂总执事也弄不清数量，因为升迁调补的权责，操在教主的几个掌权少主手中。

少主有多少，连教主的亲信也不知其详。因教主本身，除了三个亲生儿子之外，另有不少义子义女，他们都具有少主的身份。

圣堂香主的地位已经很高了，上一级是护法，下一级是各路巡察，都属于核心人物。

七仙女以天罡排名，所以第四的是天权仙女。

另一位六妹，一听便知是开阳仙女。

两仙女现身，其他的十个男女隐身在四周。

厅门开处，踱出美丽的女郎，身后跟着男女两侍从，缓步下阶泰然自若。

"我本来想领教你的驱煞大法，但不忍心让本宅的主人受到伤害，所以不得不出来啦！"美丽女郎悦耳的嗓音，在夜空中特别动听："去年我曾经碰上法术通玄，号称妖仙的百灵真人。他是南天一教死鬼教主的七大弟子之一，我用剑炁击散了他的移山倒海大法。你这位香主，妖术大概比百灵真人高一倍，所以敢大言不惭，敢大言用驱煞术把我弄死在里面。好了，你可以施展了。"

一声剑吟，夜间依然光亮的长剑出鞘。

"百灵真人浪得虚名，他只会施展一些小小障眼法，算得了什么？连他那死鬼师父南天一教老教主，也只会一些吓唬凡夫俗子的邪门幻术而已。小心了，要你好看。"天权仙女声落剑出鞘，剑一动隐隐风雷乍起。

罡风越厉，黑雾随剑涌腾，数道黑虹交叉旋舞，隐隐传出刺耳的鬼啸声，眨眼间便笼罩住美丽女郎。

一声冷叱，黑雾涌腾中，剑光似匹练，黑虹向上八方飞射。

一声轻雷，匹练穿雾排空而至。

天权仙女疾退两步，一声娇叱，剑尖前绿芒暴射，迸散出满天绿火流光。

匹练暴退，满天绿火流光也一泄而散。

"难怪你敢夸海口吹牛。"天权仙女冷冷地说，剑重新开始拂动，绿焰流光再次涌发："以神御剑，如此而已，但应付百灵真人的障眼法，你绰绰有余。而在本仙女面前，你决难侥幸。纳命来！"

美丽女郎眼中，看到一个巨大无比，奇形怪状，极为狰狞的怪物，挟风雷而至，三个灯笼似的巨眼绿焰喷射，巨口一张，惨绿色的一道火流破空降临，腥臭味中人欲呕。

已知对方会用邪术驱使鬼物，心中便不会惊恐。

冷哼一声，心神合一，剑发似奔电，迎着喷来的绿焰一剑挥出，同时左手一抬，一颗寒星没入涌来的怪物体内。

一声暴爆，绿焰四散迸射。风雷倏敛，怪物无踪。

美丽女郎飞退丈外，几乎失足摔倒。

天权仙女也急退三步，身前有一团白雾迸散。

是美丽女郎射出的一颗灰白色弹丸，大仅如鸽卵，被天权仙女的剑击碎了，化为白雾迸散，被寒风一吹，眨眼间便无影无踪。

天权仙女再向上风急移两步，避免被白雾波及。

两人都颇感意外，互相怀有强烈的戒心，对方的造诣显然比估计中的分量重，两度狠拼谁也没占上风。

"还算不错，定力可圈可点。"天权仙女重新举剑逼进，口气颇傲："但还不够好，你只能接下本仙女一些小技巧。本仙女知道你的底细，你已经死了一半了！"

"本姑娘不以为然，弥勒教的仙女如此而已。"

美丽女郎口气也不甘示弱："本姑娘比你们早到两天，你们一到，本姑娘就知道了，所以你也死了一半！"

"是吗？你知道本仙女为何而来？"

"你以为如何？"

"本仙女的来意，谅你也无法知道。你这江湖女飞贼，对本教无可讳言，具有一些威胁，但不成气候，本仙女还不屑与你计较。把天斩邪刀和银扇勾魂客交给我，本仙女不咎既往。不然，哼！你，你们，必须死！"

"少吹牛了，你还奈何不了我。所有的人，都在江湖拓展实力，都在罗致英雄好汉壮大自己，贵教如此，本姑娘也不例外。天斩邪刀两人已经愿意替本姑娘效忠，你不要妄想了，最好见机滚蛋！"

"你是不见棺材不掉泪，你决定了？"

"不错，决定了。"

"决定与本仙女为敌？"

"一点不错。"

"你死吧！"天权仙女厉声叫着，接着发出一声刺耳的尖叫信号。

传出击破门窗的暴响，隐藏的人现身破门而入。

同时，怪兽的形影再现。

两仙女的身影在风雷中隐没，怪兽的形影不止一个，而是无数个，喷出的绿焰流光也多，形成可怖的交叉电射火流。

美丽女郎一声娇叱，无畏地挥剑直上，立即陷入电射火流中，她的剑也迸射出满天雷电。

传出两声厉叫，她的两个男女侍从，在御风雷黑雾而至的怪物袭击下，厉叫着砰然倒地。

传出数声铿锵的金铁震鸣，剑光倏然透雾影而出。

娇叱震耳，两道光华向逸出的剑光集中。风雷急骤，异光漫天。

剑光萎缩，在光华的压迫下沉落。

一道淡影贴地射出，疾逾电火流光。

沉落的剑光陡然反升、暴涨，夭矫如龙猛然与两道光华接触，金鸣震耳，爆散出无数火星，风雷声倏然静止，黑雾迎风消散。

两道光华飞退两丈外，人影重现。

天斩邪刀出现在院子里，右手有美丽女郎的长剑，左手挟起美丽女郎退了几步，将人交给从厅内出来的银扇勾魂客。

"照顾她，她还有点良心，罪不至死。"他冷冷地说，重新向前举步。

屋内已无声息，那些破门而入的人，有五个已经退出，登上左右厢的屋顶。其他的人大概出不来了。

"小子，小心她恩将仇报。"银扇勾魂客将人抱住，有点心不甘情不愿。

"以后再说。"他轻拂着长剑，向两仙女接近。

两仙女握剑的手不稳定，惊容明显可见，并肩分立双剑立下门户戒备，似已失去主动攻击的勇气，可知刚才的雷霆一击，她们心中有数，精力已耗掉了三五成，剑上的光华已敛。

"是你……"天权仙女惊呼。

两仙女并没有与天斩邪刀照面，大概曾参与盯梢，因此知道他的面容，黑夜中居然一眼认出了他是谁。

"我，天斩邪刀。"他逼近至发招的最佳位置，声如洪钟，神色冷厉："在江湖游荡的人，宗旨是人不犯我，我不犯人，大家让一步天下可行。而你们，再三向在下无情地杀伐，再三下毒手行致命的攻击。在下毁你们下毒手的六个人，聊施薄惩已是情至义尽。赶尽杀绝不断煎迫，未免太过分了，女人，我要讨公道。"

"你……你胆敢窥探本教的秘密……"

"放屁！"他粗野地大叫："那座破庙是人人可以投宿的地方，不是你们的秘密香坛所在地。在下并非闲着无聊的人，哪有闲工夫窥探你们的秘密？女人，不要强词夺理，既然你们摆出强梁面目，干脆你就用剑还我公道。你的道行有限得很，一比一你们很难撼动得了那位姑娘心神，在我面前你们毫无机会。上吧，我等你们。"

"阁下……"

"少废话！你们强者的气概不会消失吧？"

一声奇异的声浪破空而至，有如鬼哭。

两仙女的剑光，突然闪动了一下。

"咦？不错。"他一怔，身形突然消失。

不远处旁观的四个人：银扇勾魂客、美丽女郎、男女两侍从。

大概银扇勾魂客的照料得当，不但救醒了美丽女郎，也救醒了她的两个男女侍从，退在一旁戒备。

他们都看清院中的一切动静，也听到了鬼哭似的怪声。

两仙女仍在原处站立，面容清晰可辨。

可是，桂星寒却不见了，像是平空消失了，或者会飞腾变化遁走了。

"小子！……"银扇勾魂客惊呼。

两仙女的身影，突然缓缓向前一栽，幻发光华的剑倏然隐没，然后人影也消失无踪。

真像用土遁遁走了，更像与大地融合为一体。

"老天爷，他们真的会变化？"银扇勾魂客骇然惊叫，只感到浑身毛发森立，嗓音走了调："连桂小子也会妖术，或者他们都是鬼怪。"

"从西北角走的，去看看！"美丽女郎低叫，一跃而出。

大宅前面的大院子又宽又大，真是令人羡慕的富贵人家。

三个黑影站在南首，背后是没有人居住的南房。三支剑光华闪烁，四周飘落一阵阵淡雾，似乎三个仗剑人是腾云驾雾来的，定下身形云雾仍在。

三个都是男人，两仙女不知躲在何处。三支长剑已在列阵等候，算定桂星寒有追来的能耐。森森杀气弥漫了整座大院子，已完全笼罩在诡谲莫测的气氛中，这三个人影充满了鬼气。

桂星寒剑垂身右，锋尖向外斜张，神色一片肃杀，一步步向前接近，无形的杀气好浓，他的身影，也与对面的三个人一样充满鬼气。

剑传出隐隐怪异的啸吟，像是从九幽地底传上扬出的地动异鸣。

一步，又一步……从他冷肃阴森的神情中，可知他已把对方看成可怕的劲敌，缓慢沉稳的接近步伐，已表现出他已有面对不测凶险的准备。

一丛黑气形成涡流，无声无息地旋抵他身后。

他像是背后长了眼睛，猛地旋身，剑光似奔电。

传出一声鬼啸，黑色气旋一泄而散。鬼啸声则消失在东南角的远处墙根下，余音依然有令人毛发森立的威力，诡异的气氛益发浓烈。

对面的三个人，左右两个开始徐徐外移八尺，再前进近丈，形成倒三才阵，雾气益浓，而且传出隐隐的风雷声与怪异的呼啸杂声浪。

整座广大的院子中，充满怪异邪门的诡谲气氛，胆气不足的人，必定魂飞胆落发疯似的逃命。人对不可测的事物，所采取的正常行动，就是急急走避；趋吉避凶是自保的本能。

"再有人胆敢偷袭。"他一字一吐，声如沉雷："他一定死！"

对面三个人，脑袋摇晃了几下，马步不稳，似被声波震撼得有点受不了。

死！这个字说得斩钉截铁。

逐步接近，剑上的风雷声渐烈，剑上的隐隐光华也逐渐炽盛，他的左手也徐徐抬起、外伸。

一声异啸破空传来，悠悠忽忽，如泣如诉。

对面的三个人突然浑身涌起轻雾，蓦然隐没。

他的剑恰好升起、指出。

绿焰一闪，无数鬼火被雾迸散。

他踏出一步，却又颓然收回。抬头凝望对面屋顶上的夜空片刻，他转身便走。

对面的屋顶上，数道淡绿色的流光一闪即逝。

银扇勾魂客感到毛发森立，觉得气温突然降低到浑身发冷的程度，似乎见了鬼，也似乎不愿接受眼见的事实。那一连串不可思议的怪现象，在他这个号称天不怕地不怕，目力听觉皆超人一等的高人来说，决不可能发生耳目上的错觉，这些现象应该不是真的。

至少那一股卷向天斩邪刀身后的黑气，浓度并不高，根本看不见任何物体，更不可能有人藏身在内。

但天斩邪刀那回身的一剑攻击，不但黑气迸荡逸走有如活物，所传出的鬼啸，确实是从黑气中传出的，而且可以感觉出那是惊怖的痛苦厉啸。

那一剑击中了人或兽，人或兽受伤逃走了。

那怎么可能？浓度并不高的黑气中，不可能有人或兽隐藏在内。

那三个人的倏然隐没，也让这位怪杰心中发寒。

正感到惊疑，猛然发现身侧人影幻现，一股冷风侵体，劲道奇大的一条手臂，抓住了他的左膀，把他猛然拖得身形急旋。

"快走！"耳中听到天斩邪刀的低喝。

身不由己，被拉住飞掠而走。

"等一等！"他听到美丽女郎的急叫声。

"你真的也会妖术……"他悚然地说。

是天斩邪刀拉了他脱离现场，一掠之下便进入了黑暗的内厅堂，眼前一黑，神智也逐渐模糊了。

神智模糊中，这位见多识广，经历过大风大浪的江湖怪杰，真的感到恐怖胆落了。

眼前突然看到朦胧的奇怪光影，在他四周闪烁流转，耳中隐约听到可怕的各种怪声浪，从四面八方忽远忽近地传来，鼻中嗅入各种古怪的气味。有些气味中人欲呕，像是发自腐烂的尸体。

似乎脚不点地，天斩邪刀是挽着他的腰脊掠走的。

感觉中，他已经进入一种他十分陌生，似乎只有在噩梦中才会发生的力场中心，四周有各种诡异的力道，不断地推拉挤压，躯体出现反射性的抽搐抖动。

在失去知觉之前，他听到天斩邪刀有点走样的声音。

"我得找地方把你藏起来。"天斩邪刀在他耳畔说："强敌已至，我不能分心照顾你。"

最后身躯一震，他终于昏了过去。

罡风呼啸中，隐隐传出令人毛发森立的怪声浪。

天斩邪刀站在一座大宅的屋顶上，仗剑屹立在屋脊的中段。

脊左，是一头雄狮、一头猛虎。

是戴了狮头虎头面具的人。狮虎怎么可能出现在屋顶？

两人手中都有一把沉重的、可硬抓刀剑的爪形兵刃；猛兽用爪名正言顺。

"你就是天斩邪刀？"狮形人沉声问。

"正是区区在下。"他泰然承认。

"你手上没刀。"

"我那把刀，是唬人的。"他神态自若，毫无火气，轻拂了一下手中的剑："在我这种人手中，持有何种兵刃并不重要。比方说，你们吹口气也可以杀人。我那把刀，意在警告那些图谋我的人，最好小心些，可以壮我的声势。阁下，你们不知道该何时放手吗？"

"易地而处，你会放手吗？"

"我不知道。"他坦然摇头："我没参加过任何组合，更没拥有主宰江湖的庞大实力，无法体会一个自以为主宰天下的强者心态。但我知道，必须避免可能引起巨大损失的事故发生，我不积极向你们报复，就是这种心态的具体表现，毕竟与你们为敌，我的日子也不好过。所以双方何不在闹至不可收拾前，桥归桥，路归路，把这件事忘了？"

"小辈，你在说不可能的事！"

他的态度口气明显的软弱，对方的态度口气当然更为强硬。

"你只有听任处置一条路可走。"虎形人接口，威胁的成分更强烈。

一个弱者，处境是极为可悲的。

"他娘的！你们似乎吃定我了。"他不再示弱，怒火渐生，口出粗话了。

"那是一定的。"狮形人得意地说。

"你们两个家伙，比那些什么香主什么仙女，道行似乎高不了多少。我怀疑刚才施展乾坤大法的人，不是你们两个家伙。喂！比你们高明的人在何处？"

他估料得颇有根据。

刚才召唤那三个人撤走，用乾坤大法追逐他的人，如果是这两个扮猛兽的家伙，恐怕早就施法下手了。

"擒捉你这个小辈，还用得着咱们的祖师堂守护天尊动手？小辈纳命来！"狮形人高叫。

狂风乍起，两人挥爪飞扑而上。

这瞬间，两人的人形身躯消失，幻化为真的一狮一虎，而且形体胀大了一倍，真像两头猛兽，张牙舞爪，迎面飞扑。

他的剑疾升，正要挥剑屠狮杀虎，只感到一阵无形的压力及体，一阵心悸，汗毛直竖。

危险光临的凶兆，敏感的人就可以产生这种反应。

心中一动，他的剑蓦然化虹而飞。

扑上的一狮一虎，凶猛地一扑而下。

剑化虹破空，他所立处人影已杳。

"咦？"狮形人扑了个空，骇然惊呼。

"这混蛋用金遁飞走了。"虎形人抬头叫。

化虹的剑，已飞至檐外，黑夜中仍可看到虹影，所以虎形人认为他道术高明，藉剑以金遁脱身。

一声暴震，剑虹迸爆，火星飞溅。

同一瞬间，屋顶出现三个穿灰袍的人，袍袖飞扬，狂风仍烈。

"剑是抛出的！"其中一个穿灰袍的人怪叫。

"把前锋后面掷出的。"另一个纠正同伴的错误。

"混蛋！这小辈奸似鬼。"第三个人大骂："咱们上当了，还以为他用元神附剑遁走呢！"

"追！"

三人出动，一闪即逝。

狮形人已恢复原状，头上的狮形面具并没变。

"咱们也追！"虎形人说。

"怎么追？往何处追？"狮形人问。

“这……”

“你两位守护天尊高明?”狮形人悻悻地问。

“总不能站在这里等呀!”

“咱们只好回去。”

“好吧! 回去。”

两人跳下屋,匆匆撤走。

第四章　将计就计

天斩邪刀在街屋上掠走，窜高降低，起落轻如鸿毛，不知身在何处，反正是在城里。即使飘落在街上行走，他也不知道街名，必须回到客店，取了行囊，脱身离开险地，不能再在新郑逗留了。

敌势过强，尔后派来对付他的人，必定比两个兽形人更高明，甚至比那三个会乾坤大法的妖术通玄的什么守护天尊更高明些。

显然弥勒教来了许多精锐，可知必定在新郑有重大的阴谋进行，他犯不着强出头，与众多高手玩命，远走高飞是上策。

登上一座大宅的瓦面，正想跳下街再找店，对面另一座屋顶，忽然升起两个人影。

真有人胆敢前来生事呢！其中一人高叫："来吧，阁下胆气不小。"

他倏然止步，颇感意外，听口气，不像是弥勒教的人，而且两人都没带兵刃。

两人所摆出的气势，也显得毫无火气，或者满不在乎，像站在屋顶赏夜景的人。

"你们似乎不认识我。"他的口气也不带火气。

相距远在两丈外，黑夜间怎能看清面貌？

"你是哪座寺庙的大菩萨？我们该认识你吗？"最先与他打交

道的人，站在原处无意欺近："何不亮你的名号，说出你的来意?"

"在下不知身在何处，途经此地而已。"

"真的呀，你一定不是什么好路数，难道说，你走路通常走屋顶的? 下面的街道不好走?"

"夜禁开始啦! 街道哪能走，被巡丁抓住，说不定会枷号示众呢!"

"有道理，走路的确冒风险。看你在屋顶掠走起落的情景，也不像有意前来打探侦伺的人。可是，你得交代一清二楚。首先，亮名号。"

"在下只是一个小人物，你们不会知道在下的名号。既然你们不是在下的对头，彼此没有干连，没有结怨的必要，在下绕道走。"

"你走得了……"

他向侧左飞跃而起，恰好避开那人快速的扑击。

另一人从侧右拦截，也扑了个空。

前面是一条小街，他不假思索，一跃而下。

真巧，一个人影恰好沿小街飞掠而至，一上一下，恰好在中心点会合。

下面的人，居然发觉顶门上空有警，但止不住掠势，百忙中伸手扭身急拨，出手出于本能反应。上空有物砸下，伸手拨开自救，所发的劲道当然猛烈，仓促间出手，依然具有爆发性的威力。

他是头上脚下飘落的，脚被拨偏，如受巨锤重击，身形一歪，上体下沉。

他像一个八爪鱼，把下面的人抱住了。

"哎呀……"被抱住的人尖叫。

听出是女性的叫声，他骤发的劲道急收。

糟了，他收劲，被抱住的人却发劲，砰一声响，将他摔翻在地。

但女人也倒了，她的双手死缠住不放。

他被压在下面，必须及时解脱。

手一松，在女人的胸肋敏感部位掏了一把。

女人像弹簧一样，松手一蹦而起。

他贴地一滚，长身而起飞跃而走。

"该死的……"女人在后面尖声叫骂，飞纵而上狂追。

窜出大街，他心中一宽。没错，正是南关大街，所投宿的苑陵老店，就在前面不远。

自从在郑新酒坊中了暗算之后，他一直就不知身在何处。弥勒教高手群起而攻，向美丽女郎索取他和银扇勾魂客，双方大打出手，他已带了银扇勾魂客遁出地窖。这期间，他也弄不清身在何处。

向侧一闪，便消失在街坊的房舍暗影中。

女人站在街心不住向四周用目光搜索，对他的突然消失大感吃惊。

大街又宽又广，怎么可能突然失去踪影呢？

街北两个人影电射而至，是先前在屋顶拦阻的两个人。

"是葛姑娘吗？"最先奔近的人急问，脚下一缓。

"哦！徐叔，你们……"女郎反问。

"追一个人。葛姑娘，你不是在罗家协商吗？"

"没谈妥，罗大侠不愿相助，所以只好辞回，刚才经过那条小街……"葛姑娘将经过说了，当然不便将被大男人在腰间摸了一把的事说出，气愤之情，溢于言表。

"看来，我们碰上的是同一个人。"徐叔也将在屋顶上所发生的经过说了，最后说："依情势猜测，这人不会是志在图谋张家的人，也不可能是我们这些人的往昔仇家，或许真是不相关的夜行豪客，脱身的轻功委实快得骇人听闻。不管他是何来路，咱们今后得小心了。"

三人一面往回走，一面低声交谈。

他直待两男一女走远，这才从檐下飘落。

"不知杨老哥是否返店了？也许我该回去找找看。"他自言自语。

略一思量，决定先返店再说。

从女郎与徐叔的谈话中，他听出女郎的声音有点耳熟，心中恍然。

是那位冒失女骑士，昊天神剑术造诣不凡的女英雄。

想起这个冒失女英雄，只觉脸上一热，刚才暖玉温香抱满怀的情景历历在目，不由心中怦然。

那女骑士不但脸蛋美，喜嗔的表情也极为动人。

他心目中，有了这位葛姑娘的良好印象。

店伙对旅客刚落店便失踪，次日夜间又突然返店的事，虽然大感惊讶，却也不便追问。

已经是深夜了，店伙不敢偷懒，忙替他准备茶水，送来酒食，银扇勾魂客终于出现在他房里。

两人的客房相邻，便于相互照应。他对这位江湖怪杰甚有好感，银扇勾魂客更是把他看成最佳伙伴。

两人都饥火中烧，先填饱五脏庙再说。

"老哥，我听到弥勒教的妖女，把那个用诡计胁迫我们的女人称为江湖女飞贼。"酒足饭饱，他提出问题："你久走江湖，见闻广博，应该听到一些风声，是否知道女飞贼的底细？"

"最近几年，的确出了不少年轻强悍的男女匪盗，这些人的底细，很难令人摸清。"银扇勾魂客虽然是老江湖，哪能了解所有的江湖人物？

"她有不少人，男女随从十分出色，武功极为扎实而高强，善用大量迷香。老哥，这都是线索呀！"

"而且善用流光弹，这是与白羽箭性质相同的暗器，且具警告性质，表示光明正大。但她却又用迷香算计人，完全没有光明正大的气概。这鬼女人必定性情难测，一定是相当可怕的女飞贼。"

"想起来了？"他追问。

"可能是这个人……"

"谁？"

"飞天夜叉。"

"废话，夜叉是妖神，本来就可以飞天呀！"

"别给我讲道理。江湖人的绰号，稀奇古怪，标新立异，是没有理由好讲的。"银扇勾魂客用教训晚辈的口吻说："我的银扇哪能用来勾魂？我这一辈子跑遍大半壁江山，从来就没见过真的鬼魂！"

"老天爷，她这么一个美丽的女人，为何要取这么可怕的绰号？她真有夜叉那么可怕？"

"也可能是江湖朋友替她取的绰号。这女飞贼出道好像不到一年，干了几宗大案，颇为轰动，但真正内情恐怕知道不多。你知道，谣传是经常会被夸大的。尤其她是女人，一个美丽强悍的女飞贼，受到推崇或者讥讽，压力都比男人沉重。"

"怕她的人，也难免加油加醋毁谤她。从她胁迫我们的作为估计，我相信许多和她打过交道的人，都会把她看成恶魔，飞天夜叉的绰号名实相符。经过这次教训，她应该不会再打你的坏主意了。"

"但愿如此，但仍得提防她弄鬼。"银扇勾魂客郑重地说："你以德报怨救了她，千万不要寄望她能感恩图报，一个女飞贼是不能信任的，说不定她真会做出恩将仇报的无义勾当呢！"

"我打算明天就道，往南走，走得越远越好。"

"你怕她？"

"我怕弥勒教陆续不断赶到的人，那些人必定一个比一个强。那三个会施乾坤大法的高手，很可能是他们的祖师堂三十六守护天尊中的三个，我已经感受到无法对付了，再不走很可能把命断送在这里呢！"

"情势的确恶劣得很。怪事，他们为何把该教的高阶层人物派到此地来？据我所知，他们的总教坛可能仍在山西，南路总坛设在湖广。天下四路总坛中，没有祖师堂，只有总教坛才设有守护天尊，四路总坛只有护法的地位高。七仙女是圣堂香主，表示她们与守护天尊一样，隶属总教坛祖师圣堂，地位很高。新郑小地方，用得着从总教坛派重要人物来办事？"

"事不关己不劳心。"他坦然说："我可没发伏摘奸的兴趣。天色不早，好好睡一觉，明天一口气赶两站，趁早远走高飞大吉大利。"

"老弟，恐怕你走不了。"银扇勾魂客离座往房门走："那些混蛋如果肯轻易放过你，就不配称天下第一大秘教。"

"他们最好识趣些，见好即收。"他悻悻地说。

"那是你的想法，一厢情愿的想法不合实际。"银扇勾魂客出房，一面说一面信手准备掩上房门："你既然在江湖闯荡，该知道那些强者的想法：顺我者生，逆我者死……嗯……"

房门没能掩上，反而向房内栽倒。

他吃了一惊，飞抢而出。

阴风四起，光影摇摇。

三只空酒杯先一刹那破空而飞，他随在杯后，速度与全力掷出的杯几乎相等。

黑雾与怪影幻现在房门外，一只巨大无比的大爪，形如虎爪但放大了百倍，抓向扑倒入房的银扇勾魂客，一看便知志在抓人。

三只空酒杯到了，巨爪猛然上抬。

他也到了，手中暗藏的一双木箸破空而出。

暴响连连，三只酒杯，爆裂成粉屑。木箸贯入巨爪，贯穿爪背而过，没入爪后怪影幢幢的黑雾中，砰然一声，绿火迸射。

传出一声刺耳的怪号，巨爪倏然幻没，阴风四散，怪影与黑雾向后飘出消逝。

他一把抓住地下的银扇勾魂客，闪在门后将人塞在墙根下。

一声刀吟，他的天斩邪刀出鞘，身形乍没出现，现身时已处身在房门外的黑暗小院子里，扬刀屹立有如天神当关，一双虎目似乎有怪异的光焰闪烁。

"我会找你们的，你们也太过分了。"他向黑暗的夜空沉声说："既然你们不肯罢休，在下陪你们玩命。下次见面，希望你们有玩命的豪气，不要再二再三玩阴的，毕竟你们是主宰江湖大势的造反英雄，而非偷偷摸摸，没有人样的下三滥鼠辈。"

收了刀，他哼了一声，大踏步回房。

"他娘的，又欠了你一条命的情。"恢复元气的银扇勾魂客，坐在凳上泄气地说。

"他们并不想要你的命，志在活捉你而已。你不欠我什么，别放在心上。"天斩邪刀苦笑："他们不断玩阴的，委实防不胜防。"

"用这玩意向我的背心下手，会是志在活捉?"银扇勾魂客将从背肋起出的暗器，在灯下审视。

"无影摄魂钉，"天斩邪刀说："摘掉了定向穗。老哥，用钉尾击中你的，如果志不在活擒你，钉必定穿透你的身躯了。"

钉长五寸，分量不轻。钉身隐泛灰色的反光，速度快必定目力难及。

定向穗也是灰色的，具有隐形作用，与一般使用鲜明色彩，有警告性的暗器不同，所以称无影；那是心性歹毒的人所使用的暗器。

一般具有英风豪气的人，不屑使用具有隐形作用的暗器。

"看清是什么人么？"银扇勾魂客顺手丢掉钉："这家伙不会就此罢手的。"

"是那个戴狮头面具的人。"天斩邪刀肯定地说。

"他们主要是对付你的。"

"没错，但也把你算计在内了。老哥，今后你得特别小心。那些家伙的武功，也许不怎么样，不会和你凭真本事硬功夫拼搏，他们的妖术，却可毫不费力把你打进十八层地狱。"

"你真的不怕妖术？"

"他们还奈何不了我。"天斩邪刀不作正面回答。

"你也会，是不是？"

"道不同，各人的看法就不同。"

"你是说……"

"没什么好说的。俗语说：戏法人人会变，手法方式各有秘技。今晚也许有事，小心提防。"

"我会小心的，明天见。"银扇勾魂客手一挥，转身出去了。

谁都可以听出，这位怪杰的口气，并不怎么肯定，天知道明天是否能见。

掩上房门，天斩邪刀着手安排防险事宜。

客店的厨房规模甚大，可以应付百余位旅客膳食，与在冬天所需的热水，甚至还可以供应客人取暖的火盆，所以伙计有二十余名之多。

夜将阑，旅客们皆已就寝，灶间显得清静，只有几个伙计在照料，随时可以供给旅客的茶水。

天斩邪刀居然亲自将餐具送回厨房，他应该叫店伙收拾的。

厨间的伙计并没感到惊讶，而且亲切地回答他有关本城的动静。

厨间暖洋洋，旅客来取暖或找食物是平常的事。

"不远处对街那间大宅进士第，是什么样的人家？"他在灶口伸手取暖，向收拾碗盘的店伙问。

灶台的角落，一只老猫正睡得喉间发出咕噜咕噜怪声，表示这地方暖和正好睡觉，今晚不必去捉老鼠充饥了。

他的目光，就一直在睡猫身上停留。

"哦！大概你是指张家大宅。"店伙说："张老爷在四川顺庆府做知府，并未携眷就任。目下大宅中，住着张大人一家眷口。"

"哦！知府，官不小呢！"他颇感诧异，明明看到张家有武林人进出，怎么却是现任知府宅第？犯得着请许多知名人物当护院？

银扇勾魂客曾经认出几个人，都是侠义道中大名鼎鼎的风云人物。

那位伏魔剑客张永新，与八臂金刚徐风，就是名震天下的超等高手，当代的风云人物，武林朋友十分推崇的英雄。

"而且是大大有名的清官。"店伙进一步说明："曾经两任知县，两任知州，当地州县百姓，先后送了三把万民伞，本城的人深以为荣。"

"这年头，清官越来越少了。"

"所以本城的人以他为荣呀！"

"好像他们家进出的人不少呢！家大业大。"

"他们家没几个人，而是听说曾经派人回来，准备把家眷带入四川顺庆任所，所以有些亲友前来相助，以便护送家眷入川，近期内便可动身。"

"隆冬水枯，这时乘船走三峡入川，风险太大，相当危险呢！"

再聊了片刻，他返回客房。

他怀中，有一只老猫。

银扇勾魂客睡得不安稳，提心吊胆等候灾祸降临。明知弥勒教不会放过他和天斩邪刀，怎敢放心大胆安睡？江湖行道者，日子并不好过。

午夜一过，他被邻房奇异的声浪所惊醒。

声浪并不大，但好恐怖，隐隐风雷声中，夹杂着可怖的鬼哭狼嚎。

他完全失去启门前往策应的勇气，只能暗中祝祷天斩邪刀平安。

终于万籁俱静，他鼓起勇气到了天斩邪刀房外。

房门是上了闩的，他震断窗扣从前窗抢入房中。

房中黑得伸手不见五指，室中流动着刺鼻的各种怪味，甚至可嗅到血腥。

敲亮火折子，这才发现房中像遭了兵劫似的，所有的家具都毁了，连床也半崩塌，衾枕凌乱。

床头有一摊鲜血，碎肉散布在一丈方圆内。

"他……他完了……"他心中狂叫，只感到毛骨悚然，浑身发冷。

人都碎了，好惨！

可是，再一仔细察看，心中大惑。碎肉中，有不少皮毛。

人不可能有皮毛，残留的碎毛难以分辨是何种动物。

天斩邪刀不在房中，碎骨肉与皮毛绝不是人所遗留的。他无法找出答案，惶然离开了混乱的房间。

五个人影从北门越城而走，沿大官道北行。五个人三男两女，脚下甚快。

"人已经死了。"走在最前面的人，用肯定的口吻说："我的诛仙剑不见血，是不会返回的。"

"我们应该进去查证的。"另一人说："我们都用元神御剑入室追踪，不曾目击结果。没错，我们的剑都曾沾血，但沾血并不能证明那小辈被杀死了，说不定他只是受了伤。咬破舌头拼元神，洒血走也是度劫大法之一。"

"你在说不可能的事。"第一个人冷笑："你把一个乳臭未干的小辈看成地行仙，灭自己的威风。咱们再炼十年，或者二十年，也不可能炼成血光遁法。"

"五把元神御剑全力一击，就算是地行仙，也难逃这雷霆万钧的猝然一击。"另一人傲然地说："别谈死人了，咱们的大事需用全副精力进行呢。"

"咱们真的得催促他们赶快进行了。"

走在最后的人语气有些忧虑："这两天风声突然紧了起来，似乎新郑城将要发生灾祸。人心惶惶，公人满街走，不明来历的人，明暗间活动频繁。该死，我不喜欢这种情势。"

"曹巡察夫妇两人先到多日，为何还没把此地的情势摸清？"第一个人转变话锋："反而为了这个该死的小辈之事，劳动圣堂的人替他们善后。听他们的口气，这小辈并不是张家请来的人，实在不必劳师动众的，会不会是曹巡察夫妇有不可告人之密？"

"回去问问不就明白了？"第二个人信口说。

五人脚下一紧，折入路口一条小径。

他们大概心情愉快，边走边谈忽略了身后动静。

其实，他们即使留意身后，也不会发现异象，跟踪的人跟踪术十分高明。

跟踪的人真不少，是从客店跟出城的。

蝉、螳螂、黄雀、猎人，都走到这条路上来了。

城郊有不少村落和农庄，隆冬季节很少有人在外走动，里面藏匿三五十个陌生人，没有人会发现有异。即使是这些人出外走动，也不会引人注意，行走时仅露出双目，谁能分辨是不是本地人？

小径尽处，便是一座小农庄，静悄悄灯火全无，大概家犬都被拴在房子里，便于夜间活动。

五个人隐没在一座偏院内，出入大概不需从门户，跳墙、登瓦往来自如。

厅堂中灯火明亮，有人在等候办事的人返回。

四个人：两个仙女，另两个是在破庙中，被天斩邪刀惊走的一对中年英俊男女。

"参见使者。"中年人离座相迎，恭敬地行礼。四人皆肃立恭候，可知这五个人的地位必定相当高。

"使者辛苦了。"排名第四的天权仙女，也用近乎阿谀的口气说。

弥勒教总坛的祖师堂，设有三十六位守护天尊，地位甚高，直接由教主指挥。之外，另设有不定额的所谓圣堂使者。

这些人负责与各地人联络，直接传达圣堂的符令指示，本身地位并不太高，但权限却大，是教主的心腹，传符令时更有如教主亲临。

七仙女是圣堂香主，地位其实比使者高，但实际上的权威，却比使者差上一大段的距离。

仙女们在使者面前，说话是否得体，还真得字字小心斟酌，才能避免引起误会。

"不算什么。"第一位使者大刺刺地往大环椅上落座，挪了挪腰间的宝剑，和特大号的百宝乾坤袋，脸上有得意的表情。

这位使者大概地位最高，生得豹头环眼，满脸横肉，剽悍之气外露，年约半百，举动矫捷灵活，一看便知武功根基浑厚，并非全凭妖术混到今天的地位。

"那小辈也的确颇有道行。"第二位使者生了一张三角脸，颊上无肉，一脸阴狠相："由于你们把他说得非常了不起，因此咱们起初使用阴煞灭神术摆布他，他居然能紧护元神，而且又能对阴煞施以禁制。最后，咱们只好用了诛仙剑御神一击，五剑齐下碎裂了他。"

"其实那小辈修为浅得很，没有反击的能力，仅能自保而已。"

第一位使者加以补充，脸上的得意神情更浓："咱们不想惊动店中的人，不希望使用惊世骇俗的法术引起骚乱，因此也不希望引人注意，所以速战速决，一举毙了他，快速撤走了事。今后，你们可以放胆进行了。"

"你们应该对付得了张家请来的那些人。今后如无特殊事故，我们不会出面协助，咱们不用公然露面。明天我们就动身前往安陆总坛视察，你们办事要积极些，赶快办妥以便通知四川的人，让他们安心。"

"是的，我们即将发动，料想不会再发生事故，请使者放心。"中年人恭敬地说。

"但愿你们能顺利办妥这里的事，以免有负四川方面的人所托……"

两仙女几乎同时倏然而起，发出一声警号，身形似电，猛然启门冲出厅外去了。

院子里站着两个黑影，左面厢房的屋顶也有两个，黑夜中看不清面貌，但装束打扮一目了然。

在对面的屋顶上，也陆续有人现身，共有五个之多，分别在屋脊上，没有跳下来的打算。

罡风振衣，形影依稀可辨。

没错，这一面上下四个人，衣袂飘飘，头上光光，是四个和尚，而且外面披了袈裟，一看便知是颇有地位的僧人。

五使者与中年夫妇都出来了，看清是和尚，大感意外。

对面屋顶上的五个人，相距过远，看不真切，但从衣着中可以隐约分辨，是一男四女五个人。

"果然是你们一群妖孽在本城作怪，我佛慈悲。"那位年岁甚高的和尚，声如洪钟，字字震耳。

对面屋顶上的五男女左右，也出现了四名僧人。

"施主们也下去吧！"右方的一位僧人向五男女说，也字字震耳："老衲允许你们会合在一起，给你们布阵的机会。"

"本姑娘不是他们的人。"为首的女郎大声抗议："事实上，本姑娘是来找他们算账的！"

是被称为女飞贼的飞天夜叉，理直气壮地为自己辩护。

"是吗？"和尚显然对她的话存疑。

"当然。"

"你知道他们是些什么人？"

"弥勒教的教匪。"

"咦？你真知道！"和尚一惊，不再怀疑。

"当然知道。"

"知道你还敢来找他们，你不怕妖术？"

"我们带了以流光弹改制的器具，可以克制妖术。"飞天夜叉口气强硬，显然是有备而来。

"老衲怀疑你们的器具威力，不见得有施展的机会，诸位请作壁上观，请勿参与。"

四个和尚一打手势，跳下院子。

八比九，使者一方仅多了一个人。

面对八个年已花甲的老和尚，五个弥勒教圣堂使者，显然不怎么害怕，但剑已在手神色庄严。

"和尚，你们是干什么的？"第一个使者沉声问，独自上前质问。

"来赶你们离开本城，不许在本城兴风作浪。"为首的老和尚一字一吐，语气相当霸道："你们再三在本城惹事招非，本城决不容许贵教在本地建香坛！"

"你凭什么？"

"县衙已颁发告示，驱逐所有不明来历的不法之徒。你们再三在本城行凶，必须早离疆界。"

"如果本法师拒绝……"

"老衲已获知县大人授权，逮捕不法之徒。"

"呸！和尚出家人，知县会授权给你们执法？岂有此理！"

东厢廊下，踱出五个捕快，为首的人，是本县的捕头量天一尺项忠。这位爷身高八尺，粗壮如熊。手中一根铁尺长三尺三，俗称量天尺，分量相当重，一尺下去，磨盘大的巨石也会粉碎。

"法慈大师是少林方丈派来的代表。知县大人并非授权给大师执法，而是恭请大师惩治不法之徒。"量天一尺舌绽春雷，声震屋瓦："大师要你们早离疆界，那是对你们这些妖人客气。"

"代表？"使者吃了一惊："秃驴代表什么？"

"你不需知道。"量天一尺拒绝回答。

法慈是少林客院的首席知客，身份相当高，负责接待光临的有身份有地位大施主，也必定是该寺院的有道高僧，见多识广的精明老练和尚。

首席知客，地位之高可想而知。

"施主自称法师，请教上下如何称呼？"法慈大师冷冷地说："至于老衲代表什么？不关施主的事，无可奉告，那是本寺的家务。"

"贫道至真法师。"

量天一尺吃了一惊,不自觉退了一步。

"原来道友是大名鼎鼎的七煞真人,幸会幸会。"法慈大师脸色一沉:"当年贵教在陕西劫掠,道友曾在洛川连屠十六座村落,屠杀上千生灵,老少妇孺尽绝,惨绝人寰。老衲不能放过你,必须将你捕交官府法办。"

"你配……"

一声怒吼,法慈大师一掠而上。

七煞真人剑已在手,没料到大和尚敢赤手空拳冲来,勃然大怒,一声厉叫,剑幻异虹,风雷乍起,左手大袖一抖,云兴雾起,光影摇摇。

"孽障大胆!"法慈大师沉喝,双袖一挥,劲气似怒涛,袖起人到。

一声砰然巨震,七煞真人飞起丈余,几乎把后面的人撞翻,剑上的异虹下敛。

像起了一阵劲烈的狂风,云雾一涌即散。

四位使者同声怒吼,四剑齐出。

法慈大师的身形略顿,后面四位和尚恰好及时超越,八只大袖齐挥,无畏地向涌起的剑山硬闯。

"扯活!"后面的七煞真人喷出一口鲜血,用黑话招呼同伴撤走,显然被法慈的袖劲所伤,知道厉害必须逃走才能保全性命。

据说少林的高僧,百步神拳可以隔山打牛,佛门弟子修炼降妖伏魔绝技,一切妖术绝难与佛门大法抗争。一切妖术皆以诱发七情六欲为主;佛门弟子修炼,却以摒除七情六欲为主,先天上就相克,不受所惑。

佛门弟子无人相,无我相,无众生相,如何能"惑"他们?一切皮相幻觉,在他们心目中根本就不存在的。

当然,这仅限于有道高僧。

四个使者分向两侧飞抛，一沾地便窜入两厢溜之大吉。

两仙女与一双中年夫妇溜得更快，最先退入黑暗的厅堂脱身。

和尚们真不敢无畏地穷追，房屋内部不但黑得伸手不见五指，而且到处都可以隐藏，贸然追入十分危险。

任何功臻化境的高手，也不可能长期运功护体，藏匿的人偷袭或用暗器攻击，三流人物也可以把超绝的高手摆平。

"可惜！"法慈大师向黑暗的房舍叫，不胜惋惜："早知道是这恶毒的妖孽，岂会让他走脱？"

八个和尚与五个捕快，终于失望地走了。

飞天夜叉五个人，在屋上目击双方交手，眼看和尚们双袖的威力，感到有点心惊。

武功火候不够的人，手中即使有利器龙泉太阿，也发挥不了威力，劲烈的袖风威力万钧，近不了身，龙泉太阿也毫无用处。

大名鼎鼎的七煞真人，就禁受不起大袖的攻击。

"少林僧人名不虚传。"她向同伴低声说："这些和尚居然在这里替官府办事，咱们希望不大。"

"小姐，不如赶到前面去下手。"她的侍女也低声说："咱们真的惹不起少林和尚，何况来的和尚数量甚多，一个拼一个，小姐或许有胜算，其他的人谁也抵不住这些秃驴。"

"到前面下手，咱们毫无希望。"飞天夜叉长叹一声："咱们先准备安排妙计，成功的希望是五比五。赶到前面仓促布置，胜算不会超过两成。"

"如果能够获得天斩邪刀的相助，赶到前面埋伏大有可为。"侍女仍然主张另行设法办事。

"可能他已经死在客店里了，可惜。"

脊角突然传来一声轻咳，有人故意引起他们注意。

五人一惊，齐向右面脊角注视。

的确有一个人，跨坐在高挑的脊角上，何时来的，五个人竟毫无所知。

"呵呵，你希望我死在客店吗？"那人突然一笑，是天斩邪刀。

"咦？你……"飞天夜叉骇然惊呼。

五个人并列在屋脊上，最外侧的一名侍女，距跨坐在脊角的天斩邪刀，几乎不足五尺，侍女居然毫无所觉，按理，那是不可能的事。

飞天夜叉的男女随从，任何一个人皆可以名列一流高手，被人贴身潜伏了老半天，居然毫无所觉，难怪他们大感吃惊。

"我跟在你们后面来的。"天斩邪刀跳起来站稳，挪了挪腰间的刀。

"你房内传出可怕的声浪……"

"妖人在作法兴妖，但还奈何不了我。"

"你已经证明给我看了。但这次他们来的人太高明……"

"他们更高明的人还没来，来了也奈何不了我，我不想在客店里惊世骇俗，所以不愿和他们计较。"

"你愿意帮我吗？"

"没胃口！"他一口拒绝。

"你非帮我不可，我……"

"没胃口。喂！你真是飞天夜叉？"

"咦？你知道我？"飞天夜叉又吃了一惊。

"我在江湖流浪了两年，找人找得很辛苦，对江湖的动静多少有些了解。女人，你贵姓芳名？"

"该死的！你说话怎么这样无礼？"飞天夜叉大为光火。

女人，可不是恭维的话。天斩邪刀用流里流气的语调叫她女人，她哪能不恼火？

"咦！你本来就是女人呀！"天斩邪刀调侃的口气依然浓厚："而且夜叉男的凶恶丑陋，女的美丽可爱。我在奉承你，有什么不对么？"

"可恶！"飞天夜叉又叫骂，远在丈五六外，纤手一抬，戟指虚空疾点。

一声长笑，天斩邪刀直挺挺向下飘落。

劲厉的指风在他落下后一刹那掠顶而过，破风的锐啸慑人，可知飞天夜叉的指功可怕极了，真可以虚空伤人于丈五六外，那是修炼一甲子，也不见得能练成的超绝指功，令人难以置信，是出于一位妙龄女郎的纤手。

"你是一个不知道感恩的女人。"天斩邪刀在下面怪叫："手一出便想要我的命。我以德报怨，你恩将仇报，下次我要揍你个半死。"

"休走！"飞天夜叉愤怒地往下跳。

下面没有人，天斩邪刀已经走了。

"我非把你弄到手不可！"飞天夜叉尖叫。

联络中心与落脚处，相距不会太远，太远指挥不便，掌握也有困难。

五使者与两仙女的落脚处，距县城近在咫尺，西面两里左右，便是他们的联络指挥中心。落脚处受到了强敌侵扰，他们只好奔向联络站，那是一座小村旁的农宅，不会引起各路英雄的注意。

大厅中挤满了人，农宅的厅堂本就不够宽阔。这里安顿了不少人，其中有黄泉双魔。但他两人的地位，在所有人中并不高。座位远近表示身份地位，两老魔的地位恰好在中间。比两仙女低，更比不上那一对中年夫妇。

五使者的地位比仙女低，但联络站主事人无疑是地位最高的。

那是三个年约百半的两男一女，一个个面目阴沉，似乎天生具有司令人的威严，凌厉的目光相当慑人，具有一个强人的条件。

五使者九个人，是狼狈逃回来的，大冷天身上却热气蒸腾，可知逃命的速度已施展至极限了。

由为首的使者七煞真人，将经过向众人一一详述，自客店施法歼除天斩邪刀，至少林八僧与女飞贼飞天夜叉出现，巨细无遗详细禀明，少不了加油加酱，把少林八僧说得十分高明，以掩饰逃走的胆怯行为。

少林八僧现身叫阵，让所有的人感到心虚。

首席知客法慈大师，可是大名鼎鼎的人物，是属于地位与罗汉相当的高僧，佛门禅功火候精纯。知客，客也知他；武林中的成名高手名宿，多数知道这位大师武功了得，那些胆敢前往少林闹山门的英雄好汉，绝大多数过不了法慈大师这一关。

"真糟糕，秃驴们很可能冲咱们而来的。"坐在上首的鹰目中年人，听完使者的叙述，脸上有不安的神情流露，不住捻动颔下的鼠须。

"应该不会呀！"

坐在下首脸色冷厉阴森，但五官匀称，依然可以看出昔年风华，只是脸上神色太冷的女人说："咱们并未惊动任何人，除了这个死鬼天斩邪刀之外，消息决不可能走漏，少林僧人决不可能闻风破空，腾云驾雾，飞来此地干预咱们的事呀！"

"说的也是。"为首的人同意："按情理，少林僧人远道而来，动身时咱们恐怕还没从安陆府启程呢！他们不可能未卜先知。而且，口气也不对呀！"

"总之，咱们受到威胁，却是不争的事实。"七煞真人苦笑："长上，夜长梦多，咱们行藏已露，秃驴们铁定会进一步清查咱们的动静，如果不及早下手，成功无望，甚至可能会吃大亏呢！"

"只是……伏魔剑客那些人不易对付，咱们后续的人还没赶到……"

"后续的人赶到，也对付不了大批少林秃驴。"七煞真人显然不想拖延，把事情办妥走人，可以避免和少林僧人拼命，谁知道少林是否继续派人前来策应？

引起一些辩论，但主张速战速决的意见占了上风。

商量片刻，主事人不得不下定决心。

"好，咱们立即动手，出其不意直捣张家大院。咱们共有十七个人，突袭情势对咱们有利。"主事的人用坚定的口吻下达攻击令："四更整动手，出其不意直搏中枢。少林秃驴一定认为咱们在城外藏匿，四更正不是夜行人在城里活动的时光。张家大院的人，也必定放心地在被窝内睡暖觉。现在，咱们来分配行动人手。"

不久，十七个人分为三拨，乘夜黑风高，要从城西南角越城而入。速度甚快，片刻便抵达城根。

他们却没发现，第三拨人的后面，有一个如幽灵般的怪影，亦步亦趋紧蹑不舍。

第五章　各行其是

　　三丈宽的护城河结冰已久，不需渡河工具。

　　平时城头很少有兵勇巡逻，这两天突然风声紧急，不但有兵勇巡逻，而且派有守卫，像是得到土匪来犯的消息，全城的丁勇皆已接到召集令出动。

　　刚抵达城根，正要用飞爪爬城。天气太冷，城高三丈，不可能用壁虎功游龙术攀爬冰冷硬滑的城墙，飞跃也上不了三丈。

　　真不巧，一队巡逻刚好经过这一段城墙，可以看到高过垛口的红缨枪，听得到脚步声与谈话声。

　　十七个人全都贴身在城根下。城上的人即使将头伸出垛口向下瞧，也不可能看到隐伏着的人。

　　巡逻的人根本不会伸头察看城下的情景。

　　"城根下有贼！贼要爬墙！贼要爬墙……"怪异的叫喊声，发自护城河这一面的大柳树下，声如暴雷，压下了凛冽劲急的风声。

　　糟了，十个巡逻的丁勇，纷纷将头伸出垛口，枪尖作势下指，察看城下的动静。

　　"用箭射射看！"有人大叫。

　　一队巡逻通常有枪手、刀手、箭手、旗号手。这是说，十个人可能有两名箭手。

　　用箭射，躲不住啦！

"该死的贼王八！去把他搜出来，撤！"主事人愤怒地大骂，下令撤走。

行动败露，怎能不撤？十七个人飞奔过河，向叫喊示警处急抢。

城头上的丁勇，也大喊大叫示威。

一排大柳树下鬼影俱无，叫喊的人早就走了。

丁勇不可能出城追贼，他们也休想再进城啦。

两人沿街边小心地行走，躲躲藏藏，不希望被更夫或守夜人发现。

"刚才在城外大喊大叫的人一定是你。"银扇勾魂客肯定地说。

"是我的口音吗？"天斩邪刀反问。

"在江湖遨游的人，会用各种口音说各种方言，并不足怪。"

"刚才你躲在城上干什么？"天斩邪刀不想答复，另起话题。

"我曾经听到你房中有声息，曾经进房察看，我……我以为你……"

"以为我死了？"天斩邪刀笑问。

"那些血肉……"

"还有碎皮毛。"

"所以，我断定你没死，便到处乱窜找你，认为你也许负了伤需要帮助。后来我打听出有许多人跳城出去了，只好在城头走动留意动静。哦！那些贼是什么人？"

"弥勒教的人，十七个。"

"哎呀！对付你的？"银扇勾魂客心中发冷，对方大举出动岂不可怕？

"他们认为我已经被他们杀死了。"

"那……对付我？"

"呵呵，老哥，你算哪根葱？他们一个人就可以把你打入地狱。"

"别把我看得那么没用。"银扇勾魂客死鸭子嘴巴硬，死不认输。

"当然啦，拼武功，你可以对付两个，或者三个。"

"那……他们……"

"要对付张家大宅院的人。我想就是那座进士第，那里面有一群高手名宿。"

"哎呀！伏魔剑客那些人？"

"没错。"天斩邪刀肯定地说："以后他们还要去的。"

"老弟，帮他们一把。"银扇勾魂客急急地说："我虽然不喜欢伏魔剑客那些人，但他们的确是颇受尊敬的好汉子，如果妖人们成功，毕竟是江湖无可弥补的大损失，江湖上的确需要这些正人君子主持江湖道义。老弟，你有救助他们的能力……"

"没胃口。"天斩邪刀断然拒绝："我不想讨好这些正人君子，事不关己不劳心。"

"混蛋！那你在江湖闯荡，又为了什么？"银扇勾魂客怒声说："拒绝做一些有益世道人心的事，你又何必在江湖闯荡？你练了奇功秘技，是为了袖手旁观的？"

"我自己的事已经够忙了，哪有闲工夫管不关己的闲事？"

"你……"银扇勾魂客气结。

"我在踏破铁鞋找人，跑遍了大半壁的江山，管闲事必定耽误我的行程，理由够充分了吧？"

理直气壮，多管闲事其实也是江湖大忌，他有权拒绝，人不为己，天诛地灭。

"找九灵丹士？"

"是的。"

"我负责请朋友留意老丹士的下落，比你一个人踏遍天下穷找有效得多。"银扇勾魂客不死心，开出条件："九灵丹士对你真的很重要？"

"也不算太重要啦！我答应一位失明的朋友找丹士治眼疾，找了快一年啦！交朋友以诚信为先，答应了的事我会尽力。我办事有条理，一件一件来，解决一件再言其他，事多了就不能专心，所以，我不能被旁的事缠住！"

"我的朋友很多，朋友会替你留意……"

"老哥盛情可感，但等于是交换条件，你提的不是时候，我不喜欢。快走小巷，前面有巡街的。"

往小巷一窜，把老怪杰抛在身后，不能再听他唠叨了，他不想被老怪杰拖入了风暴中心。

老怪杰虽则绰号称怪，骨子里却是真正的英雄豪杰，意识上却与正道人士与侠义英雄保持距离，如非必要，不与这些人打交道。

情势不妙，他会毅然站在正道人士侠义英雄的一边。

匆匆早膳毕，老怪杰出店急趋张家大院。

砰一声大震，他一脚踢在紧闭的大院门上。

里面脚步声急促，而且传出含糊的叫骂声。

"干什么乱踢门？"院门急速拉开，老门子翻着老眼大叫。

"来报丧的。"老怪杰不愧称怪，说的话大反世俗，轻拂着山藤杖，咧着嘴怪笑。

"什么？你这厮……"老门子脸都气青了。

"我这人报忧不报喜，所以上门必定有忧。"老怪杰往里闯，一掌拨开挡路的老门子："伏魔剑客张永新躲在这里等，等大祸临头。"

刚绕过照壁，前面侧方的垂花门内，闪出一位手长脚长的中年人，显然已听到老怪杰说的一些话，因此怒容满面。

“可恶，你胡说些什么？”这人气冲冲拦住去路：“阁下是……”

“我是来报噩耗的……”

“该死的东西！”这人一拉马步，要动手了。

垂花门内又奔出一个中年人，后面跟着曾与天斩邪刀冲突的女骑士。

“周兄请勿鲁莽，那是银扇勾魂客杨老兄。”中年人高声阻止同伴动手：“你如果惹火了他，保证没有好日子过。杨老兄，别来无恙。什么风把你老兄吹来了？”

“我不来，你们难逃大灾祸。你五湖逸客谷方谷大侠，可能就是应劫者之一。”

“老兄的口气非常严重，请到客厅待茶，请！”五湖逸客谷方笑吟吟肃客，对老怪杰的不礼貌话毫不介意。

“何止是严重？那是灾祸！”老怪杰苦笑。

垂花门后便是院廊，右转才是正式院门，大院子栽有已凋的花木，远处才是五间的宏丽大厅。大院子的格局层房叠栋，从外院门进入，走老半天才能见到主人。大院子套小院子，一进连一进，厢内有厢，所以俗语说：侯门一入深如海。

早已有人先奔入通报，大厅内宾客云集。

老怪杰认识一些人，分量够可称高手名宿的人中，他认识伏魔剑客张永新、八臂金刚徐风、五湖逸客谷方、神鹰李奎等侠义道名人。

这些人，对老怪杰颇为推崇。也有一些人，对老怪杰却不敢领教，敬鬼神而远之，甚至颇不友好。

男男女女足有二十人之多，济跄盛哉，难怪弥勒教聚合了十七个妖术惊世的高手，也有所顾忌，不敢贸然地展开攻击，如非情势有变，还不至于立即铤而走险。

伏魔剑客位高辈尊，也最受尊敬，因此权充主人，客气地接待老怪杰，替主客双方引见。

客套一番，一杯热茶，言归正传。

"你们知道弥勒教吧！他们来了大批人手。"老怪杰首先提出问题："诸位都是江湖名流，平时各处天南地北，仅有一半是附近的土财主，怎么居然在此聚会？难道你们已经知道该教图谋你们？"

"江湖朋友谁不知道弥勒教？咱们这些人并没有招惹这些妖人呀！"

伏魔剑客大感诧异："昨天葛姑娘自郑州来，在北面路上遇到六个弥勒教的人，被一个年轻人所伤，我们才知道该教有妖人出现在本地。"

女骑士姓葛，芳名春燕，在江湖露面没有几天，是这些人中惟一的晚辈。家住郑州，与张家大院的主人沾亲带故。

在江湖道中，姑娘是毫无地位名望的人，谁也不知道她是老几，还没见过世面闯出名号呢！

其实，葛春燕与桂星寒打交道时，老怪杰恰好到了路旁树林中藏匿，目击姑娘与桂星寒打交道的经过。

"张家大院的主人，是在下的表兄。"那位江湖之豪摩云手罗人杰说："家表兄任职四川顺庆知府，年初派人返家将家眷护送入川。由于三峡水贼猖獗，为防不测，在下催请朋友相助，护送表嫂一家妇孺入川。据在下所知，在座诸位亲友，谁也没与弥勒教结怨，井水不犯河水。杨兄是不是听到什么风声了？"

"那就奇怪了！那些妖人的确是冲你们而来。"老怪杰大感诧异。

"真的？"伏魔剑客将信将疑。

"你们以为我危言耸听？"

"杨兄，你知道我们不会。"

"我先把经过告诉你们……"

老怪杰将逼迫六个妖人，直至昨晚在城头与天斩邪刀返店后，所发生的变故一一说了。

"据我所知，他们是分从南北两面赶来聚结的。"最后老怪杰加以补充："我在郑州发现几个妖匪行踪可疑，一时兴起便暗中跟下来了，而那些地位甚高的妖人，的确是从南面赶来会合的。我和天斩邪刀落在女飞贼飞天夜叉手中，妖人们硬向飞天夜叉索取我们两人，这是临时发生的意外事故，他们决不可能冲我和天斩邪刀而来。"

厅门外一声轻笑，女飞贼飞天夜叉当门而至。

大白天，飞天夜叉胆敢深入堂奥，如入无人之境，令众人大吃一惊。

张家大院有一些家丁和仆妇，这些人派不上用场。而所有的武林高手，皆在大厅聚会，飞天夜叉的轻功号称飞天，家丁仆妇根本不可能发现她进来。

"你们居然不知道妖人的意图，难怪注定了要遭殃。"飞天夜叉一面说，一面步入了大厅。

飞天夜叉出道没几天，名号颇为响亮，但真正见过她本来面目的人，恐怕只有一个老怪杰。

"她就是飞天夜叉。"老怪杰说："该死的女飞贼，你是来找我的？"

"我当然找你，你要带我去找天斩邪刀。"飞天夜叉似笑非笑："他不在客店里，我跟在你后面来的。"

"你最好不要再找他，你不是他的对手。放手吧！真要惹火了他，他将毫无感情地砍你一刀。那小子表面上什么都不在乎，一旦生命受到威胁，骨子里的桀骜怒火，一发将不可收拾，他曾救了你，你还死不放手？"

"你少管！"

"好，不管。我根本不知道他的行踪，我无法带你去找他。

你可在店里等候呀!"

"我哪能在店里枯等,也不便在店里等。"

"他一定去打听消息了,这小子精得很。哦!你真知道弥勒教的意图?"

"昨晚他们进不了城,在护城河穷搜发声示警的人。我躲在不远处,乘机弄到一个活口。"飞天夜叉得意洋洋:"妖术再厉害,也应付不了我的偷袭。"

"我知道你的迷香,运用得出神入化。姑娘,活口的口供……"

"弥勒教的三少主李大礼,目下在四川广设香坛。在顺庆府的一府四县五座秘坛皆被张知府所抄没。三少主为了此事,恨张知府入骨,因此派专使向教主求助,请教主前来掳劫张知府的家小,作为胁迫张知府的人质。"

"假使三少主事先知道,你们将护送张知府的家小入川,便不会多此一举了,他可以在四川等候你们送上门来。派来这里的人,以为你们是张家的护院保镖,后来认出你们的身份,所以来的人一批比一批高明,准备一举把你们送进地狱。你们明白了吧?"

所有的人皆大惊失色,心中叫苦。

"你们定力够,武功可以稳占上风,但众多妖人一同施法,你们将损失惨重。"老怪杰长叹一声:"只有天斩邪刀桂小子,对付得了这些妖人,但我再三求他相助,他再三坚决拒绝。看来,你们必须自求多福了,那些妖人是不会罢手的。昨晚来不成,今晚一定来,你们必须早做准备。"

"弓箭暗器都是对付妖术的法宝,哼!我们等他们来。"八臂金刚豪壮地说:"事先有所准备,就不怕妖人弄鬼。"

"杨兄,你不能再找天斩邪刀谈谈?"摩云手忧形于色,急得大冷天也直冒汗。

"我去找他。"老怪杰离座。

"那就快走呀!"飞天夜叉催促。

"他不会理睬,你跟着我枉费心机。"

"走着瞧好了,我会盯牢他的。"

"走就走。"老怪杰向外走,跟来的却是葛姑娘。

人地生疏,找门路打听消息并非易事,只有门槛精的老江湖才能胜任,城狐社鼠是消息来源的供给者,外地人如果没有门路,很难获得这些人的合作。

天斩邪刀早上一现身,他没死的消息便传出去了。他不在客店早餐,匆匆洗漱毕,便一溜烟出店走了。

他想知道,即将戒严是怎么回事。

他并非完全不介意张家大院的事,因为张家有一位他颇为欣赏的冒失女骑士。女骑士骄傲而知道错误的宜喜宜嗔表情,留给他的印象颇为鲜明。

那位女骑士曾经无意中帮助弥勒教的妖人,不应该死在妖人手中。

这就是他不想立即离境的原因之一。本来他打算一早便急速离城南下,远走高飞,脱身是非外。

新郑戒严,对所有来历不明,以及浪人泼棍全都不利。尤其是携带兵刃凶器的人,十之八九会被囚入大牢,或者押解回原籍处刑。

他就是身怀利器的人,虽然他并非浪人泼棍。他的旅行证件一切合法,但是有刀就相当危险。

情势还不算火燃眉毛,必要时可以逃到城外避风头。

昨晚五妖人侵入客店下毒手,是可忍孰不可忍,太过分了;这也是他不急于离开的原因之一。

他不生事,但决不逃避。

踏入永福坊，便等于踏入是非场。

这条小街本身就有是非，因为这里是藏龙卧虎的地方，下九流人物的猎食场，下层社会各种合法或非法行业的集中地。

如果不是天寒地冻，满街都是摊贩，各种公开或半公开的行业，在正街和小巷中形成旺盛而又暧昧的市场，是本城龙蛇杂混的治安问题丛生地，公人们最头疼，也乐于利用的都市恶瘤所在地。

统治这处问题地方的人有明有暗，共有三人，各有后台各有神通。

明的是满天星许大爷许元坤，一个满脸大麻子的小富豪，在本城颇有影响力的土霸。他的大宅在兴隆街的中段，隔邻就是占地颇广的永福宫。那是一座有十余名香火道人的道观，是地棍泼皮暂时住宿的是非地，一些无家可归者的安乐窝。

大清早，寒风刺骨，街上冷冷清清，仅供食店有人进出。娼、赌、骗都是夜间活动的族类，大清早必定无门而入，找不到人。

推开永福宫的角门，里面似乎鬼影俱无。角门形同虚设，香火道人不敢管这座门，让那些牛鬼蛇神任意进出，不论昼夜都洞开供人出入。

掀开一间静室的厚重门帘，推门而入，暖流扑面，酒香四溢。

四个围炉而坐的大汉，全用惊讶的目光迎接他。

两侧有木板搭的床，有铺盖睡具，静室成了住家，香火道人怎敢干涉？

取暖的炭火甚旺，加了架搁上陶盆，一锅热腾腾的羊肉香味扑鼻，小几上有大饼、硬馍、酱料，一小坛高粱酒。这四仁兄口福不浅。

"他娘的，有酒有肉，见者有分。"天斩邪刀笑吟吟，流里流气，拖过床角的另一张短凳往火边凑。

他的天斩邪刀藏在老羊皮大袄内，不解开袄是无法看到的。

皮风帽挟在腰带上，露出英俊的面庞，不像一个赚不到食物的泼皮，举动却摆明要嘴巴抹石灰：白吃。

大汉粗胳膊一抬，挡住了他。

"干什么的？你是谁？"大汉怪眼一翻，嗓门像打雷质问。

"咦！你不认识我？"他拨开挡在前面的大手，小凳一伸："借光，过去一点！"

另一名大汉如受催眠，不自觉地侧移，让他把小凳排妥，甚至顺手取了一双木箸给他。

"他娘的，我该认识你吗？你是老几？"伸手拦他的大汉依然怒形于色，而且要冒火了。

"我姓桂，桂星寒。天斩邪刀，那就是我。"他在小凳落座，顺便抓起小几上的酒碗，一口喝掉满碗酒，木箸伸入肉锅。

四大汉吃了一惊，天斩邪刀四个字真令人吓一跳。

问话的大汉脸色大变，几乎惊跳起来。

"你……你你……"大汉惊恐的神色明显，咬字不清："你是闯道的好汉，怎么来咱们这里放……放泼？这……这里不欢迎你……"

"欢迎，我来；不欢迎，我也来。"他挟起一块羊肉："闯道的强龙，不在乎谁是否欢迎。要是你老兄不愿意，最好去请满天星许大爷来评理。"

"你要压地头蛇？"

"岂敢岂敢，在下是善意的。你瞧，我在和你称兄道弟，客客气气把碗言欢。呵呵！敬你老兄一碗酒。"他自己倒酒："在家靠父母，出外靠朋友；在下与诸位亲近，是否伤和气，看你老兄的啦！我这里先干为敬。"

又是一口一大碗，豪饮的洒脱态度证明他是酒将。

"用不着许大爷出面。"

大汉鼓起勇气，一挺胸膛："咱们对付得了。说吧，你要干什么？我黄大柱子不是没有担当的人，水里火里绝不含糊。"

他从怀中掏出一锭十两纹银，往小几上一放。

"我要知道，南关大街的张家大宅，里面住了许多武功高强，有头有脸的风云人物，他们在干什么？张家大宅主人是何方神圣？"他指指银锭："十两银子，我可以买到更重要的消息，够了吧？"

十两银子，可以买到十头羊，已经是相当诱人的财富了。雇一个长工，每月只需二两银子。

任何一个南关大街的居民，都可以供给正确的消息。向店伙询问，也可以获得正确的答复，犯得着花十两银子重金，向地头蛇打听？

黄大柱子并不笨，知道这十两银子不容易赚。

"这些事，用不着打听，是吗？"黄大柱子不接受银子，气唬唬地质问。

"一分钱，一分货，黄老兄。"天斩邪刀也不是大方的散财童子，不作正面答复。

"你到底要什么？"

"少林出动了高僧在贵地耀武扬威，为何？"

黄大柱子呼出一口长气，摇头苦笑。

"不知道。"回答是肯定的："听说，是来迎接什么专使？什么专使，恐怕只有少林的主事长老才知道。其他的俗家门人子弟，负责维持本城内外的治安，一问三不知，他们本来就不知道内情。事涉机密，每个人只知奉命行事，问不出所以然的，阁下。"

能够知道迎接专使，已经算是相当灵通了，普通的市民，根本就不知道这是怎么一回事。

"桂老兄，你可以到东门的延孝寺打听。"另一位大汉说："少林的长老，皆在延孝寺挂单。出家人不打诳语，你去找他们问，他们会告诉你的。"

"这件事对我并不重要，重要的是弥勒教的妖孽，为何要图谋张家大院的人，大宅的人与弥勒教的人并无恩怨。"

提及弥勒教，四大汉脸色大变。

"我发誓，咱们一点也不知道弥勒教的事。"黄大柱子惶然说："倒是少林的弟子，正在调兵遣将，准备大举出动，驱逐这些妖人。本城的道上朋友，不介入任何一方，置身事外严守中立，你不要连累我们好不好？"

"我没打算连累你呀，黄老兄，我是一个很上道的人，大方地用正当的手段买消息，事了拍拍手走人，谁也不认识谁。你瞧，我这不是走了吗？呵呵，谢谢诸位的酒菜，你们是最好的东道主。"

他扬长出室走了，留下四大汉在房中发呆。

地头蛇们也不是省油的灯，对付外地的强龙，态度与行动很容易加以统合，保护自己的利益从不人后，四大汉进入许大爷的大宅。

地方龙蛇的生存环境十分复杂，应付威胁生存的因素也手段多变，韧性极强，这也是他们维持局面的凭借。

大多数正道人士，尤其是成名人物，除非绝对有其必要，不然决不轻易与地方龙蛇冲突，因此俗语说：强龙不斗地头蛇。

满天星许大爷是新郑的地头龙之一，对情势有相当深入的了解，早已嗅出危机，知道已处身在风雨飘摇的危境，当然知道如何在危境中争生存。

不久，新郑的豪霸级蛇头龙头，悄然走避一空，先脱出风雨圈外再言其他。

暂避风头，也是龙蛇们应变手段之一。

想找地头蛇讨消息，已经无此可能了。

天斩邪刀并不想向满天星的权势直接挑战，也知道即使前往许家探索，也不会有具体的结果，对方势将用无关紧要的消息搪塞敷衍，甚至可能供给假消息，引导他进入迷途。

带了三分酒意，他到了城东开元寺后面的一条小街，踏入了一家酒坊，似乎酒意未足。

开元寺与延孝寺隔了一条大街，延孝寺也是少林高僧挂单的寺院。

少林高僧已和弥勒教妖人正式冲突，他要知道少林高僧下一步的行动。

少林门人如果应官府征召，出面维持治安，那么，弥勒教这些有案查办的教匪，该是地方治安最大的威胁，少林门人岂能不全力以赴。

酒坊食店，是打听消息最理想的好地方。

大清早，店堂没有几个食客，七八个酒鬼分别各占座位，两三壶老酒，几碟下酒菜，各吃各的，吃得津津有味。

大清早喝酒的人，十之八九是酒瘾甚深的酒鬼。

他已经有了三分酒意，仍然叫来一壶酒，四味肉脯干果，独据一桌自斟自酌。

心中有点牵挂，拿不定主意是否该干预张家的事。那位让他感到印象鲜明的女骑士，是否值得或者是否需要他伸手相助。

女骑士的昊天神剑真的很不错，居然能从容应付他的天绝三刀。

虽则当时双方都不曾用内力御发刀剑，仅凭技巧相搏，但他深信这女人御剑的内力必定大佳，可能具有不可测的秘传内功，而且根基深厚。因为从女人深具自信的眼神，以及敢拼敢斗的豪勇，应付弥勒教妖人的妖术，应该有几分把握，至少那两个称为仙女的女妖，就难以克制这位女骑士。

但女骑士应付不了五个妖人，五妖人以元神御发的所谓诛仙剑，火候相当精纯，女骑士能否挡住一把剑大成问题，一比五绝难幸免。

他能放手不管吗？他对女骑士甚有好感呢！

冒失，其实也是热心正直的表现。而且女骑士知道冒失错误后，所流露的丰富表情也让他产生好感。

喝了半壶酒，门帘一掀，寒风刮入，进来一位佩剑的书生，身后跟着一位十二三岁清秀的书童。

书生年约二十二三，剑眉虎目，齿白唇红，神采奕奕，人如临风玉树，英俊修伟，一表人才。所穿的深紫色长袍是缎制品，玄狐皮短外袄也是缎面的，有身份地位的人，才配穿绸着缎，一定是某处学舍的生员子弟，而且是有钱人家的公子爷。

小书童也穿了一件羔皮短袄，居然佩了一把外鞘装饰华丽的匕首。

书生的剑却不华丽，古色斑斓，不同凡俗。

他同样英俊修长，但脸色如古铜，比起脸白唇红的书生，就差了几分温文味。

店伙领着书生找座位，经过他的桌旁，书生仅瞥了他一眼，小书童却顽皮地伸脚挑他的凳脚，显然想乘他不备，挑倒长凳把他弄倒。

他腰干一沉，长凳稳如泰山。

"哎唷！"小书童反而几乎摔倒，惊叫一声，扭身一掌劈向他的背心，要撒野了。

他手中的木箸，突然贴左肩向后伸。

小书童的掌缘，眼看要被木箸点中。

叫声引起书生注意，扭转身大手一伸，抓住了木箸，也挡住了小书童的掌。

他也同时扭转身形，左手一抬，恰好架住书生吐出来的一掌，力道相当。

一双木箸从中折断，木箸哪堪两人的手扳扭？

小书童得理不让人，一腿扫出。一声怪响，长凳折了两条腿！

他并没坐倒，一掌反拂。

啪一声响，书生接了他这记阴掌，由于双方皆在掌上逐渐加力，接触的劲道爆发。两人同时震退两步，劲气一泄而散。

书生身后有退路，他却撞中食桌，一阵爆响，食桌崩塌，碗盘酒菜撒了一地。

"哈哈哈……"小书童在一旁捧腹大笑。

书生淡淡一笑，颇为得意。

他心中冒火，虎目怒睁。

"你不责备你的小跟班？"他沉声质问："你是这样教导这小鬼的？"

"你以大欺小，没错吧？"书生笑吟吟反问，似乎理直气壮。

"该死的！你如果这样纵容他，他早晚会替你招来严重灾祸的。这小鬼天生坏胚，到处惹祸招非，惟恐天下不乱，标准的不良少年活见证，如果不好好管教，日后将是神憎鬼厌的祸胎。"

"惟恐天下不乱不是坏事呀！年纪小顽皮好动，并不是什么不得了的事，我可不要一个懦弱老实乖乖顺顺的书童跟班。"

书生仍然笑容可掬，但所说的话，就不像一个读书明理的书生了。

"罢了！"他瞪了小书童一眼，走向另一张食桌："小二哥，给我来一份酒菜，打坏的家具我赔。他娘的！晦气！"

"混蛋！你的嘴说话，最好不要不干不净，小心祸从口出！"书生也冒火了，笑容消失得好快，说的话也毫无书卷气，是属于喜怒无常，性情古怪的人。

"你……"

"我姓方，方正的方，方世杰。"书生自行通名："你不服气是不是？"

他虎目一翻似乎要发作，随即呼出一口长气，怒火消失，在邻桌坐下，掉头他顾，不再理会。

他示弱，方世杰却不放过他，冷冷一笑，神气地逼近他的身侧。

"你这厮生得人高马大，人模人样的，居然与一个小孩子计较，感到很光荣是不是？"方世杰进一步挑衅，替恶奴撑腰："我认为可耻，你得向我的书童小虎道歉，表明你有教养。"

他开始正式打量这个不像书生的书生，气反而消了。

这是一个豪门的子弟，披着羊皮的猛虎，笑里藏刀，城府甚深的人物，对他的威胁是属于"后患"式的，没有"立即"的危险。

"你这混蛋真有几分疯狗味。"他不怒反笑，也摆出笑吟吟的虚伪面孔："带了一头小疯狗满街乱咬人。呵呵，我不相信你敢咬我。"

方世杰剑眉一挑，哼了一声右手抬起了。

"你穿了儒衫挂了剑，想打架？"他投箸而起："你已经弄坏了一桌一凳，够威风了，不要在店中打毁酒坊的生财器具，咱们到街上松松筋骨。"

他往门外走，笑得和蔼可亲。

相反的，方世杰却虎目中杀机怒涌。

两人的神色表现，前后完全相反。他是先怒后笑，方世杰却是先笑后怒。

"我要你生死两难！"方世杰跟出阴森森地说："这可是你自找的。"

"要我生死两难，你以为你是老几？主宰人间生死的鬼神菩萨？好笑！"

他掀起帘子扭头说："大概你把新郑城看成你家后院了，阁下，这里可是有王法的地方，县城即将封城戒严，你想行凶最好考虑考虑后果。"

街道宽阔足够施展，行人稀疏不至于引起街坊注意。

"公子爷，把这个杂碎交给小的消遣。"小书童摩拳擦掌，显得兴高采烈："我要打得他满地爬，要他学病狗摇尾乞怜。"

不管主人肯是不肯，声落人抢出，人小胆气却壮，毫无顾忌走中宫一爪探出，金豹露爪招式居然纯熟迅疾，小鬼搏金刚向怀里抢。

桂星寒又好气又好笑，这小鬼狂得不像话。也因此一来，他提高了警觉，对方如无贴身强攻的本钱，怎敢肆无忌惮狂妄进招？

"荒唐！"他笑骂，大手一伸，手臂比书童长出半尺，五指箕张，要抵住书童的头，不许书童近身，近了不身招式毫无用处。

这种牴牛式的搏斗，对付矮小的人万试万灵。手一伸一拉马步，足以将人抵挡在四尺外，对方的手脚沾不了身，挤不进必定白费力气，双方抵上老半天，只能在原地手舞足蹈团团转，所以称为牴牛。

保持距离，书童冲了几次劳而无功，真急啦！

双手拳打掌劈向他的手招呼，双脚不住地找机会左扫右踢，劲力逐渐增加，而且速度越来越快。

他心中暗惊，这小鬼拳掌上所发的潜劲，沾手便直撼心脉，有一种奇异的震撼力逼迫气血崩散，小小年纪，怎么可能练成这种邪门内功？

如果他不事先心有警惕，可能在一照面之下，伸出推抵的手，挨一下就骨肉粉碎了。

"难怪你如此顽劣狂妄，原来还真有几下邪门杀人绝技。"他一面推拒，一面指责："天知道是哪一个绝子绝孙的混蛋，调教出你这种小魔王，该下地狱！"

转了几圈，书童依然无法近身，也无法击伤他的手，按捺不住啦，猛地伸手探入袄尾，要拔匕首行凶了。

他并没感到意外，认为是必然的现象，任由对方撒野，注意书童拔匕首的手法。

略一分神，忽略了在一旁虎视眈眈的方世杰。

"去你的！"耳中听到左后侧方世杰的叱喝声。

这瞬间，他蓦然心惊，身形猛然暴缩，意动神动，似乎身躯在瞬间缩小了一倍。

一股可怕的掌风，在刹那间及体，似有一具力道万钧的锋利钢锥撞击他的背心。

方世杰距离他的身后本来有丈五六，滑进一步便拉近至八尺内，一掌拍出，行猝然致命一击。

他马步一虚，身形以惊人的奇速，向前飞撞而出，砰一声将书童撞得向侧后方跌出丈外，冲撞力十分猛烈，可知方世杰这一掌的劲道，委实骇人听闻。

他也冲出两丈外，向一家民宅的墙壁猛撞，砰然大震中，似乎屋动地摇。

他反弹出八尺，几乎撞翻在地，只感到气血一窒，眼前金星直冒，肌骨欲裂，双腿发虚。

"你这混蛋用九绝溶金掌偷袭，而且是从背后偷袭。"他吃力地转身，脸色泛青，身躯恢复原状，咬牙切齿大骂："身怀惊世奇学偷袭，你比男盗女娼的贱狗低滥十倍。"

方世杰一怔，显然对他能支撑不倒无法置信。

九绝溶金掌，击中了可将人的骨肉内部溶化成一团烂肉，范围足有掌心大小，但外表的皮肌是完整的。人体内有掌心大的一团烂肉，谁支持得了？一根针贯入肉中，也令人痛得叫苦连天呢！

"咦？你……你居然……"方世杰脸有惊容："居然还能站立……"

"你这狗王八好阴毒，你是故意的……"

桂星寒其实受了伤，护体神功仓促间发挥不了多少功能，感到手足发虚，哪能禁受得起方世杰再次攻击？

情势险恶，走为上策，向侧一窜，强忍痛楚拔腿飞奔。

"你走得了？"方世杰傲然大叫，折向飞掠而追。

街道上行人稀少，叫救命也没人会理会。

他眼冒金星，大街上怎么逃得掉？冲进一条巷口，正想钻入小巷找民宅藏匿，巷内人影一闪，有人冲出速度惊人，影一现人已近身。

他已经感到视线有点模糊，还来不及分辨人影是虚是实，噗一声响，右颈根已挨了一劈掌，来不及有何反应，已经被人从后面勒住了。

第六章　偶得天机

幽香扑鼻，是一个女人。

被女人挟勒住应该非常惬意，他却感到如被千斤巨钳所夹住，这女人的手一点也不温柔，他失去了挣扎的力道，任由对方摆布。

"人是我的！"冲近的方世杰沉喝。

是七仙女之一的天权仙女，弥勒教地位颇为重要的圣堂香主。

"唷！你这位公子爷真会说笑。"天权仙女媚笑如花，美丽的面庞绽出迷人的笑容："你的人？你的什么人呀？侍从？奴仆？朋友？我敢保证，你在追他，满脸杀气，决不可能是追朋友。"

"你……"方世杰目瞪口呆，脸上的杀气消失得好快，虎目中涌起了另一种热烈的神采。

天权仙女不但脸蛋美，声如银铃十分悦耳动听，说的话也俏皮又娇媚，流露出勾引良家子弟的艳冶风情，像在向情人撒娇。

方世杰眼都直了，脸上立即回复笑容。

"姑娘好厉害，瞒不了姑娘的慧眼。"

方世杰拦住了想冲上去抢桂星寒的书童，笑吟吟地向天权仙女走近："当然不是朋友，是仇人……"

"仇人？真巧呀！"天权仙女不介意对方接近，脸上的笑容可爱极了："这个人也是我的仇人，所以我要抓他，公子爷……"

"在下姓方，名世杰，草字天豪。"方世杰瞥了软绵绵要死不活的桂星寒一眼，眼睛又回到仙女美丽的面庞上："其实不算什么仇人，他欺负我的书童，以大欺小，所以我要他生死两难。请问姑娘贵姓芳名？与这人有何仇怨？"

"唷！方公子，你在盘我的履历吗？"

"在下怎敢？呵呵，姑娘与这人的仇怨，谅必比他欺负我的书童严重，姑娘既然要他，在下诚心奉送。"

"那就谢啦，我姓曾，小名梅英。"天权仙女的媚目中，也涌现另一种迷人神采。

方世杰不但生得年轻英俊，流露在外的英风豪气中，带有几分温文的气质，是那种让怀春少女与荡妇淫娃，一见便产生好感的倜傥俊逸佳子弟。

郎有情，妾有意，双方都被彼此的风华吸引住了。

弥勒教在天下各地发展香坛，暗明中网罗吸收各种可用人才。

因此，初次接触后不久，那位地位颇高的中年人，从黄泉二魔口中，知道桂星寒与侠义道英雄结怨，打了尚武山庄主人一剑横天尚人杰，便有意网罗桂星寒，所以要二魔先不要招惹他，找机会接近探他的口风。

可是，情势的演变失去了控制，最后双方的冲突日益严重，不得不走上全力以赴的不归路。

一旦将人擒住了，情势便可完全控制啦！

桂星寒对弥勒教所造成的伤害并不大，该教在用人之际，杀一个劲敌，不如用一个劲敌划算些，既然能将人活擒，还怕他不听任摆布？

天权仙女将人弄到手，高兴得上了天。

替她造成有利情势的方世杰，人才武功更令她芳心狂喜，即使方世杰不主动勾搭她，她也会设法引诱这位俏郎君臣伏的。

"曾姑娘，人是你的了。"方世杰大喜过望，把握住亲近的机会："只是……只是……"

"只是什么？方公子。"天权仙女捕捉对方眼神的变化，不会是对方送人的承诺变卦了？

"这家伙恐怕活不了多久。"

"咦？你是说……"

"我已经毁了他的内腑。"

"唔！气色是有点不妙！"

"无双的掌功，击中他的背心。"

"哎呀！有救吗？"天权仙女惊问。

不要说无双的掌功，普通的掌功击中背心，也可能震断心脉，背心禁受不起重物一击，即使内腑不毁，脊骨身柱也将受损，很可能成为残废。

桂星寒浑身软绵绵，气色灰败，可能脊骨已断，内腑已受损严重。

弄到一个废人，岂不是空欢喜一场？

"我有武当的至宝龙虎金丹，也许……"

"咦！你是武当弟子？"天权仙女心中一跳。

河南湖广分界点，也是少林与武当的势力范围分界线。

少林弟子容不下弥勒教，武当弟子也把弥勒教看成异端。少林与武当一僧一道，道不同但走得很近，同样获得官方的支持，是公认的正道门人子弟。三方面一碰头，少林与武当，将毫不迟疑地联手对付弥勒教的妖人。正邪不两立势同水火。

弥勒教需要各种的人才，包括愚夫愚妇，就是不要少林武当的弟子，视之为死仇大敌。

"是家父的朋友，从武当的老道身上弄来的，我不认识武当的人，也不屑认识。"方世杰的口气，显然对武当弟子颇有反感："他们的龙虎金丹，确是起死回生，对病与伤有神效的圣药。"

天权仙女心中一宽，她真不希望俏郎君是武当弟子。

"给我一颗，谢谢你啦！"天权仙女纤手一伸，美好诱人的晶莹玉掌，直伸至方世杰的胸口，似乎要毫无顾忌往怀里掏药啦。

"我只有三颗……"

"送我一颗，小气鬼。"天权仙女笑嗔，神情极为动人。

"这……还得花些时间，让我用神功相辅，不然……"

"那就一并劳驾啦，请移驾到我落脚的客店好不好？"

"不行，客店人多口杂。"

"那……"

"我借住在开元寺旁的一家民宅内，该宅主人只有一对老夫妇。走吧，就在左近不远。"

"可是……"天权仙女大感失望。她希望把俏郎君带到客店，万一情势有变，也有同伴相助。

"再拖下去，这家伙没救了！"

"好！到你的住处去。"天权仙女别无选择。

脸色灰白，气若游丝的桂星寒，被安置在床上，由方世杰替他脱掉老羊皮袄，卸除他的天斩邪刀搁在一旁，专心地检查他的伤势。

武林人对所练的绝技，通常不愿向外人透露。假使方世杰把九绝溶金掌告诉天权仙女，就用不着费心详加检查伤势了。

天权仙女心细精明，必定可以看出异处。

九绝溶金掌如果击实，脊骨决不可能仍是完整的。

内腑受到重创，内出血必定严重，还用得着检查？该做的事是赶快准备棺材善后。

至少，口鼻该有鲜血流出。

桂星寒不但口鼻没流鲜血，脊骨也没有碎烂。

方世杰十分慷慨大方，给他吞服了一颗龙虎金丹。当然这家伙不可能看到桂星寒心中的笑意。

如果他真的被九绝溶金掌击中，还能强提真力逃跑？早该当场喷出近斗鲜血，走不了两步，就呜呼哀哉找阎王爷攀亲去了。

"有救吗？"在一旁等候的天权仙女，不胜焦灼，忍不住催问。

"大概无妨。"方世杰语气不肯定："这家伙脊骨是完好的，只是……只是气血像是泄散了。应该不可能呀！金丹入腹即溶，气血应该立即加速流动，但……但这家伙气血运行反而更为微弱。"

"那怎么办？"

"且稍等片刻，也许金丹的药力还不能催动气血。气血不动，不能用内力驱使，那会冲坏已僵化的经脉，他仍是死人一个。"

"只能静观其变了？"

"也只有静观其变了。"方世杰阴笑。

"但愿他有救。"

"对你很重要吗？"

"他的生死，得由我的长上决定。他伤了我们五个人，误了我们的大事……"

"你的长上？"方世杰一怔。

"我们有好些人在新郑办事。"天权仙女含糊其辞，当然不便说出身份。

"到外面去等。"方世杰也不便追问："小虎，好好看住他，等他的呼吸转强，立即来告诉我。"

"公子爷请放心，小的会特别留心的。"书童小虎在旁应诺。

方世杰不着痕迹地一挽天权仙女的小蛮腰，亲密地出房而去。

书童小虎根本不去注意床上的桂星寒，在桌旁把玩那把怪异的天斩邪刀。

小家伙鬼精灵，知主莫若奴，主人的想法念头，瞒不了贴身伺候的奴仆。

有龙虎金丹救治，哪用得着用内功相辅治疗？

主人把一个美如天仙的大姑娘引回住处，用意小家伙一清二楚。

被主人的绝技击中的人，即使有仙丹妙药救治，也会成为半死人，哪用得着看守？

"这是刀呢，抑或是剑？"小虎把玩着刀自言自语："真邪门，这家伙用这种兵刃，定不是好路数。"

身旁来了一个人，一手按在他的顶门上。

"确是邪门，所以叫邪刀。"这人是桂星寒，伸另一只手将刀取过："对手如果大意，常会被这把刀，从决不可能的方向贴身，莫名其妙地被砍倒，因此称为天斩，合起来就叫天斩邪刀。"

小虎似乎脱胎换骨变了另一个人，顽劣桀骜的神情一扫而空，傻傻地瞪着大白眼，成了驯顺的呆鸟，毫无惊讶或惊慌的神色。

桂星寒的手，离开小虎的顶门，取过刀鞘将刀归鞘，在腰间佩妥，泰然自若，穿上老羊皮大袄。

他脸上的灰败气色已不存在了，精神抖擞，哪像一个受了致命创伤的人。

"你们来新郑有何图谋？"他向小虎问，嗓门低沉，怪怪的。

"我们是打前站的。"小虎呆呆回答，神色木然，眼神朦胧。

"打前站？什么意思？"

"侦察是否有不寻常的事故发生，留意可疑的不法之徒活动情形。"

桂星寒一怔，这小鬼的话不寻常。

这主仆二人的行为，比不法之徒更不法恶劣，凭什么留意不法之徒的活动情形？不法之徒指什么人？

"你家公子是干什么的？"他追问究底。

"公子爷的姨丈，在京都锦衣卫有一份差事，是世袭的锦衣卫百户长。这次他扈驾南幸承天，由于老太爷与公子爷，熟悉江湖情势，因此自告奋勇打前站，留意那些不法之徒蠢动，沿途真诛杀了不少可能惊扰圣驾的豪强。"

桂星寒大吃一惊，有毛骨悚然的感觉。

皇帝南幸承天，这还了得？难怪新郑要戒严，即将大捕蛇鼠。

承天，指湖广安陆府。当今皇帝在登极之前，是安陆的国主兴献王。安陆是他的根基，所以登极后改称承天。

皇帝南幸，这是说：当今皇上要回老家看看。

上一个皇帝正德，是当今皇帝的堂兄，借江西宁王造反的机会，下江南玩得不亦乐乎，沿途不知杀死了多少人，不知凌辱糟蹋了多少良家妇女，迄今犹令天下臣民谈之变色。

皇帝要经过这里前往安陆府，所经过的地方肯定会遭殃。

可能当地官府已得到密令，但恐怕不知道是皇帝驾临，反正一定是非常事故，难怪要准备戒严罢市。

如果小虎的口供是真的，那表示皇帝已经距此不远了。一旦戒严，他这个刀客可能死路一条。

"皇帝目下在何地？"他追问。

"不知道。可能已经到了河北岸了。"小虎当然不可能知道后面的事。打前站的秘密干员是早就派出的，负责某一地区的侦察布置，皇驾过后才能撤走。

在小虎的顶门轻拍了一掌，他立即开溜。

奔出小街，劈面碰上银扇勾魂客和被称为葛姑娘的女骑士。

"你果然在这一带找地方蛇鼠。"银扇勾魂客大喜过望："老弟，有事找你帮忙……"

"我说过了我不管闲事。"桂星寒盯着葛姑娘，有点恍然："赶快回店结账离城，要快。"

"老弟，怎么一回事？"银扇勾魂客发现他的神色不对，大感狐疑。

"祸事。"他举步急走："废话少说，必须赶快离城，迟恐不及，除非你想把老命丢在新郑。"

"这……你的话说得很严重……"

"不是严重，而是大祸临头。戒严令随时可能颁发，一旦封城，你这种游戏风尘，多管闲事以武犯禁的怪杰，只有一条死路可走。"

"老弟，到底……"

一队丁勇正从对面步伐整齐巡逻，双手持枪，钢刀在手随时可能出刀攻击，如临大敌，一个个眼观四面，耳听八方，威力巡逻的神情显而易见。

他领先往小巷一钻，觅路往城南急奔。

葛姑娘急步跟上，脸上有不以为然的表情。

"喂！桂兄。"葛姑娘已从老怪杰口中，知道他的底细，坦然地主动向他打招呼。

上次他把这位姑娘看成冒失鬼，但内心却对这位姑娘甚有好感，留有良好印象，但这时情势急迫，没有攀交情打招呼的必要。

葛姑娘曾在张家出入，老怪杰必定前往张家，与那些侠义道高手名宿打交道，带了这位姑娘来找他帮忙。

"你们在张家出入的人，最好也及早离城。"他头也不回，一面说脚下一面加快。

"你像一个胆小鬼。"葛姑娘女英雄的毛病又发作了："戒严是防盗贼，关你什么事？"

"我离开就不关我的事，你们……"

"我们是堂堂正正的武林人……"葛姑娘抢着说。

"是么？官府可没把你们看成堂堂正正的人，至少你们跨刀佩剑，就不是什么良民百姓。一有什么风吹草动，第一件事就是把你们这种人，先弄至监牢囚禁起来，以策安全。甚至先除掉免贻后患。我也许是胆小鬼，不希望遭了池鱼之灾。"

在官府的心目中，侠义英雄与歹徒恶棍，都是些目无王法的不法之徒，永远是必须监视列管的对象。

一些贪官污吏，更把这些人看成眼中钉，一旦抓住机会，就会扮演灭门令尹。

"你到底意何所指？"葛姑娘不放松了。

"你们如果不见机离城避祸，最好能与少林僧人套上交情。少林僧人接受官府调遣，你们很可能获得他们协助包庇，或者替他们捕捉不法之徒。不过，我怀疑。"

"你怀疑什么？"

"怀疑少林僧人有否胆量包庇你们。我敢打赌，他们甚至不信任俗家门人所带来的子弟。对他们的亲信，行事稍有瑕疵的人，决不敢带来冒险。我得赶快离城，不信邪的人要倒霉的。杨老哥，你最好不要忽视我的警告。"

"小子，你得到什么风声了？"后面的老怪杰问。

"我死过一次了，老哥。"

"你是说……"

"已经有人展开行动，对可疑的人立下杀手。"

"多透露一点好不好？"

"不好，说出内情，将有无数可怕的人物，将我剥皮抽筋。走也！"

他脚下一紧，开始飞奔。

他怎能将皇帝来到的消息透露，不引起全城大乱才怪！

背了行囊刚出了南关外，越过南关桥，身后已响起宣告重要大事的锣声，接着便关闭城门，开启便门让市民旅客出入。负责盘查的巡捕和丁勇，刀出鞘弓上弦，出入的人严加清查盘问，可疑的人立即逮捕。

跟在桂星寒后面的老怪杰，暗叫侥幸，大感不安。

"小子，你从何处得来的消息？"老怪杰赶两步并肩南行，对桂星寒所获的消息十分佩服。

一个老江湖的消息，反而没有初闯道的小辈灵通，他感到惭愧。

"从权威人士处所得到的消息。也可以说，是死过一次用性命换来的消息。"桂星寒苦笑。

"什么权威人士？"

"锦衣卫的秘探。"

"什么？开什么玩笑？"老怪杰嗤之以鼻："锦衣卫，锦衣卫会出现在这小地方？"

"你看我像开玩笑吗？"

"真的？"

"半点不假，老哥。"

"老天爷！这里出了什么大祸事？有人造反？弥勒教东山再起？"

"不是，恐怕与弥勒教无关，也许弥勒教是为了此事而来。"

"到底……"

"咱们不能再往南走了，我相信南面的长葛县也要实施戒严，沿途一路上将有官兵巡逻捉人，必须暂且远离官道，找地方躲一躲，在偏僻地方避风头，风声过后再动身，不将然有杀身之祸。"

"胡说八道，小子，到底发生了什么大事？"老怪杰仍然存疑。

"皇帝要经过此地，南下巡幸安陆府。"桂星寒露出玄机。

已经出了城，脱离了险境，而且只有老怪杰一个，消息不会传出惊动平民，不至于引起惊扰。

"皇帝巡幸？"老怪杰大吃一惊。

"我落在锦衣卫密探手中，一个叫方世杰的年轻人，带了一个书童叫小虎。老天爷，那家伙笑里藏刀，阴险毒辣，出手便要人命……"

他将打交道的经过一一说了，余悸犹在。

"如果我所料不差，弥勒教那个仙女，可能赔了身子也赔上性命。那家伙计算之精无与伦比。"他最后说："那个仙女的妖术，对付不了功臻化境的人。姓方的九绝溶金掌十分可怕，这表示小妖术决难撼动得了他。我想，弥勒教在城内的人，可能难逃大劫。"

"糟糕！伏魔剑客那些人也完了。小子，你为何不早说，他们如果遭了不幸，你该负责。"老怪杰叫起苦来，脸色大变。

"我能说？消息一传出全城骚动，官方必定严加追究，所有的人都向我问罪，官方不把我当作妖言惑众的逆犯才怪！"

他向路右的小径折入："向西走远些，找地方躲几天再说。"

"恐怕走不了，小子，后面有人跟踪。"老怪杰不胜焦灼："用轻功赶几步，也许可以摆脱他们。"

后面半里地，共有三个人跟来，全身裹在大袄内，头上风帽只露出双目，相距太远，不易看出异状，老怪杰却肯定是跟踪的人，大概是经验估料的。

"让他们跟吧，没什么好怕的。"他冷笑，虎目中冷电乍隐乍现："在城内不便，怕被闭上城门瓮中捉鳖。出了城，海阔容鱼跃，天高任鸟飞，谁怕谁呀？在这种地方，十万大军也奈何不了我，哼！"

他不但不赶快走，反而脚下一慢。

"但愿这家伙不是锦衣卫的高手。小子，我禁受不起九绝溶金掌一击。"老怪杰心中发虚。

"最好来的是姓方的混蛋，他欠我一条命的债。在城外宰他，我不会手软。"他冒火地说。

"他是皇家特务……"

"皇家特务又怎样？他能无缘无故，不问情由便下毒手杀人？我为何不能用同样手段回报？那是我的债务，不关你的事，你最好置身事外，袖手旁观。"

小径经过一座树林，便看不到跟踪的人了。

三个人一高两矮，高的人挟了个沉重蓝布卷，两位的剑藏在老羊皮大袄内，三人的打扮，皆神似一个本地平凡百姓，但露出的一双眼睛，明亮锐利，与众不同。

跟踪不可拉得太远，近了又怕被发觉，尤其是到了城外，大道与小径皆罕见有人行走，决难逃过被跟踪猎物的耳目。

他们并不怕被发觉，脚下渐快。

"后面有几个可疑的人跟来。"高身材的人走在最后，向走在中间的人示意。

"我早就发现了，在桥头我就发现他们躲在城门口鬼鬼祟祟。"中间的人说："如果我所料不差，他跟踪的是咱们的猎物。"

"也许是我们。"

"不可能，我们没有仇家。"

"弥勒教……"

"他们知道我们的身分，与我们没有利害冲突。"

"但愿如此，那些杂碎的妖术委实令人心寒。"

"白天我们不必心怯，心一虚那就完了。"

"已经知道应付的技巧，不会心虚的。"

"那就好，当然如非必要，我们不必和他们正面冲突。以往我是低估他们了，几乎栽在他们手中。"

故事重演，你追我赶。但这次，不再分别扮演蝉、螳螂、黄雀、猎人。因为都知道有人跟踪，在这种天候与地形中，想跟踪而不被发觉，几乎是不可能的事。

根本不知道目标要往何处走，怎能秘密跟踪？既不能事先安排人手，也不能事先在何处等候，除了跟上动手之外，别无良方。

三个人脚下一紧，要拉近距离了。

前面树林挡住了视线，三人心中一急不再顾忌，飞步向前赶。

后面零零星星走动的几个人，也不约而同脚下加快。

到了前面树林边缘，三个人愣住了。

小径向西延伸，平野一望无涯，小径十里内不见人影，这表示要跟踪的人不见了，不可能一口气远出十余里外，人毕竟不可能胁生双翅飞走了。

"人一定躲在树林里。"

身材高壮的人扭头注视，用目光搜索光秃秃的树林。这种榆树林冬天叶子落尽，视界可入林一两里，林中如果有人躲藏，除非隐身树后，或者蛰伏在树根旁，不然难逃眼下。

头上枝丫摇摇，人影飘降。

"没有躲的必要。"人现声到，飘落处，距身材高壮的人不足一丈。

身材高壮的人反应超人，大喝一声，还没看清人影，双手抢起三尺长的布囊，抢进两步拦腰便扫，布囊相当沉重，双手抢动虎虎生威。

"住手！"矮身材的人急叫，女性特有的嗓音，十分悦耳。

来不及了，双方接触快逾电光石火。

飘落的人向下一挫，猛地前扑从布囊下切入，一手勾住身材高壮的人的右小腿，肩撞中膝盖。

"哎……"身材高壮的人惊叫，仰面便倒。

飘落的人听清了叫声，不再攻击倒下的人，手一沾地飞跃而起，轻灵矫捷进退自如。

"怎么是你们？"飘落的人是桂星寒，虎目中有怒意："你这女夜叉真要恩将仇报吗？我不追究你陷害我的罪行，反而救了你，而你……"

矮身材的人是飞天夜叉，在江湖成名没几天的女飞贼，一个想出人头地的女强人。

"我不是来找你拼斗的。"飞天夜叉掀起风帽掩耳，露出美丽的面庞："我一定要和你谈谈。"

"你要谈什么？"不远处的树后，踱出老怪杰银扇勾魂客，双手提了包裹和桂星寒的背篓："小女贼，是不是黄鼠狼给鸡拜年？"

"姑娘，不要在我们身上打主意。"桂星寒气消了，语气仍有不满："一旦敌我已明，你再也没有暗算我的机会了。"

"我要和你谈谈。"飞天夜叉的语气坚决，一指老怪杰："杨前辈，没你的事，请你暂时回避。"

"我有回避的必要吗？"

"你是前辈，而且你是声誉甚佳的怪杰，没有人能迫使你放弃既有的声望，所以你最好回避。"

"该死的，你就能迫我就范？"桂星寒又冒火了。

"我请你，我不配迫你，虽然我有意斗一斗你的天斩邪刀，但没有多少胜算，不想斗了。"

"女飞贼用请，一定令人害怕，哼！"

"请你相助，你害怕吗？"

"我出外游荡，经常碰上意外，胆子越来越小，害怕是正常的反应。这两天中我接二连三遇险，九死一生，似乎遇险与武功高明无关，都栽在武功比我差劲的人手中，所以胆子越来越小。也许，我不配做一个志比天高，天不怕地不怕的英雄豪杰，因此毫不介意你的冷嘲热讽，你的激将法对我无效。"

"我请你相助……"

"我不会助一个女飞贼，天斩邪刀不是英豪，但也不会自甘堕落，你快死了这条心。"

飞天夜叉又默然，凤目中神情百变。

"你是什么狗屁英雄豪杰？"高大身材的人，是飞天夜叉的男随从，不服气地怪叫："交手用这种怪招，像个泼野的村夫。来来来，大爷和你见个真章。"

手勾脚肩顶膝，贴地攻击的确是泼野的怪招，不是正道，难怪男随从不服气。

"算了，你本来就不是他的敌手。"飞天夜叉冷冷地说，举手一挥，掉头便走："我们走！"

"不要回城。"桂星寒说。

"不要你管。"

"已经开始戒严。"

"我知道。"飞天夜叉背向着他："我们在城门口便看到了。"

"赶快远离城厢，这条南下大官道，必定官兵丁勇络绎不绝于途，十分危险。"

"那是一定的。"

"知道为什么吗？"

"京都紫禁城那位皇帝，一定已经渡过大河了，可能已经到了郑州。"

桂星寒与老怪杰吃了一惊，这女飞贼怎么可能知道这一件事？

"咦？你怎么可能知道这件事？"桂星寒吃惊地问。

"我在磁州便知道皇帝出京南幸承天了，走在他的前面等候机会。"

"等候机会？"

"这个皇帝特别喜欢珍宝，喜欢神仙，喜欢用奇珍异宝祭祀神仙菩萨。他不像一般皇帝一样乘船南下，用意是沿途祭祀神佛。随行的神霄保国宣教高士妖道陶仲文带了两队专使，一队要到中岳祭岳，一队到武当山。少林子弟在这里出现，目的就是迎接专使至嵩山。再往南，武当弟子可能已经在南阳恭候专使了。"

"老天爷！"老怪杰大惊失色。

"皇帝带了无数珍奇异宝，那些是民脂民膏。我要盗取一些珍宝，所以找你帮忙。"飞天夜叉继续说。

"什么？你疯啦？"

桂星寒倒抽了一口凉气："至少也快疯了。老天，你知道锦衣卫中的侍卫高手，来了多少？那一个外围帮闲的秘探方世杰，已经是武功惊世的超等高手了。"

"我的人手不足，所以我学习使用迷香。凭迷香还不足以成事，必须有超绝的高手，以实力做后盾，所以我需要大量人手，需要你……"

"大量人手就可以造反，弥勒教可以助你成事。"桂星寒嘲弄地说："你找错了，姑娘。你不需要我，我不会愚蠢得打皇帝的奇珍异宝主意。我不想成为叛逆，让全天下的人向我喊打喊杀。"

"那才会真正名震天下呀！小子！"老怪杰讽刺的口吻明显。

"我是找错人了，你成不了大事。一个没有雄心壮志的人，万事无成，你就是这种人。"飞天夜叉说完，大踏步昂然带了男女侍从走了。

"到处招揽人手，她会闯出滔天大祸来。"老怪杰摇头苦笑。

"问题不在祸闯得是否大，老哥。"桂星寒盯着飞天夜叉远去的背影感慨地说："而在于是否自不量力。一个盗贼，打一家大户的主意，事先的侦察踩盘子，布线安桩，进去摸底，哪一样不需周详准备？这个女飞贼临时起意，仓促之间用胁迫手段网罗人手，毫无计划，面对无数高手侍卫与大队御林军，她毫无机会，这种必败的蠢事哪能做？雄心大志与妄想是一体两面，搞错了一面结果完全不同。"

"她还说为了人手不足，学习使用迷香呢！"老怪杰大摇其头："现学现卖，管用吗？"

"呵呵！至少她曾经把你我二人弄到手了。"桂星寒提起自己的背笠："她一定以为皇帝歇宿时，也进酒坊宿旅店呢！异想天开，闭门造车，她把所有的错误都犯了，如能成功，该说是天意吧！走也。"

"如果这女飞贼所料不差，南面一定挤满了武当弟子，你与锦衣卫的密探打过交道，讯息肯定会加快传出。小子，你的处境很不妙！"

"也许吧。"桂星寒不介意地说。

"所以你最好不要往南走。"

老怪杰将包裹挂上了肩："假使少林武当的弟子，奉命联手对付你，小子，今后江湖上你将寸步难行。"

"咱们走着瞧。"桂星寒冷冷一笑："真要不讲理，我的刀是很利的。他娘的！杀一个人没有人害怕，杀十个百个也唬不了人，但一杀就上百上千，敢有勇气面对我的刀的人，恐怕就没有几个了。"

"喝！你这小子内心还真狂野呢！你砍了弥勒教那六个杂碎，我还以为你心不狠手还不够辣，看来，我是料错你了，你其实……"

"你以为我天斩邪刀的绰号是白叫的？你明白天斩两字的含

义吗？该死的，恐怕得用刀了！"

将背箩往树下一丢，他到了路中，一掀大袄，露出刀柄随时准备用刀。

老怪杰脸色一变，急急放下包裹，也将扇袋挪至趁手处，山藤杖也蓄势待发。

"你先袖手旁观，老哥。"桂星寒低叫："人很多，你得小心自求多福。"

"我会打滥仗，看你的了。"老怪杰镇定地说："可能是弥勒教的杂碎，我对妖术实在有点心中害怕。"

最先出现的三个人，堵住了小径。

右方树后又出来了两个，左方也有人现身，都远在百步外，一步步向他们接近，神色阴森冷漠，仅露出双目，每一双都冷电湛湛。

可看到的共有九个人，有两个身材稍矮，是女的，虽然穿的是男人的老羊皮大袄。

都扮成普通的村民，但都露出刀剑。如果把刀剑藏在大袄之内，谁也看不出他们的底细。

倒不是他们的化装易容术高明，而是天寒地冻，只能从衣着上下工夫，谁也难以看到他们的真面目。

九个人成半弧形面对桂星寒，似乎并不介意远在三四丈外，站在一株大树下的银扇勾魂客，也许认为这位老怪杰不足为害。

"你就是天斩邪刀桂星寒？"为首的人声如洪钟，年纪似乎不小了。

"认识在下的人，在新郑似乎只有弥勒教的人，但你们的气势，似乎不是弥勒教的妖孽。"桂星寒颇感意外，不住打量对方九个人，捕捉对方的眼神。

如果是弥勒教的人，还用得着盘问他？恐怕早就叫吼着一拥而上了，双方已经是死仇大敌。

"我只问你是不是妄称天斩邪刀的人。"那人提高一倍嗓音厉声问。

"你们跟来干什么?"他反问。

"捉你。"

"捉我?你知道我是谁?为何捉我?"

"消息传来,指出有你这么一个可疑的人。这人就是你,所以跟来捉你,你愿意放下刀,跟咱们回城吗?"

"你们又是些什么人?"

"回城你就知道了。"

回城,表示这些人有自由出入戒严区的权势。

他有点恍然,方世杰传出他逃走的消息了。

一个已经半死,而且已经在有效控制下的人逃掉了,就凭这一点理由,方世杰也不会放过他,何况牵涉到面子问题,以及安全的理由。

毫无疑问,这些人是方世杰的同伴,锦衣卫派遣在前面打前站的密探,掌生杀大权的官方人士。

如果押回县城,他死定了。

一股怨气与反感涌上心头,无名孽火开始从心底升起火苗。

他有点后悔,不该轻易放过方世杰。

"我不会跟你们回城。"他冷冷一笑:"何不叫那个什么方世杰的人,和我面对面打交道?"

"他在城内搜捕你,没想到你机警,在戒严之前偷出城关了。"

果然被他料中了,真是方世杰在搞鬼。

"他凭什么搜捕我?"他沉着地问。

"他指证你是不法之徒。"

"我……"

"有什么理由,回城再说,咱们会给你辩白的机会。不可自误。”

“你们这些人，不会给冒犯你们的人，任何活命的机会。姓方的混蛋阴狠残忍，无缘无故要置我于死地，出手歹毒，似乎以为他是主宰人间生死的恶魔。”他无限感慨地说，义愤填膺。

一个握有生死大权的人，怎可毫无理性地下毒手置人于死？那一记乘虚从背后打他的九绝溶金掌，以他这种修为已臻化境的高手来说，反应稍慢一刹那，肯定会老命难保，方世杰的确像无缘无故要置他于死地。

真落在方世杰手中，他不必想也知道结果。

难怪方世杰有武当至宝龙虎金丹，武当弟子怎敢不买锦衣卫的账？

那颗龙虎金丹是冲着那位仙女而给他吞服的。也可能方世杰并不知道龙虎金丹的真正功效。

如果他真被九绝溶金掌击中，龙虎金丹也救不了内腑已溶的人，那混蛋只能用他的尸体，来讨好那个妖女。

他突然想起：那混蛋用得着用宝贵的金丹，来讨好一个可疑的女人？妖女所表现的行动态度，才是真正影响治安的不法之徒。

少林弟子已经知道弥勒教的人，在城内城外兴风作浪。方世杰是密探，难道不知道有关弥勒教妖人的消息？此中疑云重重。

那人已不容他多想，冷然逼近两步。

“有什么理由，你可以向他申诉。”那人语气转变为凶狠，双手跃然欲动：“在下奉到的讯息，是将你逮捕审问。”

“你是捕快？”他冷笑。

“不要问在下的身份，反正在下有权逮捕你。”

“去你娘的！”他的怒火终于爆发了。

“狗东西！你好大的狗胆……”

叫骂声中，踏进一步，右手疾挥，食中二指像铁枪，急点他的胸口七坎大穴，先下手为强。

指尖所发能伤人于体外的罡风劲道，真有贯壁穿墙的威力，必可伤人于丈外，是一种惊人的可怕指功，指一伸潜劲即先发，十分霸道。

这不是点穴术，点穴只是幌子。

又是一个猝然下毒手的人，这一指并非志在制穴擒人，而是指一出便追魂夺命，必定像钢枪一样，将人体贯穿一个两指大的血洞。

桂星寒不会再上当，对这些动辄杀人的特殊人物，怀有高度的戒心，更早一步从对方的眼神中，看出令人悚然的浓浓杀机。

第七章　狂野追杀

他也动了杀机，身形在指劲倏发时，斜拉马步身形半扭转，指劲掠胸而过，余劲让皮袄传出摩擦的怪声，压力依然及体相当猛烈。

冷哼了一声，他反掌拂出，以牙还牙，他用上了雷霆万钧的内劲绝学，一掌还一指两不相亏。

那人没料到他能在仓促之间行功反击，也认为一指急袭必可一击致命，伸出的指还来不及收回，反击已经浪涛般及体。

一声狂叫，这人飞震出丈外，半途喷出一口鲜血，仰面便倒。

"毙了他!"有人厉叫，剑出鞘龙吟震耳。

八个人几乎同时撤兵刃，同时发难。

这些皇家密探，是没有什么武林规矩好讲的，职责所在，完成任务第一，动手时一拥而上，是理所当然必须使用的手段，与个人的行为无关。

除了几个英雄观念特别强烈的人以外，几乎没有人重视单打独斗，通常是个个争功，一拥而上，谁先把目标弄到手，谁就是首功。

桂星寒知道这些人十分了得，不想逞英雄以一敌八，一声冷笑，人影一晃便从刀剑交加中逸出，先脱出兵刃汇聚危险中心。

闪动中，天斩邪刀出鞘，幻化为一道淡虹，从人丛的右方破空闪耀。

"呃……"最右外侧的一个使剑人，刹不住脚步收不回剑，直冲出丈外，脚下大乱，上身一挺，再叫了一声，向前一栽。

右背肋一片猩红，老羊皮大袄裂了一条长大缝，鲜血泉涌，似乎有内脏从裂缝内向外挤。

面对面双方同时出手攻击，右背肋不可能挨刀，刀从何处来的？

这人不但右背肋挨刀，而且一刀致命。

邪刀，名不虚传。

主动攻击，永远是制胜的不二法门，在原地比划老半天，虚张声势，绝对解决不了问题的。

这瞬间，刀光大回旋，反附在众人背后如影随形，洒出满天雷电，无情地切割人体，每一刀皆刀头饮血，成了血肉屠场。

一旦在生死关头刀出剑发，便会失去理性，目标只有一个：杀死对方。

不是你死，就是我去见阎王，够简单吧？

人群倏散，第一次生死接触中止。

摆平了两男一女，刹那间的接触收了三条人命。

为首的一个挨刀的人，已经停止挣扎。

第一次血腥接触，对方几乎损失一半人。

桂星寒并没有乘胜追击，横刀屹立威猛如天神。

五男女快速地聚在一起，惊骇欲绝。

旁观的银扇勾魂客，也感到浑身毛发森立。旁观者清，事实上老怪杰并没有看清变化，甚至不明白刀是如何切割人体的，仅看到模糊的刀光闪烁，光到人倒，瞬间即流逝，重新在另一具躯体闪烁，如此而已。

"这小子的刀法好邪门！"老怪杰悚然地说："挨刀的人，根本不知道刀自何来。"

速度达到某种极限，怎能发觉刀自何来？

"你……你这厮罪该万……死……"一个持剑的手抖动得厉害的人厉叫："我要抄……抄你的家，灭……灭你的门……"

抄家灭门，在这些皇家密探来说，稀松平常有如家常便饭，决非恫吓。

桂星寒开始逼近，刀发出隐隐龙吟，放射出炫目的光华，虎目中冷电四射。

"我的要求很简单，杀死你。"他一字一吐，杀气腾腾："你们这些杂种，比毒蛇猛兽更歹毒。我只有一条命，决不容许你们再任意残害我。"

"你……"

"我既没有招惹你们，受你们无端残害也不计较，远走高飞逃避你们，你们仍然不放过我。"他咬牙切齿，气涌如山："你们迫我挥刀，目的达到了！"

"在下奉命行事，有何理由，必须向咱们的主事人申诉，不该妄图反抗……"

一声怒啸，他挥刀直上。

"纳命！"那人怒吼，左手猛挥。

五男女的左手，几乎在同一瞬间挥出。

暗器漫天飞舞，利器破风的厉啸入耳惊心。

人与刀幻化为流光，一闪即没。所有的暗器，皆飞出四五丈外飞坠在林中。

流光出现在侧方，一掠即逝。

"哎……"侧方的两个女人，握刀剑的手突然齐肘而折，扭头狂奔逃命。

"不能留活口，后患无穷。"银扇勾魂客大叫："慈悲不得。"

老怪杰不是慈悲的人，对方已撂下狠话要抄家灭门，惟一的自救之道是灭口，以免后患无穷。

桂星寒毁了弥勒教六个人的手脚，结果后患无穷。

身侧多了一个人，飞天夜叉。

"打蛇不死，报怨三生。"飞天夜叉冷冷地说："前辈，我们帮他善后。"

"逃走了两个受伤的。"

"他们逃不了，我的人堵在外面。"

"这小子心不够狠，日后会吃大亏。"

"也许他无家可供人抄，无门让人灭，所以不在乎抄家灭门的威胁。"

"有人要逃，动手吧！夜叉。"老怪杰取出大银扇："小心他们的霸道暗器！"

"雕虫小技，何足道哉？那女的交给我，她的轻功你拦不住她。"

声落，飞天夜叉已远出五丈外去了。

那女人的逃走轻功，的确令人惊骇，去势如电射星飞，向树林方向远飚。

飞天夜叉更高明，飞天的绰号不是白叫的，三五起落便追在对方身后了，几乎难以看清形影，穿枝越树身形十分美妙灵活。

老怪杰追另一个人，在百步外赶上了。

桂星寒缠住了先前打交道的人，似乎没有出刀的机会。这人十分机警，利用树干闪躲，八方游走逐渐离开斗场，不时用暗器掩护。

再深奥的刀法，也奈何不了不接招的人。

每一株树干皆粗有合抱，利用树干闪躲，对方的武功即使高明一倍，也不易获得近身的机会。再用暗器阻敌，很可能把高明的对手送下地狱，所以说追人遇林莫入。

这位密探就采用这种手段，逐渐撤离现场，所使用的暗器叫做透骨针，属于尖利而分量相当重的中型暗器，击中人体劲可透骨，极为霸道。

这种针型暗器打造容易，而且可以大量携带，一袋针数量不下三十枚，臂套上也可以加八枚针插夹囊，高手名家足以对付三二十个对头。

桂星寒追逐的身法，足比对方快两倍，但对方不接招，八方窜闪，在树林中速度快，并不能获得近身的机会，反而再三追错方向，浪费精力。

"你这混蛋刀法神乎其神，在下居然没听说过你这号人物。"这人一面窜逃，左闪右避，一面咒骂："我会查出你的底细，掘掉你的根苗，你等着好了。"

"你凭什么？"桂星寒速度放慢，不再急于追逐，要有计划地将对方向林外逼："凭你这高明不了多少的剑术，和女人用来补衣服的透骨针？"

"你知道在下是何种身份？在下就有掘根基拔苗的权力。"

"你又是哪座庙的大神佛？"桂星寒不予点破，让对方暴露身份。

"在下是……足以让你灭门破家。"这人相当机警，当然不敢暴露身份。

"在下知道方世杰那狗东西的身份。"

"少做梦，那是不可能的。"

"他招了供。"

"胡说八道。"这人嗤之以鼻："咱们这些人，时机届临才露身份。时机没到，宁可粉身碎骨，也不会供出真正身份，你在异想天开。"

双方身形一慢，各自暗中调息行功，以恢复耗损的体力，距离无形中拉近。

"你不相信他招了供？"

"当然不信。"

"少夸海口了，阁下。等皇帝的龙驾到达了新郑，你们才敢亮身份，没错吧？这一两天之内，紫禁城那位天子就可以光临了，是吗？"桂星寒不再有所顾忌。

这人的鹰目中，出现惊恐的表情。

"该死的东西，你竟然真的知道犯天条的消息，罪该万死……"

惊怒交加中，从树后闪出双手齐扬，六枚透骨针像暴雨，猛然向桂星寒集中攒射。

刀光比先前更快一倍的速度，从树的另一面绕过。针的速度惊人，但还没到达桂星寒先前所立之处，刀光已绕树电掠而至。

发觉针出手，人影已杳，已来不及有所反应了，身形刚想闪回原来藏身的树后，树后刀光已现。

一声轻响，这人的右大腿齐膝而折！

刀光远出丈外，传出收刀入鞘声。

"补我一……刀……"这人跌倒在地狂叫。

"你双手仍有劲道，用你的剑自杀该无困难。"桂星寒断然拒绝，转身大踏步往回路走。行囊不能丢，他要转回去取背篓。

发出一声低啸，知会可能走散了的老怪杰。

"我决不自杀。"那人冲他远去的背影厉叫："我要请求指挥大人，行文天下掘你的根苗，天下虽大，谅你也无处可逃……"

身侧出现一个人，迎风吹送来淡淡的女性幽香。

这人正在撕衣作伤巾，上药裹伤强忍痛楚，发现身旁来了人，厉叫声倏然中止。

女人仅露出一双眼睛，穿的是皮风帽老羊皮大袄，神似土著村民，却露出佩剑。

先前飞天夜叉现身，怂恿银扇勾魂客动手灭口，追逐逃走的女人，这位仁兄被桂星寒追得生死须臾，并未留意飞天夜叉现身。

飞天夜叉现在出现在一旁，这人当然不认识。

"你这种人断了一条腿死不了的。"飞天夜叉冷冷地说，女性的嗓音明白表示是女人。

"不错，两条腿断了，在下也死不了。"这人咬牙切齿重新裹伤。

"好人不长寿，祸害留千年。"

"你说什么？胡说八道！你佩了剑。"

"对，杀人的剑。"飞天夜叉拍拍佩剑："锋利得很。"

"你是谁？"

"我是我！"

"名号！"这人的脾气相当暴躁。

"我不想招惹你这种人。"

"你如果不是少林弟子，便是武当门人。"

"你这种想当然的想法很可笑。"

"我要知道你是谁。"

"免了。"

"你……"这人要冒火了。

"你一定是西山三霸天之一。"

"咦？你知道我？"

"京都西山三霸天，两男一女。西山设有锦衣卫特设的武学舍，聘请许多高手名宿任教头，各种人才都有，包括凶名昭著的宇内凶魔。你们西山三霸天，也是武学教头中的三个。"

"咦？你怎么可能知道？"这人大吃一惊。

"第三霸天女霸红燕子，刚才招了供。"

"你……"

"我宰了她。你们，再也没有机会抄别人的家，灭别人的门了。"

一声厉叫，这位霸天看出危机，强忍痛楚打出一枚透骨针，再抓起身侧的长剑，想单足跳起来，拼一口元气作破釜沉舟一击。

可是，跳不起来。

飞天夜叉纤手一抄，没收了力道不怎么猛烈的透骨针。

"你们不是锦衣卫的官兵侍卫，只是一些替他们卖命的残毒虎狼。天斩邪刀原谅你们对他的迫害，但你们不会就此放过他，所以……"

"你……你是谁？"这位霸天以臀着地，惊恐地向后挪动：

"我……我不再和……和他计较……"

"你不会，你一定会挑唆锦衣卫的人，行文天下捕杀他，穷索天下抄他的家灭他的门。惟一可以阻止你的良方，就是宰了你。"

"你……"

"我，心狠手辣的飞天夜叉。我姓林，林月冷。阁下，你可以在阎王爷面前告我一状……"

"不要……"

没收的透骨针，奇准地贯入这位霸天的大嘴，剑吟声在耳，锋尖已贯心而入。

"你的人全死光了，我不信死人会说话，会说出你们是怎样死的。你不死大乱不止。"飞天夜叉抽剑转身，冷笑着走了。

"你这种人嘴上无毛，做事不牢，不知厉害，妇人之仁。"银扇勾魂客跳脚大叫："你只要放走一个人，今后你将成为天下人追杀的落水狗。上次你废了弥勒教六个鼠辈，结果成为弥勒教穷追猛杀的目标。天老爷！你到底想扮哪一种亡命英雄？"

桂星寒坐在大树下，一脸尴尬。

飞天夜叉与男女两随从，在一旁窃笑。

"我……我总觉得，他……他们只是奉命行事。"桂星寒为自己的行为辩护："杀多了，有伤天和……"

"狗屁！那你为何取绰号为天斩？"老怪杰不放过他："天杀不如我杀，杀这些残民豺狼你竟然手软。你又不是佛门弟子，妄论有伤什么天和？他娘的！他们宰你却不管什么有伤天和。"

"老哥……"

"难怪你一听风声不对，就找地方躲。我不跟你走了，你这种面恶心善的人，在江湖闯危险得很，跟着你走一定死无葬身之地。小子，听得进逆耳忠言吗？"

"你有屁就放好了。"桂星寒也恼火了。

"赶快埋掉你的天斩邪刀，溜回家扛锄头种庄稼，或者做小本生意，安安分分做良民，娶一个粗俗的老婆，养一群没出息的儿女。小子，这就是你应该走的路，赶快拿定主意回家吧，以免枉送性命。"

"他娘的，你别把我看得那么没出息。"桂星寒愤然跳起来，提起背篓："一定是方世杰那混蛋下的令，我今晚就进城去找他了断，杀他娘的落花流水，看他能出动多少人送死！"

"桂兄，你如果进城一闹，我盗取皇帝珍宝的大计落了空啦！"飞天夜叉失望地说："一有警兆，防卫必将加强十倍，侍卫如云戒备森严，我哪有成功的机会？再等两天好不好？皇帝来了再和他算账。"

"你说的是外行话。"老怪杰说："这里死了九个人，那些打前站的人必定紧张得鸡飞狗跳，戒备也将加强十倍，你同样没有机会。"

"那……我赶到郑州去下手。"飞天夜叉改变计划："少林的大批门人在这里戒备，再加上弥勒教大批妖人助威，我成功的机会不到一成。桂兄，即使你愿意帮助我，胜算也增加不了多少。情势失去控制，我必须改变计划才有希望。"

举手一挥，她带了随从离去。

"也许我该助她一臂之力。"桂星寒喃喃自语。

"小子，你说什么？"老怪杰没听清他的话。

"没什么。"他含糊其辞，提起背篓："咱们先找地方安顿，再作打算。"

"真打算进城大闹？"

"有何不可？"

"勇气可嘉，可惜是匹夫之勇。小子，你知道将要面对多少超绝的顶尖高手吗？"

"我不会逞匹夫之勇，不会像傻瓜英雄，堂而皇之向那姓方的混蛋叫阵。他会玩阴的，我也会玩，哼！"桂星寒凶狠地说。

"玩阴的，我奉陪。"老怪杰眉飞色舞："我是打烂仗耍诡计的专家，咱们把新郑城闹个天翻地覆。我要捡一把剑使用，不能用活招牌银扇招摇，日后我还得在江湖鬼混呢！成为天下共捉的逆犯，在江湖将寸步难行，不是什么愉快的事。小子，你最好也不要用天斩邪刀。"

"该用刀的时候，我会用刀，哼！其实任何物品到了我手中，都可以成为利落的杀人利器。"

一个年轻气盛，胆大无畏；一个性情反常，绰号称怪的老江湖。两人联手走在一起，肯定会掀起狂风巨浪，野性一发，便难以收拾。

城厢戒严，并非真的封城。

皇帝的圣驾还远在大河附近，远在新郑的县城，怎能断绝交通？新郑本来就是南北大官道的交通要冲。

所谓戒严只是城门半闭，加紧盘查进出的市民和旅客，可疑的人立加扣押而已。

最重要的一件事，就是将可能影响治安的蛇鼠，暂时捕送囚房看管，以防万一。

连那些有身份有地位，却有不安分记录的豪霸，也一并送入牢房押管，防微杜渐，免生事端。

飞天夜叉有先见之明，她的人已经在昨晚撤离，潜伏在西郊十里左右的小村中，化装易容在城外各处活动，颇为积极。

她带了男女侍从，赶回落脚的小村，立即整理行装，准备动身北上。

少林门人在这里，接受密探的驱策，一面等候迎接祭岳的专使，一面协助官府维持治安。要接近皇帝的宿处盗取珍宝，很难通得过把守外围少林弟子的这一关。

再往南走，武当门人也将前来迎接专使。

武当的俗家门人众多，在江湖道上实力雄厚，绝大多数是白道与侠义道的英雄好汉，事实上比少林弟子更富号召力，人才也多上几倍，这一关更难通过。

因此，她必须改变计划，赶往郑州附近再下手，避免与少林武当的门人子弟冲突。

北上郑州不足百里，沿途必定遇上许多巡逻的官兵丁勇，受到严格的盘查，很可能大队的御林军骑兵已在途中戒备。

她们的身份，必须让官兵不至生疑而留难。

她恢复大户人家，雍容华贵大闺女的装束。

据说夜叉会千变万化，她就是会变化的女夜叉，扮村姑适合身份，扮贵妇淑女亦无懈可击。

还在整装待发，所有的人全在忙碌。

她共有十五个人，十一男四女。所有的人借住在相邻的三家农宅内。每座农宅相距皆在二十步左右，由于忙着整理行装准备动身，并未派出警戒。

她的侍女在外面的堂屋里，交待另一名侍女将马包携出，以便安置在坐骑上，坐骑已拴在前面晒麦场的老槐树下。

门外突然传出一声轻咳，小院子里竟然出现了三个人。

两侍女吃了一惊，脸色一变。

"要走了吗？"领先踏入厅门的中年人笑容可掬，神情似乎颇为友善。

中年人鹰目炯炯，相貌堂堂，留了大八字胡，佩了一把古色斑斓的长剑。

接着入厅的，是一个留了花白山羊胡，脸色姜黄有病容，神情要死不活，腰间有判官笔袋的花甲老人，老眼昏花，无精打采，真像一个入土大半的老病鬼，但判官笔袋相当沉重，可知袋中的判官笔分量一定不轻。

最后跟入的年轻人，英俊修伟气概不凡，笑容足以让少女们沉醉，潇洒英伟的气概，更具有吸引异性注目的魔力，人如临风玉树，极为出色。

"咦！你们是……"侍女有点不知所措。

"在下姓项，项英。"中年人大马金刀地落座，笑容依然友好，"江湖朋友抬爱，称在下的绰号冷剑天曹。这位姑娘打扮像侍女，内功拳剑恐怕足以名列一流高手而无愧色。劳驾，请贵长上飞天夜叉林姑娘出来谈谈好不好？"

"项爷……"

"请！"冷剑天曹含笑伸手促驾。

内堂踱出风华绝代的飞天夜叉，真有十分名门淑女的雍容华贵风华，冲这三位不速之客嫣然一笑，矜持地颔首为礼，落落大方。

"原来是邯郸三剑客的项大爷侠驾光临，久仰大名，可惜无缘识荆，今日幸会。"飞天夜叉说的话，可就缺乏淑女味了："在新郑，知道我飞天夜叉的人，似乎只有弥勒教的妖匪。项大爷能正确无误找来，想必诸位该已协助官府，将弥勒教妖孽绳之以法了，所以能循线找到此地来啦！"

"林姑娘，咱们不管弥勒教妖人的事。"冷剑天曹明白表示拒绝回答问题："在下替姑娘引见敝同伴……"

留了花白山羊胡的老人，是大名鼎鼎的江湖七大怪人之一，病阴判樊不平。一个亦正亦邪，非正非邪，性情阴狠难测的怪人，江湖朋友畏如蛇蝎的高手名宿，与疯子哥荣合称七怪人中，最令人头疼的一双恶魔。

年轻英俊的人，正是笑里藏刀的方世杰。

方世杰在三人之中的地位最低，轮不到他说话打交道。老实说，他也无心打交道，自飞天夜叉出堂的那一刹那，他那双大眼睛就一直没有离开过飞天夜叉那可爱的面庞，直了眼，哪有余暇说话？

那次与弥勒教的天权仙女见面，他就是这副德行。这次见了飞天夜叉的表情更糟，似乎灵魂已经不在躯体了，已经附在飞天夜叉身上了。

当然，盛装的飞天夜叉，比那位又妖又媚的仙女，气质上就高了好几品。论美貌，仙女也差了一级。

飞天夜叉心中一动，难免留意地多看了方世杰一眼。

美目盼兮！方世杰快要喜极欲狂啦！

年轻、英俊、多金、有权势，会讨好女人。方世杰全具有这些让女人动情的条件。一个美男子该有的条件他都具备有了，所以在江湖上行走，众所周知他极有女人缘，他也自命风流，喜欢女人。

飞天夜叉多看了他一眼，这表示对他已另眼相看了，用不着多费心机勾引，认定飞天夜叉对他有意了。

那位仙女也是对他一见钟情的。

飞天夜叉心中有数，涌起强烈的戒心。

同时对病阴判更怀有莫名的恐惧，这个江湖七怪人之一的老人精。大多数江湖成名人物，把这老怪看成毒蛇毒兽，闻名掩耳而走。

她发觉邻舍的同伴，没有一个前来探视。

心中大感恐慌，情势显然恶劣，对方不知到底来了多少人，邻舍的十二个同伴可能凶多吉少。

客套一番，似乎对方的态度并无恶意，她强抑心中的恐惧，小心翼翼周旋。

"姑娘的口碑不佳，离开是明智之举。"冷剑天曹并没表示身份，说的话开始有强烈的威胁："县城戒严，姑娘可知道是何缘故？"

"不知道，我昨天才听到一些风声。"她怎敢透露内情？说起话来不露痕迹："我这种人，一有警兆就远走高飞，不需要知道缘故。少林高僧大批光临，想必牵涉到少林荣辱，他们到底要对付什么人，我也不想知道，远离疆界回避是上策。"

"你与少林僧人打过交道？"

"没有，项前辈带了许多高手名宿南来，难道与新郑的戒严有关？"她明知故问，神色丝毫不变。

病阴判位高辈尊，但像个没口子的葫芦，一直就冷眼旁观，要死不活的老眼，不时有意无意地捕捉她眼神的变化，像伺伏猎物的阴森豹子。

"是有一点关联。"冷剑天曹含糊其辞："听说姑娘曾与天斩邪刀有过节，可有此事？"

这才是正题，她心中一跳。

"没错，我曾经将他弄到手。"她不需隐瞒什么，小心应付："不巧的是，弥勒教的妖人不讲道义，恃强逼迫要索取天斩邪刀，双方的冲突造成他脱身逃走的机会，迄今仍然查不出他的下落。也许，他已被弥勒教的人弄走了，项前辈也要这个人？"

"是的，要这个人。"

冷剑天曹冷冷一笑，脸色开始转变："你与他有何过节？"

"谈不上过节啦，我根本不认识他，从没听过他这号人物。

我捉到他，完全出于意外。同时被我捉到的银扇勾魂客，就比他有用得多。我不断罗致人才，以壮大我的实力，如果要我专门算计他，我毫无兴趣呢。"

她说的是事实，以往她根本不知道天斩邪刀这号人物，所以神色很自然，不需刻意地压抑神情的变化。

"我不相信你的话。"冷剑天曹露出狰狞面目，和蔼的笑容消失无踪。

"项前辈有何用意？"她立即嗅出危机。

"你与他必定有所勾结，更可能他是你的人，如果你捉他真是意外，犯得着为了拒绝把他交出，与声威动江湖的弥勒教结怨？"

"项前辈，事涉颜面与威信，本姑娘不曾在胁迫下低头。即使是一个小蛇鼠，我也不会交给弥勒教的妖人。我飞天夜叉虽然出道短暂，但我有我的声威地位，一旦在胁迫下低头，日后我还能混吗？项前辈，阁下来意显然不善，到底有何意图，何不明白相告？"

就算她低声下气求这些人放她一马，对方也不会轻易放过她，事已至此，与其委屈受辱，不如置之死地而后生，挺起胸膛周旋。

"好，姑娘快人快语，在下尊敬你，你飞天夜叉的成就，是江湖朋友有目共睹的，你有你该有的声威地位。"

冷剑天曹像逮住老鼠的猫，笑容又出现在脸上，是得意的狞笑："我要请你留下，等我的人捉到天斩邪刀后，会押解到此地来，与姑娘再对证一些小枝节。"

"这……"

"姑娘会答应吧？"

"我能拒绝吗？"

"不能。"冷剑天曹威风凛凛，斩钉截铁地说。

"好，我必须答应。"她也答复得干脆。

"我知道你不会做笨事。"冷剑天曹更得意了。

"我飞天夜叉敢冒大不讳做女盗，不聪明行吗？诸位估计，在这里要等多久？希望不要误了我们的行程。"

"呵呵！应该很快，我们派了不少人追踪他，已经知道他往南动身，他走不了多远的。"

她心中暗笑，那九位仁兄仁姐，大概没安排接应的人，所以人死光了，没有人传递消息。

"那家伙逃的本领非常了得，你们的人能追得上他？"她故意摇头苦笑："我把他囚入地窖，依然被他神不知鬼不觉逃掉了，随即出动所有的人手追踪觅迹，同样枉费心机。项前辈，你的人靠不住。"

"我派出的人全是超绝高手。林姑娘，你怀疑我的实力？"冷剑天曹大为不悦。

"这个……"

"要不要试试？"

"试什么？"她一怔，对方挑战性的口吻非常明显。

"你能擒住天斩邪刀和银扇勾魂客，表示你的武功必定也是超绝的。"

"我当然不自甘菲薄。"

"外面打麦场很宽，足以施展。"冷剑天曹整衣而起："在下与姑娘印证几招剑术，看姑娘是否真是武功超绝的后起之秀。"

冷剑天曹虽然年仅四十出头，但却是名震江湖二十余年的高手名宿，向一个出道仅年余的女性晚辈叫阵，实在有失风度。

印证，通常用在友好同道身上。

但目下情势，已经算是仇敌了，仇敌怎敢用印证比高低？可知这位前辈，也是笑面虎一类的人物。

"项叔，何不让小侄领教林姑娘几招剑道秘学？"方世杰及时自告奋勇："林姑娘绰号叫飞天夜叉，在弥勒教众多妖人攻击之下，依然能飞腾变化脱身，小侄十分佩服，希望能见识见识林姑娘的飞腾变化绝技。"

那天晚上如果没有桂星寒的暗中相助，她难逃弥勒教妖人的毒手。

她心中凛然，这个风流侠客，是从弥勒教仙女口中得来的消息，但妖女并不知道那天晚上，桂星寒暗中救走她的经过内情。

她对这个出色的英雄侠客，凭空增加了几分反感，也就自然而然多看了对方几眼，也就自然而然地把这个风流侠客，与桂星寒作一比较。

她觉得，没有人能与桂星寒比较。

一个大闺女，如果心中将两位异性年轻人，用意识作比较，那就表示她心目中，对比较的人有良好的印象，心目中有这个人。

"唔！你的家传剑术，有卓越的成就，游龙剑术已超越令尊的技巧，只是……"冷剑天曹故意把语调拖长，表示前一段话未必真实："只是有时候心浮气躁，急功心切，还真需要加强锻炼，在冷静沉着方面下功夫。不过，你应该可以向林姑娘较量一下轻功，飞天夜叉的绰号可不是白叫的，你的空中搏击术应该是可以派上用场。你老爹就是一只鹰。"

不理会飞天夜叉肯是不肯，三人神气地大踏步出厅。

飞天夜叉向两侍女，暗暗打出一连串手式，接过侍女奉上的连鞘长剑，一言不发地跟在后面出厅。

她不想反对自取其辱，对方的要求也不容反对。

显然冷剑天曹已控制了全局，村中各处皆有人走动。

她的左右邻，皆有两三个人把守，可知里面她的同伴，已经受到有效的控制，无法冲出来与她会合。

冷剑天曹到了晒麦场，与病阴判耳语片刻，然后打出一串手式，招呼各处的人注意。

"这是有计划的行动，难道他知道我的打算？"她心中嘀咕，大感不安。

这些人皆是锦衣卫的密探已无疑问，真正的侍卫还没到来。假使这些人知道她准备盗取皇帝的珍宝，那就大事休矣。

不容她多想，方世杰已立下门户亮剑相候了。

"林姑娘，在下的剑术颇佳，十年练剑，加上两年历练，自信甚有心得。"方世杰笑吟吟一团和气，可是口气就不怎么谦虚了："过去曾会过不少名家，技巧日臻圆熟。姑娘放手施为，不必客气，请指教。"

"我也练了几年剑，历练还感不足。"她心中冒火，但口气却平和谦虚："虽然也会过不少名家，但输多赢少。这次但愿不令阁下失望，我将遵命全力施为。"

剑出鞘光华隐隐，剑身似乎幻发出朦胧的幽光，晶亮如一泓秋水，略一挥动，幽光恍若化虹飞去，即使外行人也知道是宝剑级的利器。

"轻虹剑！"一旁从没说话的病阴判，第一次说话却是讶然惊呼声。

"老前辈是行家。"她丢掉剑鞘淡淡一笑："的确是轻虹剑，武林十大名剑之一，吹毛可断却无大用。剑身太轻，不能用来硬封硬架，一旦受损，磨剑极为费神，因此不宜封架走中宫硬攻的兵刃。"

大敌当前，她居然把兵刃的缺点当众宣告。

冷剑天曹点了一下头，但脸无表情。

病阴判脸上居然出现笑的浅条，也许是真的在笑，所流露出的阴森意味令人心底生寒。

"小伙子，你胜的机会不会超过三成。"病阴判向方世杰说，腔调懒洋洋要死不活："除非你善用你的不正当手段，以三成胜算玩命，勇气可嘉。"

"樊老伯，用不着你提醒我该怎么做。"方世杰瞪了病阴判一眼，有点恼羞成怒："交手相搏，能有三成胜算，已经值得一拼了。你老人家与人相搏，是不是每一次都预先估计，胜算不足九成便抽身拔腿？"

"有时候我会抽身拔腿。"病阴判阴恻恻地说："比方说，去年三魔五鬼闹京都，面对四海妖神洪荒，老夫抽冷子给他一枚夺魂针，拔腿便跑。那老魔的神魔掌，可在两丈内毫无征兆中杀人于无形。老夫真要和他拼命，胜算恐怕不会超过半成。你上吧，可别站不牢摔倒了。"

方世杰气得脸色都变绿了，却又不敢向病阴判发作，怒火冲天发剑向飞天夜叉冲去，要将气转发在飞天夜叉身上。像是发疯，一招怒龙归海走中宫狂野地猝然抢攻，剑气猛然爆发的声音，宛若响起一阵轻雷。这一招劲道非常猛烈，强行封架决难将剑封出偏门，除非劲道相当。

飞天夜叉也恼火了，这家伙外表温文，虽然说话骄傲自信，怎么如此缺乏风度？

她不信邪，轻虹剑毫不迟疑封出。

双剑接触快逾电光石火，无法避免正面接触，铮的一声狂震，剑鸣殷殷中，人影倏然中分。

方世杰是斜向冲出的，直冲出两丈外马步一虚。

飞天夜叉只斜退了一步，身形也有点不稳。

"引力术！"冷剑天曹讶然轻呼。

"对，这听不得老实话的狂小子，是被自己力道带跑的……"病阴判是行家，一看便知是怎么回事。

话未完，方世杰已猛然飞升了，后空翻飞越两丈空间，翻转时剑下如天雷下击，飞翔攻击的身法惊世骇俗，似乎失去了重量，人变成飞鸟倏然下搏。

飞天夜叉轻功盖世，所以绰号飞天。但她记起冷剑天曹对方世杰所说的一句话："你老爹就是一只鹰。"这句话一定有暗示的意义。

江湖上以鹰为号的高手名宿，为数甚多，都是轻功出神入化的名家，以空中搏击的技巧见长。仅轻功高明，还不配称鹰。

不管绰号称哪一种鹰，皆以空中搏击为主。

目下享誉江湖，以鹰称雄的高手，老一辈的以七只鹰声誉最隆，这一代也有十个以上的年轻新秀。

冷剑天曹所指的一只鹰，当然指老一辈七只鹰之一。这表示鹰的下一代，艺自家传，必定更为高明青出于蓝，凌空下搏的绝技更为高明。

方世杰反飞而起，她便知道方世杰的意图了。

再一看翻腾下搏的凌厉声势，也感到心惊。

剑光下击如雷霆，她不上当，不敢用万笏朝天向上攻击的招式接招，对方的表现，也激起她好胜的念头，谁怕谁呀？飞天夜叉哪能不如鹰？

轻虹剑从雷霆侧方格出，铮一声震鸣，她的身影斜飞冲天而起，两侧翻腾重回原地上空，到了刚轻灵着地的方世杰上空。

"好！"冷剑天曹大声喝彩。

轻虹剑化虹疾下，轻灵曼妙真有如仙女飞天降凡。

方世杰马步还没稳下，剑也不能及时上举，冷哼一声，身形反而下挫，扭身一掌向上吐出，疾滚出丈外才一跃而起。

如果飞天夜叉事先不知道，这家伙身怀九绝溶金掌，势必上当。

疾下的劲道形成一线，正面形成点的威力圈，而掌力却以面的范围一涌而至，点决难挡住面的强劲攻击。

掌一亮她便心生警兆，剑虹回收、上升、飞舞、翻腾，身形不沾地反而斜步飞起，远出丈七八，美妙的飘然降落，九绝溶金掌的余劲，仍让她感到肌肉发僵发紧，心中暗骂这家伙阴毒。

"够了！"冷剑天曹沉喝。

滚出丈外跃起的方世杰，冲出的身形只好强行刹住。

飞天夜叉也知趣地收回相迎的马步，强抑迎上刺对方十七八剑的冲动。

"阁下好可怕的掌力。"她走向丢落的剑鞘，一面冷冷地说："如果我的注意力放在你的剑上，你便成功了，我还真以为你要较量剑术呢！"

"双方交手，任何绝技都可用上……"

"我知道。"她打断方世杰的话："问题是，只有在仇敌拼搏时，才能使用任何绝技。我飞天夜叉是盗，盗亦有道。武林朋友与无仇无怨的人印证较技，拼拳脚决不会暗拔小刀捅对方一刀。"

"我想你还不明白你的处境。"方世杰收了剑，脸上回复了笑容，走近她低声说。

"是吗？"她心中一跳。

她的处境十分险恶，桂星寒不可能被他们抓来，派去的九个人全都死了，等不到人，这些人会就此罢手，轻易地放过她吗？

那是不可能的，她心中明白。

"你会被带回县城，和桂小狗一同带回县城。"方世杰傍着她重返农舍。

"这是你们的打算？"她开始不安。

"对。"

"你们……"

"如果你伤在我的剑下，我才有机会照料你，可惜你失去机会了。"

"哦！这就是你的好意？"

"你不领情，是吗？"方世杰冷笑。

"你们到底是何来路？"她明知故问，当然是有意探口风。

"以后你就知道了。"

已经回到厅堂，冷剑天曹脸色一变，不再和蔼可亲，安坐堂上有如县太爷升堂。

"樊老，不能再等了。"冷剑天曹向坐在右首的病阴判说。

"真的不能再等了。"病阴判说话依然要死不活："一定出了意外，姓桂的人可能已远走高飞，咱们的人要不是追不上，就是追错了方向。"

"林姑娘，把你的人全召来。"冷剑天曹转向飞天夜叉："跟我们一起回城。"

"一起回城？"她心中一惊。

要来的终须会来，是孤注一掷的时候了。

"对，一起回城，我们要从你口中，证实一些可疑的消息是真是假。"

"可是，县城戒严……"

"戒严令是我们颁发的。"冷剑天曹不再有所顾忌，泰然暴露身份。

"哦！你们……"

"你最好不要妄动那把轻虹剑。"冷剑天曹沉喝，制止她拔剑："有任何反抗的举动，你将生死两难。你的轻功很了不起，但决不能插翅破空飞走。任何人拒捕，杀无赦。"

病阴判的判官笔，不知何时已撮在手中。

"小女孩，就算你胁生双翅，变成鸟冲天而飞，老夫也会像射鸟一样把你射下来。"病阴判的笔尖遥向着她："老夫笔中所藏的针，称为夺魂毒针，中者无救，发则必中，三丈内可射蚊蚋，你最好识趣些。"

第八章　另有玄机

"轻虹剑给我。"冷剑天曹大手向她一伸。

她银牙一咬，绝望地呼出一口凉气。

"这把剑在最近一甲子中，共换了七个主人，连你也算上，共换了八个之多。"冷剑天曹对轻虹剑的底细，似乎一清二楚："每一个主人，下场都相当悲惨，这把剑最后一个主人，是江南第一钩，金钩李鳌所有。他不用剑，将剑当宝藏。十年前，大江之豪驼龙骆志远，率水上好汉攻人李家大宅藏珍楼，金钩李鳌身首异处，藏珍楼被他死前纵火焚烧，这把剑失踪，不知被何人取走了。我不问你这把剑的来龙去脉，那不是我所管的事。但这是凶器，我得暂时替你保管。"

一步步加压，解除武装便可任由宰割了。

她必须作生死一搏，落在这些人手中，结果将只有一个：死。

方世杰对一个稍可疑的人，毫不留情地下毒手取命。可知这些人，已把杀人看成家常便饭，即使所杀的人，与他们所执行的任务毫不相关。

她必须拔剑，目光落在相距不足一丈，病阴判那支沉重的判官笔上，笔尖稍下方的斜锋表面，的确有一个豆大的小孔，小孔足以射出致命的毒针。

她将轻虹剑的缺点说出，病阴判却把判官笔的优点加以宣扬。

"你们的剑，也必须缴出。"冷剑天曹向退在一旁的两侍女一指。

她心中一震，暗暗叫苦。

也许她能凭绝顶的功夫脱身，她的十四个随从呢？有几个能逃出大劫？

"罢了！"她绝望地说，缓缓抬手要将剑递出。

门外有五个人，手按剑鞘神色冷肃，堵住了厅门跃然欲动，冲出去死路一条。

她认了命，听任命运的安排。

连鞘的轻虹剑向前一递，冷剑天曹冷然伸手相接。

桂星寒与银扇勾魂客，躲在南关外右面的河堤大柳树下，目送四名大汉，偕同六个男女出城南下，沿官道南奔，脚下甚快。

天寒地冻，在道上行走的人，皆全身裹得密不通风，只露出一双眼睛，很难分辨男女，更不可能分辨是些什么人。

桂星寒却认出其中一个女人，是那天在抱獐山破庙中，两个中年男女中的中年女人。

那四名大汉，大袄下露出的刀鞘，式样完全相同，四人的步伐也相当整齐。

"锦衣卫的便衣人员到了，真正的皇家侍卫。"银扇勾魂客低声说。

"你是说……"桂星寒讶然问。

"走在前面的四大汉。"

"你认识?"

"认识他们的佩刀，单刀，叫绣春刀。"银扇勾魂客曾在京都逗留过，所以不陌生："这种刀的刀身狭，弧度大些，可用在骑军马战。咱们江湖人所用的单刀，在马上只能乱砍乱劈，大队人马冲锋，单刀用处有限。没错，那四个佩的是绣春刀，正式的御林军官兵，地位比方世杰那些外围密探要高。"

十个人已经去远，不知道路旁有人潜伏。

"他娘的混蛋！"桂星寒粗野地咒骂："他们到底在搞什么鬼？"

"你说什么？"银扇勾魂客问。

"那六个男女是弥勒教的人。"桂星寒愤然说："弥勒教在陕西起事造反，血流成河，是官府有案的逆犯，捕获决不待时的妖逆。现在他们居然与锦衣卫的便衣人员走在一起，这代表什么？"

"你确定那六男女……"

"那个女的，正是那天晚上在破庙中，继黄泉双魔之后，用妖术向我攻击的一双中年夫妇，妖术相当厉害的女人，她的眼睛瞒不了我。"

"你肯定？"

"千真万确。"

"这……也许是方世杰弄到那仙女，招降了弥勒教的人。"

"唔，有此可能。"

"如果是，飞天夜叉很不好。"银扇勾魂客苦笑。

"老哥，你的意思……"

"弥勒教的人，恨飞天夜叉入骨，认为她捉了你而不将你交出，犯了他们的大忌。现在，一旦为密探所用，女飞贼正是影响治安的歹徒，岂不是正好公报私仇，借机铲除飞天夜叉？"

"哎呀，飞天夜叉又帮我宰了九个密探。"

"希望飞天夜叉已经走了，不然凶多吉少。弥勒教的人消息灵通得很，必定知道她的落脚处。"

"老哥，你也知道？"

"她们藏身在西乡……"

"咱们走！"桂星寒一蹦而起。

"进城?"

"到西乡,去找姓方的那混蛋。"

"助飞天夜叉?好,这女飞贼很可爱,敢向皇帝打主意,而且脾气很对我的胃口,值得助她一臂之力。咱们抄捷径,我知道她在何处。"

老怪杰弄来一把剑,山藤仗丢掉了,活招牌银扇改系在背上,穿上大袄便看不到痕迹。如非绝对必要,不想用这银扇自找麻烦。

桂星寒却不在乎日后麻烦,他要用他的天斩邪刀。

轻虹剑如被冷剑天曹接获,飞天夜叉便只有任人宰割的了。

可想而知的下一步行动,是缴她的百宝囊。再下一步,该是擒人上绑了。

她别无抉择,一咬银牙将剑递出。

剑是横着递出的,她不甘心授人以柄。按规矩,递剑缴械应该柄鞘在前。

冷剑天曹手一伸,贴她的手抓住了剑。

突变倏生,三方齐动。

病阴判的判官笔向前一伸,吸引她的注意。

方世杰横跨一步,大手爪扣她的手臂。

冷剑天曹抓剑的手,放手扣指疾弹,两股指劲破空,击中她的胸正中鸠尾大穴。

"你们……"她手脚一震,跌入了方世杰的臂弯中。

"哈哈哈……"方世杰得意地狂笑。

内堂走道人影乍现,飞出一个人体,似乎附有一个怪物。

变化太快了,所有的人,似乎在同一瞬间发动,令人目不暇给。

方世杰的狂笑声未落,人影已凌空飞到。总算不错,眼角瞥见人影凌空扑来，虽然无法分辨，但可以肯定是一个人。

这家伙是凌空搏击的专家，对凌空扑来的人影也就特别敏感，变生仓促，第一个本能反应是自保要紧，不假思索将到手的飞天夜叉丢开，双掌立即向扑下的人影吐出。

噗啪两声闷响，击中扑下的人体。

糟了，顾得了上面，顾不了下面，噗一声肚脐挨了一击，被随在人影下的另一个人影，一腿扫在肚腹上，力道十分可怕。

哎一声狂叫，被扫得身形飞抛而起，向坐在侧方的病阴判飞撞，两人凶猛地撞成一团，长凳崩坍，像倒了两座山。

人影志在救人，冲到时下扑，一面伸手去抓倒下的飞天夜叉，一面用腿扫击方世杰。假使先攻击方世杰，必可将人扫得内腑崩裂而死。

这瞬间，内堂飞出无数瓦片，飞旋直射毫无章法，破风的厉啸惊心动魄。

被飞抛而入被方世杰击中的人影，是把守在内堂走道口的警戒人员。

随人影下方抢入的人，是天斩邪刀桂星寒，抓起发僵的飞天夜叉，贴地撤走，重新退回内堂。抢人、救人、攻击、撤退，急如星火，一进一退似乎在眨眼间完成了，进如雷霆，退如电逝。

在走道口用瓦片掩护，制造暴乱的人是银扇勾魂客。

"带走！我和他们算账。"桂星寒退入走道，将飞天夜叉往银扇勾魂客身上搁。

"小子……"

"快走！"

一声刀吟，天斩邪刀出鞘。

两位侍女由于是面向内堂走道口的，看到有人从走道口用瓦片飞掷，以为是自己的人，机灵地向下一扑，快速地爬向走道口，忙乱中，居然能拾回轻虹剑，因为剑正好在她俩爬行的路线上，顺手牵羊拾了加快爬走。

门外把守的五个人，呐喊着一拥而入，被瓦片击倒了三个，瓦片的爆裂声似连珠花炮爆炸。

一声震天长啸，刀光闪烁震出满天雷电。

冷剑天曹很幸运，被方世杰双掌击中的人体，把他压翻在地，没受到瓦片攻击，跌倒在病阴判身侧。

这位名剑客还没弄清楚怎么回事，将压来的人掀翻，愤怒地一蹦而起，愤怒地拔剑。

这个已被击昏后掷入的警卫，事实上压倒了两个人：病阴判和冷剑天曹，两人本来是并排坐在条凳上的，变生仓促，怎能闪躲？

很不妙，刀光已排云驭电而至。

刚出鞘的剑，不假思索地挡向刀光，反应惊人，这一剑甚至在仓促间，也可发挥六七成劲道，一代名剑客，名不虚传。

剑上传来的凶猛反震力骇人听闻，被震得向侧方飞撞，砰一声大震，凶猛地撞在墙壁上，反射倒地，只感到右半身发麻，眼前星斗满天。

晚一刹那爬起的病阴判，刚伸手在地上抓跌落的判官笔，噗一声响，耳门挨了一靴尖，嗯了一声再次倒地，一倒下去就爬不起来了，昏厥啦！

方世杰最精明机警，连滚带爬蹿出门外去了。事实上腹痛欲裂，浑身脱力，头晕目眩，内脏似要往外翻，哪有余力与人交手拼命？甚至没有看清踢肚腹的人是谁，逃命脱出险境要紧，完全失去拼的勇气。

刹那间的暴乱，倏然中止。

桂星寒扭转冷剑天曹的左臂贴身擒实，天斩邪刀横搁在对方的咽喉下，只要略一拖刀，便会割断冷剑天曹的喉管，冷然屹立，威风凛凛。

除了昏迷不醒的病阴判之外，堵在三方的人有五个，有两个头青脸肿气色败坏，是被瓦片击中的，握剑的手在发抖。

投鼠忌器，没人敢冲上来救冷剑天曹。

门外，又先后到了九个男女，也被室内失控情势镇住了，不敢冒失地冲入。

冷剑天曹是他们的领队，领队的咽喉是否保得住，全在他们的表现而决定，谁敢负责？

"你这混蛋，一定是这一群暴民的领队。"桂星寒冷冷地说，事情发生了他反而冷静沉着。

其实他的性情开朗而暴躁，有一切年轻人的缺点，但情势越紧张，他反而越沉着了。

"咱们不……不是暴民。"冷剑天曹无法冷静沉着，喉间的刀子可不是玩的："是……是官方办……办案的人。你……你是谁？"

贴背而立，看不到身后的人，看得到也不认识，也看不到真面目。

这些人当中只有方世杰认识桂星寒。而方世杰却在外面痛得蜷缩在地，不断大呕大吐。

"天斩邪刀。"

"咦！你……"

"你们要找我，我来了。"

"我……我们只……只想查证你是……是不是不法之徒，皇……皇命在……身……"

"混蛋，你少给我撒漫天大谎。"桂星寒的左手加了一分劲，冷剑天曹的手臂可就受不了啦。

"不……不要用劲，哎……有话好说……"冷剑天曹大叫，再不叫左手废定啦！

"太爷不和你说，有理也说不清。"

"桂……桂老兄,误……误会是……是可以澄……澄清的……"

"误会?姓方的混蛋,出手便是一记偷袭的、致命的九绝溶金掌,不问青红皂白不问情由,杀了再说,这是误会?"

"他……他是职责所……在……"

"太爷不屑和你们斗口,阁下,你想死吗?"

"这……"

"不但你要死,你的所有人都得死。如果你怀疑我的天斩邪刀浪得虚名,我将会纠正你的错误。"

"桂老兄,有……话好说……"

"把飞天夜叉的人释放,把他们都送到此地来,换你的命,也换你的人的命。你愿意交换吗?"

"这……"

"你先死!"

天斩邪刀十分锋利,略一拖动,刃口所触处立即沁出血珠。

"我愿交……换……"冷剑天曹快要崩溃了。

"我等你下令。"

片刻,十二个男女押来了,当堂割断捆绳,一个个咬牙切齿,听从桂星寒吩咐,急急地从厅堂退走。

桂星寒将冷剑天曹推至晒麦场中间,勒令其他的人退至北面场边缘。

共有二十名男女,一个个怒目而视,却又不敢妄动,眼睁睁听任领队,任人摆布。

"你知道在下为何留你一命吗?"桂星寒冷冷地问。

"你说吧!"冷剑天曹心中恨极,却又不敢发作。

"我要让你带大批的锦衣卫的人来找我。"

"你说什么?"冷剑天曹大骇。

"我的刀很利,你的人将洗干净脖子挨刀。然后,我去找你们的主子皇帝，把新郑城闹得烈火焚天。皇帝奈何不了我这个江湖亡命，砍你们的头，抄你们的家。"

"你……你知道我们的底细？"

"对，完全知道。"

"桂老兄，你是怎么知……知道的？"

桂星寒心中一动，就陪对方玩阴的好了。

"弥勒教人多嘴杂，他们能每个人都守口如瓶吗？"他冷冷地一笑，泰然自若收回刀："阁下，你好好准备调兵遣将，我等你，等你的人让我杀个血流成河，让你知道什么是天斩，什么是邪刀。哈哈哈！后会有期，不见不散，不死不休。"

用劲一推，冷剑天曹被推出三丈外。

狂笑声摇曳，桂星寒已消失在村内。

"不许追！"冷剑天曹大吼。

怎么追？追也追不上了。桂星寒走的身法，宛若电火流光，村中房舍散乱，到处都可以藏人。村外果树杂树丛生，更易于窜逃。

"回城再说。"冷剑天曹沮丧地说："咱们将有横祸飞灾，必须赶快回城商量对策。这混蛋亡命如果惊了圣驾，咱们将有许多人人头落地。"

新郑城的戒备，加强了三倍。

搜捕天斩邪刀的格杀令，竟然不曾颁下。

治安人员布满城厢，人心惶惶。所有的市民皆惶然不可终日，一点也不明白戒严的真正内情，只是感觉出风雨满城的气氛太不寻常，人人担心大祸临头，从每一个治安人员的脸上，皆可看出忧虑的神情。

天一黑，夜禁立即展开。

每一条大街的管制栅门，皆关闭而且加锁，除了巡逻人员所走的小栅门派有四名丁勇把守之外，大栅派有四名弓手警卫，射杀胆敢犯禁在街上走动的人。

大街小巷除了警卫之外，空旷死寂，鬼影俱无。所有的家犬皆拴在屋内，只有猫才能在外走动。

天气太寒冷，猫是不会外出走动的。

戒严的名义是防匪，犯禁在外走动的人，一律以匪论处，格杀勿论，因此天一黑便成了死城。

除了本城的捕快丁勇之外，多了不少身份特殊的人，这些人携有特殊的符令，出现时常令市民心惊胆跳，弄不清他们到底是何方神圣，碰上了只好惶然走避。

新郑城在沉睡中，但却有不少人不能安睡。

几位少林高僧，就是不能安睡的人。

二更天，四名高僧出现在南关长街，张家进士第的大厅中，由首席知客大师法慈率领。

出面招待权充主人的是伏魔剑客，以及张知府的表弟摩云手罗人杰。八臂金刚、五湖逸客、葛春燕姑娘等等，都是陪客。

"张施主，务请勉为其难，设法派人与银扇勾魂客联系，让老衲能与他当面恳谈。"法慈大师的语气诚恳，但却忧形于色："只有他或许能与天斩邪刀商量，也只有他才了解天斩邪刀这个人。"

伏魔剑客张永新，与张家并非本家。而张家目下所有的宾客，声望地位以他最孚众望，所以权充主人。

张家目下仅有老幼妇孺，不便以主人身份招待陌生男宾。摩云手虽然可算是半个主人，但声望地位比伏魔剑客低得多。

"事关全城安全，在下怎能不尽力？"伏魔剑客也忧形于色，极感不安："只是银扇勾魂客杨老哥，前来示警之后，便前往敦请天斩邪刀，从此一去不回，在下委实无法知道他的踪迹。即使大师不光临促请，在下也会找他情商。这次能获大师周全，向远来的贵宾保证咱们这些人清白，隆情厚谊不敢或忘，岂敢不为大师尽力？"

"大师，咱们被困在屋中，寸步难行，想出去找线索也无法可施呀！"以轻功享誉江湖的神鹰李奎，接着说出困难所在："杨老哥途经此地南下，可能已经远抵长葛了，想找他与天斩邪刀商量，那是不可能的。咱们这些人中，惟一与天斩邪刀打过交道的人，只有葛春燕姑娘。如果大师能向那些贵宾，请求他们允许葛姑娘外出自由走动，或许能找得到这个刀客，不然咱们实在无能为力。"

"葛姑娘知道他可能的去向吗？"法慈大师面有难色，怎能向那些密探，请求让葛姑娘外出走动？

所有武功高强的人，都有安全上的顾忌。连少林那些俗家弟子，在戒严令颁下时，就不再允许在外走动了，这种管制是必要的。

"也许从弥勒教的妖人身上，可以找到他活动的线索。"

葛春燕凭女性的感觉猜测，似乎颇有把握地又说："弥勒教的妖人不曾放过他，他未必肯甘心，也会与妖人算账，从妖人潜伏盘踞的地方着手追寻，应可获得一些踪迹。大师的门人众多，消息灵通，应该知道妖人的下落，何不从他们着手？"

"敝寺的几位俗家弟子，曾经见过天斩邪刀，可惜匆匆打过交道，见面可能已无法分辨。老衲去找负责的专使商量，请他允许姑娘，随同本寺的俗家弟子伴同侦查，姑娘愿否同往？"

"很好呀，愿效微劳。"葛春燕欣然说："只是……专使肯吗？"

"为了他们的存亡，他们应该肯。"另一位高僧，修养可就没有法慈好："出了意外，他们难保人头。天斩邪刀已撂下狠话，他们已经为了自己的脑袋，是否能保住而忧心如焚，不肯才怪。"

"老衲这就前往找专使商量。"法慈大师立即告辞："专使如果应允，老衲再前来敦请葛姑娘动身。"

客套一番，四高僧告辞走了。

"你们没感到奇怪吗？"伏魔剑客神色凝重，向众人询问。

"张叔，有何可怪？"葛春燕愕然问。

"少林高僧再三向弥勒教妖人叫阵，结果如何？"伏魔剑客冷冷一笑："不但高僧们不再追究，俗家弟子也绝口不提。按理，弥勒教妖人，该是最严重的威胁。事实上，不但少林弟子也绝口不提，捕头量天一尺也装聋作哑，诸位，此中有何阴谋？"

"只要妖人不再前来骚扰行凶，管他有什么阴谋？"八臂金刚不愿费心猜测阴谋："我希望葛姑娘能找到天斩邪刀，请他帮助咱们一臂之力对付妖人。官方的事，咱们最好置身事外，而且避得越远越好，免生是非。"

"波诡云谲，委实令人心中懔懔。"伏魔剑客苦笑："已经卷入是非，咱们只好尽力而为了。"

"我这就着手准备，法慈大师很可能成功。"葛春燕先行告退。

弥勒教的妖人，可能不会再前来大举袭击了，情势紧张，妖人们不至于敢冒昧大不讳兴风作浪。

伏魔剑客仍不放心，彻夜派人严防意外。

专使借住县衙，县衙这两天停止审案。

知县大人的官舍，成了专使办理要公的临时指挥中心，彻夜灯火通明，警卫森严，不断有人进进出出，忙碌得很。

前往县衙必须经过县前街。身为少林高僧，当然必须在街上行走，管制各种栅门的人，早已获得指示，允许这些少林僧人夜间通行，不属于夜禁管制的特权人物。他们可以随意在各处通过供巡逻人员与更夫往来的小栅门。

三更的更柝声刚起，街上鬼影俱无，每一户人家的门窗都闭得紧紧的。这一带似乎更沉寂，成为禁区之后，无人敢外出走动，有如鬼蜮。

四位高僧步履缓慢，似乎已感觉出什么地方不对了。

鬼啸声划空而至，似乎是从对面街道的下面传过来的，是从地底传出、升起，顺风播送而来。

街两侧的屋宅，突然有飘忽的异物流动，忽隐忽现，配合着鬼啸声忽远忽近飘忽不定。

四位高僧根本不在乎鬼魅，相互打手势示意。

"嘿嘿嘿……"鬼啸声突然夹杂着令人入耳便感到毛发森然的阴笑。

法慈大师冷冷一笑，脚下丝毫不变，解下披着的袈裟握在手中，同时解开念珠的活扣。

寒风转厉，黑雾涌到，鬼啸声更近更急，飘忽的鬼影激增了三倍，此隐彼现乍明乍灭，显现时越来越近，已可看出真实的形影，都是些奇形怪状，似人非人似兽非兽的怪物，乍现乍隐的速度也增快了。

四高僧几乎同时拂动袈裟，狂风乍起，涌来的黑雾随风四散，袈裟拂动更急，像是狂风挟殷殷轻雷光临大地，声势惊人。

一声冷叱，第一颗念珠脱手。

传出一声厉叫，接着青芒破空射出。

"大胆!"法慈大师沉叱，右掌猛然吐出。

嘭然一声大震，青芒倏然幻没。

法慈大师也退了两步，哼了一声，左手的袈裟一振，排雾而出。

再传来一声怪响，罡风四荡。

法慈大师又退了两步，袈裟再次飞扬。

巨大的怪影从雾中出现，突幻化为流光后退隐没。

"准备超度这些孽障。"法慈大师沉声说。

四位高僧本来列成四象阵,向四方分别用袈裟作防御性的攻击,立即同声念佛号,右手脱下僧帽。

黑雾终于完全消失,飘忽的怪影无踪,一切恢复原状。

四高僧没有出手的机会,重新戴上僧帽。

前面三个人影,远在三四丈外,当街而立像突然幻现的幽灵。看穿着打扮与身材,可看出是两女一男,全都佩了剑。

"少林一代首席知客,果然名不虚传。"中间发话的是男的,显然是为首的主事人,语音阴森冷厉,似乎不像人声。

"道友出动十人以上,同时施展阴煞灭魂术,当是贵教地位甚高的人物。"法慈大师寿眉轩动,似已动了怒意:"再不知自爱,休怪老衲动嗔念。"

"大和尚,你该说犯了戒动的杀机。"那人已接近至两丈左右,似乎不敢太过接近:"你要施展佛门降魔大法,在下自信还可以与你拼搏三天三夜。"

"是吗?"

法慈大师冷冷一笑:"老衲苦修半甲子,也许距修至无人无我境界遥之又遥,如果到了无生关头,又何能成佛?而且降魔弘法,也是修禅的宗旨之一,你们这些孽障下毒手在先,老衲……"

"在下无意下毒手,只是想试试你们的道行。"

"遁词!"法慈大师沉喝,的确动了嗔念。

"我警告你,大和尚。"那人的嗓门更大:"你们如果继续保护张家那些人,本教将向你们大张挞伐。北来的专使已明白告诉你们,不许管本教的事,你却出入张家,明显地忽视专使的指示,与本教作对。"

"老衲也警告你。"法慈大师声如洪钟:"专使要求老衲不管你们的事,所以老衲不再过问你们的活动。张家那些人中,有几位施主与老衲交情不薄。老衲不管你们与张家有何仇怨过节，有老衲在，你们休想撒野。专使也不会容许你们在戒严期间，闹出任何不幸事故来。从现在开始，见面休怪老衲慈悲你们。老衲会向陶真人禀告你们在这里兴风作浪的事，陶真人明天不来后天一定可以到达的，目下这位姓蓝的专使，绝对不敢再包庇你们。老衲不为已甚，现在给我走！"

"大和尚，你……"

"老衲知道你是谁。"法慈大师喝断对方的话："你的头，值一千两银子。"

"你……"

"京都来的人，会买你三分账。天下各州县，不论官府或英雄好汉，对一千两银子的赏金，可是眼红得很。少林的门人子弟，目下有老衲管束，你们是安全的，以后可就难说了，你最好少说一些威胁性的话，老衲若不是为大局着想，你难逃大劫。"

"你似乎真的知道我是谁。"那人口气一软。

"老衲升任首席知客，已有十载岁月，对江湖一些风云人物，多少曾经留意。以你方才施法的道行估计，老衲已经知道你是谁了。"

"你威胁我吗？"

"也许吧！"

四高僧同时举步，向对面三个人闯去。

那人略一迟疑，领了两女闪在一旁。

四位高僧昂然而过，扬长而去。

弥勒教的重要人物，并未在城内落脚。

在京师的人现身之前，该教的重要人物，真的不敢在城内潜伏，怕被官方的人查出他们的底细。捕头量天一尺，公务公办就不会放过他们。

密探的专使到达，情势并不完全对谁有利。

天下有两处地方弥勒教的徒众可以半公开活动，但也不敢明目张胆暴露身份。

一处是京都，锦衣卫和两厂的特务，默许他们存在，很少干涉他们的活动。

当年该教陕西举事失败之后，教主龙虎大天师，挟攻城掠地所获的大量金银财宝，化名张寅，交通官府笼络权贵，国戚勋臣文武贪黩官员，甚多收受他的贿赂。最后以捐粟买官，外放任职太原卫指挥，才有机会交结权臣武定侯郭勋，走对了门路。

以后被薛良首告事败，他又逃入京师暗中活动。所以在京都，他仍有许多混账官吏暗中包庇他。

第二处是安陆府（承天府），当今皇帝的老家。

其实，这两处可以半公开活动的地方，外表似乎是龙虎大天师声威仍在，骨子里却是出于皇帝所授意，以及一群贪官所支持。

龙虎大天师造反罪该万死，但失败之后已不成气候，皇帝正好利用他，来对付那些忠心耿耿，胆敢管皇帝家务事的文武大臣。

一举拔除百余名大臣抄家杀头，等于是龙虎大天师，替皇帝拔除眼中钉。因此，示意文武大臣不必管弥勒教的事。

其他各地官吏，却根据往昔所颁下的逆犯妖人名单，依法捕拿妖人法办，擒获之后，迅速正法，这就是所谓决不待时。

一般的死刑犯，通常是秋后上法场，叫秋后决。

新郑就是"其他地方"，依法缉拿叛逆妖人。

皇帝不可能下圣旨赦免逆犯，所以只有京都与安陆两地的官吏，在皇帝的暗中授意下，将逆犯的公文归档不再过问，网开一面装聋作哑。

密探专使来自京师，包庇弥勒教是意料中的事。

但责任重大，明白的警告弥勒教的人，在皇驾所经的地方，不许该教闹事，因此所有的重要人物，不得不隐身城郊以防意外。

一旦影响皇帝的安全，密探们势将毫不客气群起而攻。

指挥中枢仍然建在城北郊，距城约六里，地名合水村，是黄水与捕獐山水会流处的小村落，有小径通向县城，往来相当方便。

他们的先遣人员，曾经在捕獐山的破庙，建立了联络站，与天斩邪刀起了冲突。指挥中枢建立，比联络站近了一多半里程，片刻便可以到达县城。

这里是新建的指挥中心，旧的指挥中心距县城太近，自从那天晚上入城失败之后，返回时发现少了一个人，心中一虚，便断然放弃了。

他们并不知道所丢失的那个人，是被飞天夜叉暗中跟踪乘机掳走的。

十个人飞越城墙，从大官道折入小径，无精打采奔向六里外的合水村。

与少林四位高僧打交道的一男二女，走在最前面，表示男妖人的身份地位，在这些人中是最高的。

三人身后是戴了狮头面具的，然后是戴虎头面具的人，与同伴在一起，他俩依然戴了面具赶路。这表示他们不敢大意，沿途很可能会发生意外，随时准备应变，避免暴露本来的面目。

再后面，是七煞真人。

这妖道是圣堂使者，地位已经很高了，但在这些人中，身份地位不高不低，左上臂裹了伤巾，是被法慈大师的念珠伤的，流了不少血，可知创口相当大。

少林高僧的念珠，下面的九颗最大，真有鸽卵大小，挨一下灾情惨重。

檀香木制鸽卵大的念珠，坚硬沉重。法慈大师用指弹发，可伤人于百步内，禅功火候之纯不问可知，没打断手臂委实幸运。

第九章　官匪勾结

　　小径其实不小，可通运粮的大车，两侧草木丛生，路虽宽视界仍然不良。

　　前面传来一声轻咳，路中突然出现了一个人影。

　　相距不足十步，像是平空幻现出来的。

　　"什么人？"走在前面的主事人沉喝，像是平空响起的一声焦雷。

　　一开口就用以音制人的绝技，这位主事人失败归来，惊怒的情绪仍在，可找到发泄的对象了。

　　幻现的人丝毫不受震耳喝声所影响，泰然自若又发出一声轻咳。

　　十个人左右一分，列阵戒备。

　　一声刀吟，对方拔刀了。

　　"天斩邪刀！"有人惊呼。

　　"对，就是我。天斩邪刀，你们的对头。"

　　远在十步左右，似乎仍可感受到刀气的压力。人的名树的影，天斩邪刀的名号，在这些人中，已经具有震慑的威力。

　　七煞真人就是心中最害怕的一个，上次五个使者袭击客店，五支妖剑行雷霆一击，妖剑沾血飞回，以为已经杀死了天斩邪刀，结果却是空欢喜一场。

　　七煞真人是圣堂使者，地位并不高，外出颁发圣堂符令时，才能显示他们的权威。平时，他只是供奔走的执役人员而已，是教主的亲信，实际上的地位，比圣堂仙女低，虽然仙女无权指挥他。

目下妖道地位低，面对仇敌，地位低的人必定打前锋，打旗的先上，势将由他打头阵，他实在没有勇气面对这把天斩邪刀。

上次五个使者，五支妖剑行法突袭，也劳而无功，哪有勇气一个人面对天斩邪刀？

果然不妙，主事人无名火起。

"把这混蛋拿下，我要剥他的皮。"主事人愤怒地下令，举手一挥："我要活的。"

七煞真人心中狂跳，应诺一声拔剑向前举步。

"我等你施展元神御发诛仙剑，考验我能否在刹那间，砍你致命的一刀，快！"桂星寒豪勇的沉喝，明白地表示，他一点也不怕什么元神御剑。

御发诛仙剑固然以法术御发，但如无精湛深奥的内功作根底，没有用神意驾驭外物的能力，就只能暗中出其不意杀人，作用不大。

碰上定力够内功火候纯青的高手，反击可以技巧断绝精力之源，飞出的剑便成了废物，御剑的元神也将受到伤害。

上次五剑偷袭依然失败，目下面面相对，铁定会绝望，心中早虚。

但妖道怎敢抗命？硬着头皮上。

开始舞剑，开始走天罡步，开始念念有词汇聚神意，开始凝聚御剑精力，开始划符念咒……

这不是短期间，便可将剑飞出行雷霆一击的。

绝大部分练成内功，但火候并不精纯的内家人物，以内力攻击之前，也得凝神聚气摆弄老半天。经验丰富的对手，以快速的行动猛攻，不许对方有运气行功的机会，通常可迫使不能以内功决战。

真正练至神动功发的人毕竟不多，可用神意立施法术的人也相当罕见。能在仓促间以小技巧，或者以障眼法唬人的小术，已经算是高手了。

七煞真人行法，必须有充分的准备时间。

按理，桂星寒的注意力，已经完全被七煞真人所吸引，无暇兼顾其他的变化了。

电光一闪，青虹破空，发自主事人手中，随即幻化为一个两丈高的巨灵，巨灵之爪随青虹伸出，与青虹同时在眨眼间，向桂星寒集中。

桂星寒的刀光，不可思议地似在同一瞬间，出现在主事人身前，破风的尖厉锐啸惊心动魄。

"天斩邪刀！"他的沉叱声似沉雷。

主事人的脑袋，突然飞起三尺高。

电光青虹倏没，巨灵无影无踪。

七煞真人的剑还没飞起，却听到身后传出了可怕沉叱声，心中一慌，神智大乱，扭头回顾。

主事人的脑袋飞起，看得一清二楚。

两个女人被刀风的余劲，震飘出丈外。

惊恐的厉叫声暴起，男女八个人四面飞逃。

七煞真人聪明机警，向前一窜化虹而走。

桂星寒刚稳下马步，人都跑光了。

"混蛋！这些怕死鬼。"他收刀大叫："我的迫供妙计落空了。"

路旁窜出飞天夜叉和银扇勾魂客，两人神色不正常，惊容仍在。

"小子，你知道你杀的这人是何来路？"银扇勾魂客撕破无头尸体外袄，察看袄内的衣着物品，嗓音似乎更为走样。

"管他是何来路，他乘机偷袭，我有权宰他。"桂星寒提不起劲："到他们的巢穴去抓人，我一定要查出他们与那些京都密探勾结，到底有何阴谋，居然联手来对付我，哼！"

"这家伙是在陕西，进攻洛川的十大神将之一，混天元帅孙强，刀枪不入的巨匪元魁。"银扇勾魂客拉开死尸的衣襟，露出里面的锁子护身甲："你一刀砍掉他的头，真走运，如果砍胸腹，你奈何不了他。"

"结果是一样的，他一定死。"桂星寒说："第一刀砍不进，第二刀一定是脑袋或四肢。喂！你们还敢不敢跟我去捣他们的巢穴？"

"我算是服了你。"飞天夜叉余悸仍在："这妖匪流露在外的魔鬼形象，委实令人望之心胆俱寒。你一个人就敢面对一群妖魔鬼怪。水里火里，我跟你去闯，至少也可以见识见识。我觉得，我的胆气越来越壮了。"

"胆气固然可派上用场，但最好增加信心，面对妖术通玄的妖人，信心最重要。"

"小子，你一刀便砍掉他们的首脑，逃回去的人如此这般一说，巢穴内你还能找得到人？"银扇勾魂客说："你是不是糊涂了？我保证连老鼠也跑光了。"

"唔！有道理。"

"本来就有道理。这些妖匪精明机警，欺善怕恶，风声不对就溜得比任何人都快，忽聚忽合，灵活得很。"

"那就去找那些京都来的杂碎。"桂星寒恨声说："他们欠我一笔债。"

"走啊！我是债务见证人。"飞天夜叉不胜雀跃："我的武功应该可派上用场了。"

"小子，他们都是可怕的高手，人多势众……"银扇勾魂客却鼓不起勇气。

"你可以袖手旁观，抽冷子打落水狗捡死鱼。"桂星寒剥下死尸的外袄，包起头颅："我要在新郑放起焚天烈火，让皇帝砍他们的头。他们官匪联手，毫无理性地坑害我，必须付出代价，他们惹火我了。"

"可是，小子，今后你……"

"老哥，成为朝廷颁旨天下捉拿的钦犯，也是扬名立万，千载难名的好机会呀，今后我在任何地方，一亮名号便可予取予求，名利双收，妙极了。走，进城！"桂星寒兴高采烈举步。

银扇勾魂客摇摇头苦笑，但跟在后面表示参与。

县太爷的官舍大厅中。

少林四位高僧由密探专使接见，气氛不融洽，场面很僵。

专使是一位姓陈的百户，正式的锦衣卫军官，颇有名气的御前带刀侍卫，穿了便衣依然气概不凡，虎目虬须相貌威严。

灯火通明，便衣人员进进出出，显得忙碌紧张，可知皇帝的车驾已距新郑不远，所有的人彻夜忙，加强布置安全警戒网，不敢有丝毫松懈。

陈百户领了八名随从，接见求见的少林四高僧。

法慈大师是少林派来，迎接祭岳专使的全权代表。至于皇帝是否召见他们，得看他们的机缘了。

陈百户据案高坐，神气得很。

"不行。"陈百户语气斩钉截铁，断然拒绝法慈大师提出，允许葛姑娘自由活动，去找天斩邪刀的请求，语气坚决，别无商量。

法慈大师神色不安，急得冒冷汗。

"陈大人明鉴。"法慈大师不死心，继续陈明利害："兹事体大，那位刀客如果真横了心，任性胡来，万一惊扰了圣驾，谁也担负不起责任。目下只有葛姑娘稍为了解这个人，由葛姑娘出面找他……"

"不行。"陈百户不耐烦地挥手，听不入耳。

"陈大人……"

"不行。"陈百户越来越不耐烦。

"可是……"

"不行。"陈百户声音提高了一倍："张家大院那些人，都是些亡命之徒。本座冲大师金面，允许他们留在张家，保护张知府的家眷，已冒了万千风险。想允许他们外出活动，绝对不行。"

"他们是侠义道英雄人物……"

"什么叫侠义道？什么英雄？哼！"

"这个……"

"不法亡命，如此而已。"

"他们……"

"不行。"陈百户大为不悦："诸位大师可以走了，夜已深。本座公忙，请不要再来了，我不会再见你们了。吕参赞，送客。"

正确地说，不是送客，而是下逐客令。

陈百户显然对什么德高望重高僧，缺乏应有的敬意，可能是不信佛的人，面对高僧也不假以辞色。

被称为吕参赞的人，立即离座促客。

四高僧你看我我看你，无可奈何，主人的态度坚决强硬，他们只好乖乖告辞。

四位高僧沿大街赶回延孝寺，不想再到南关张家通知葛姑娘了。

"让他们去死吧！我们用不着多管闲事。"一位高僧愤愤地发牢骚："好心没有好报，真是岂有此理。最好让天斩邪刀向皇帝行刺，事情闹得越大越好，说不定大快人心，天斩邪刀成为不世英雄呢。"

"师弟，不许胡说。"法慈大师心里虽不痛快，但不得不制止师弟发牢骚："真要闹出事来，本寺的人哪有好日子过？缉拿逆匪钦犯的事，一定会落在我们头上的，结果如何？所以，我们不得不找天斩邪刀商量，既可说服他不闹事，又可利用他对付妖人，两全其美。专使与弥勒教妖人暗中勾结，该是拒绝我们要求最大原因。我佛慈悲！这件事真烦人。"

"不是烦人，而是祸人……"

"嗓声！"法慈大师低叫。

街上鬼影俱无，夜空寂寂，天气奇寒。

"师兄，怎么啦？"后面的高僧毫无发现，附近根本不可能有人。

"屋上有人掠走。"法慈大师指指街右的房屋："身法非常惊人。"

"我们不必管闲事了，师兄。"

"也许……也许与专使有关。"

"那又怎么样？"

"咱们回去看看。"法慈大师的口气不像一位高僧。

"唔，有意思，值得一看。"

四僧低声商量片刻，转身往回走。

陈百户遣走了四位高僧，脸上的神色很难看，像个讨不到债的债主。

少林僧人是迎接祭岳专使的代表，所有的密探还真不敢得罪这些德高望重的高僧。

而且，法慈大师是首席知客，负责接待各方施主大德，也负责祭岳专使的安全重任，地位高责任重，因此麻烦事也特别多，陈百户无法避免与法慈打交道，打交道的琐事当然烦人。

全权迎使代表，是少林的监院大师法慧。

这位监院大师上了年纪，说话像是惜语如金，不理会一切繁琐事务，一切对外交涉，完全责成法慈大师负责，不会亲自前来打扰陈百户，陈百户也无法与这位老和尚沟通，深感烦恼。

"这贼和尚简直得寸进尺，管的事越来越多了，不胜其烦，真不知趣。"陈百户忍不住向属下发牢骚："狗捉老鼠，多管闲事，他凭什么干预那个混账刀客的事？分明故意危言耸听，有意为天斩邪刀脱罪，哼！"

"长上，恐怕和尚也是一番好意呢！"吕参赞加以劝解："天斩邪刀既然扬言报复，出了事大家受害。这里是少林的势力范围，少林僧俗子弟皆前来严防意外，出了事，少林的颜面何在？如果能阻止出事，对咱们负责治安的先遣人员也有好处呀！"

"区区一个小亡命刀客，咱们真的应付不了吗？哼！"陈百户并不认为少林僧人怀有好意："贼和尚分明藐视咱们这些人，以为只有他们出面才能解决困难，哼，什么东西！"

"长上，恐怕咱们真的应付不了那个亡命刀客呢！"吕参赞忧形于色："冷剑天曹那些人，已经感到胆怯。派去搜捕那刀客的九个人，尸体已经在一处土坑找到了，这消息封锁不了多久的，长上须早谋对策。"

"尸体上有剑留下的创口，怎能认为是那刀客所为？你们都被那混蛋虚言恫吓所惊，都变成惊弓之鸟了。派一个人去找那个什么守护天尊，要他出动所有的人手，协助我们的人，务必在明天午夜前，提那个混账刀客的头来见我。"

"长上，使不得。"吕参赞惶然说。

"为何使不得？"陈百户脸色一沉。

"那刀客闹事，起因由于他与那些人的冲突，波及我们的人，我们已经损失惨重，再由那些人公然出面协助，那刀客更为振振有词兴风作浪了。如果因此而惊了圣驾，今上不砍我们的头，都堂大人也会砍咱们的脑袋，或者咱们要死在天斩邪刀下……"

"你给我闭嘴,少长他人志气,灭自己威风。"陈百户勃然大怒,拍案怒叫:"天王菩萨也惊不了圣驾。禁卫军一到,立即全面封锁,连苍蝇也飞不近车驾,你简直杞人忧天。快,给我派人去通知守护天尊,明天午夜之前,砍不了那混账刀客的头,我就砍他的头充数,以免那混账刀客撒野。"

今上,指皇帝,是京都的官方人士,对皇帝的内部称呼,意思是当今皇上。

都堂,指目下的锦衣卫指挥使陆柄。京都人士,称他为陆堂。卫所的部属,则称他为都堂。其他人士,也有称他为陆都堂的。

陆指挥使名列天下四大奸恶之一,但却是惟一不陷害正人君子的人。

目下陆指挥使正亲领侍卫与御林军,保护车驾南下承天。

今夜,现在,此时此刻,皇帝大祸临头。

当日皇驾驻跸卫辉府,夜宿行宫。

行宫失火,风狂火猛,皇帝身陷火海中。

陆指挥使是陪伴皇帝长大的,他的母亲是皇帝的乳母,两人感情深厚,情同手足。

陆指挥使亲自挥动大斧,冲入火海把皇帝背出,须发被火燎光了。

据传说,他是火德星君降世,大火烧不死他,连背上的皇帝也没受伤。

今天,是二月二十八子夜。

新郑城皇帝车驾前面的先遣专使行馆,也发生了重大事故。

卫辉行宫大火,有目共睹,不得不向外发布消息,以"数有前定"轻轻交代了事。因为随行的神霄保国宣教高士陶真人陶神仙,早已在车驾进入卫辉之前,一阵大旋风把车驾刮得人仰马翻,陶神仙已经算定将发生大火灾,数已前定,无可避免。

同时，也未卜先知，算定皇帝死不了。

新郑事故，由于皇帝仍在大河北岸，些小事故没有发表的必要，因为那与皇帝无关。

陈百户是先遣治安人员的指挥官，对锦衣卫那一群外围密探的办事效率，一直就具有充分的信心，认为这些人武功高强，无所不能。

一个区区刀客，算得了什么？但死了几个人，这位刀客居然敢扬言要掀起焚天烈火，他的信心动摇了，首次对那些外围密探产生不满与怀疑心理，一怒之下，产生求助外力的念头。

弥勒教有不少神仙级人物在这里，正是可以借用的最佳外力。

弥勒教在京都，与锦衣卫东西两厂，明里是对立的，暗中却有不足为外人道的默契，在利害关系上，各行其是，各取所需，互不侵犯。

这种默契，其实是嘉靖皇帝所"暗中"授意的。

陈百户一发怒，包括吕参赞在内的八名属下，怎敢再陈明利害？军令如山，他们惟一可做的事是服从。

"属下遵命。"吕参赞的脸，成了难看的苦瓜脸："属下这就派人发出讯号。"

"发讯？不派人去找？"

"禀告长上，他们有一组人，就潜伏在县衙附近，留意一切动静……属下是指守护天尊那些人。负责联络的是副使杨百户，他可以发讯号将那些人的首脑召来。"吕参赞据实禀告，其实这件里通外人的事，大家心知肚明，陈百户早已知道底细。

弥勒教不在南北两京附近造反，这是"默契"主要条件之一。因此，弥勒教的人不可能向皇帝行刺惊扰圣驾，而且是该教发展的护身符。

杀死一个允许他们发展存在，甚至暗中支持他们获有生存空间的皇帝，对该教毫无好处，有百害而无一利，反而是大灾祸。

继承的下一个皇帝，会允许该教暗中生存发展吗？

陈百户敢借助弥勒教外力，当然知道双方的微妙关系。

他的部下当然有人不同意。

狼子野心，一涉及利害关系，这些教匪很可能铤而走险，会发生失去控制的大灾祸，惊动圣驾不可收拾。

吕参赞就是不同意者之一，认为身负重任的人不宜玩火。

"我要马上见他们。"陈百户不再追问。

"属下这就派人请杨副使发讯。"吕参赞心不甘情不愿应诺，退至堂下，找来在角门等候差遣的下属，耳语片刻打发那人立刻动身。

杨副使带了一些人，以县衙作行辕。陈百户所住的县太爷官舍，其实也位于县衙内。

县衙彻夜办理要公，警卫森严，进出的人，皆需检查兵符腰牌。

其实，县衙已被锦衣卫占用，各地区的治安负责人，已派至全城各地区设立警备站。县衙所留下的人，全是高阶层人士。

外围密探的几个联络人，并没有长驻在县衙指挥，他们必须按情势的变化与需要，亲赴责任地区指挥坐镇。

冷剑天曹这一组外围密探，人数最多，责任地区在城西南角，以及城外的西乡和南乡。

他这一组，也就是与天斩邪刀发生冲突的当事人，因此重要的负责人，经常在县衙听命，由信使传递最新的消息，随时向上级呈报情势的变化。

陈百户要召见弥勒教的城内联络人，冷剑天曹这一组人，与弥勒教关系密切，哪能少得了冷剑天曹参与？

最先赶到的是冷剑天曹一组五个人。

其中的方世杰气色仍然不好，上次挨了桂星寒一脚踢中小腹，伤势沉重，虽有武当疗伤至宝龙虎金丹救治，显然还未完全复元。

片刻，两名军官领着三位男女入厅，成为陈百户的贵宾，所有的人皆颇感惊讶。

热烈客套一番，贵宾的姓名也让主人惊讶。

为首的贵宾，是风华绝代，惊艳四座，淑女气质醉人的吴娥姑娘。所佩的轻灵女性饰剑，宝光四射，十分华丽。

洵洵温文外形如中年书生的吴世，毫无吓死人的气质和体格。腰间所佩的剑，分量可就不轻了。

高不及四尺的老侏儒，面貌苍老丑陋的吴飞，却挟了一把与身材同高的铁骨天王伞，重量可能也与身材几乎相等，至多相差一两斤而已，谁也不明白怎能用来打斗？

三个男女的姓名，串连起来，字音就与"无我"、"无是"、"无非"一样。

所有人都明白，那是嘲世的假姓名。

年华双十千娇百媚的吴娥，吸引了所有众人的注意力。弥勒教人才济济，怎么选一个美丽的小姑娘出来撑大旗？委实令人惊讶，莫测高深。

方世杰眼都直了，似乎忘了体内的伤痛。

他的身份地位不高，总算不敢露出勾引女人的恶形恶像，但自始至终，他的目光不曾须臾离开吴娥的身躯，魂不守舍，甚至到了神魂颠倒的境界了。

双方客气地引介。冷剑天曹地位低，却忍不住抢先发话，脸上怀疑的神色显而易见。

"据在下所知，贵方此地的负责人，是一位姓孙的人。"

冷剑天曹在官方的地位低，只是锦衣卫武学舍的一位教头，一个聘雇人员，根本没有军人身份。

但在江湖道上，却是名号响亮的高手名宿，与江湖人打交道胜任愉快，说话极为有分量。

"是呀，吴姑娘，我的属下，从未提及你们三位呢。"陈百户接着提出疑问。

"那位孙大叔已调至城外另有公干。"吴娥嫣然一笑，用极为悦耳的嗓音解释："城内的一切事务责任，午后改由我负责。我午间刚由南面赶到，这半天工夫，所发生的事故动静，我可说已经全部了然。陈大人请放心，有何需要我们效劳之处，但请吩咐，定然不让诸位失望的。"

"姑娘想必已经知道，仍然是有关天斩邪刀的事。"

陈百户粗眉深锁，脸色不豫："你我双方都出动了不少精锐，但迄今仍毫无线索。这件事十万火急，雾必在明晚子夜前，至迟不能超过破晓时分，如不能在这期间，将这个罪该万死的刀客毙了，将引起严重的后果，很可能城内封屋城外封村，三十里内断绝行人……"

"哈哈哈……"厅门外传来震耳的狂笑，人影当门而立。

所有的人皆大惊，有大半的人跳起来拔刀剑在手。

"天斩邪刀！"冷剑天曹骇然大叫。

桂星寒的风帽掀起掩耳，露出的面孔并没有化装易容，与他照过面朝过像的人，一眼便可以认识他。

厅门外本来该有两名把门的警卫，显然这两个警卫严重失职，让陌生人公然光临，而不加以阻止。

"不用你们辛辛苦苦找我，我来了。"

桂星寒当门而立，有如虎踞柴门，一夫当关。

左手一扬，沾血的皮袄包裹向堂下一丢，包裹中散出一颗血淋淋的人头。

人头发髻半散，生了虬须，因此像一个毛球，面孔狰狞极为恐怖。

"这个就是你们弥勒教那个姓孙的人，真名叫孙强，是妖教十大神将之一。当年在陕西造反兴兵时荣任元帅，兵败遁逃仍是弥勒教的重要人物。他在官府的档案中，头值一千两银子赏金。"

桂星寒声如洪钟，朗朗而言声震屋瓦："我把他的头砍下来了，并不是为了领赏，而是表示我天斩邪刀，已经向你们这些官匪勾结坑害我的人，展开了无情的打击，用我的天斩邪刀讨公道。"

陈百户这些人，与弥勒教的人明暗之间打交道，从不提弥勒教三字。

自己人之间，除了少数人心知肚明之外，其他的人皆以"那些人"称呼弥勒教的妖匪，彼此心照不宣。

双方照面，也仅以"你们""我们"相称。

"你这该死的逆贼……"冷剑天曹咒骂着，毅然豪勇地挥剑冲出。

他的四位同伴，包括方世杰在内，也随后跟进，情势已不允许他们退缩。

"且慢！"

吴娥的娇叱声，声浪虽小，依然悦耳，但入耳却感到耳膜欲裂，脑门如受重物撞击，甚至产生刹那间的眩晕现象，浑身不舒服。

已冲出的冷剑天曹五个人，吃了一惊，骇然止步。

挡在厅门的桂星寒浑然未觉，音波对他不起作用，只略一皱眉，冷冷一笑，拔刀出鞘。

"我来对付他。"吴娥举步下堂，裙袂飘飘有如仙女临凡，美丽面庞上的笑容十分诱人，怎么看都神似一位可爱的淑女。

所有的人，都用狐疑的目光，紧盯着她移动，似乎无法相信她会身怀绝技，敢与天斩邪刀相搏。

她那迷人醉人的笑容，也不像与刀客交手，倒像是有意勾引男人，或者想用柔功魅力降服凶暴的刀客。

"女人，你真美得令人魂不守舍，美得令人心醉。老天偏心，能给你的都给你了。"桂星寒也笑容可掬，说的话却流里流气邪味十足："你对付得了我吗?"

"我总该试试呀! 不试怎知?"吴娥接近至一丈左右止步，水汪汪的媚目紧紧吸住他的眼神。

"早晚你都会试的，我等你。"

"用你的刀等我?"

"你也有剑呀!"

"这是饰剑，我很少用。"

"少用并不等于不用。好，我收刀。"

刀入鞘，他的掌心慢慢变了颜色，似乎血色全无，表面泛起一层怪异的淡金色薄膜。

由于他双手自然下垂，掌心内向，对面的人，不可能看到他双手的奇异变化。

"你杀了我们的人，聪明吗?"吴姓的嗓音也变了，细细柔柔但依然悦耳："尤其是你已经知道我们的来历底细。"

"我不杀你们的人，你们的人早就将我粉身碎骨了。情势不由人，姑娘，这与是否聪明无关，你举剑我拔刀，不是你就是我，剑及心刀临头，哪有余暇权衡利害? 这是十分简单明了的事，只能做，不用想。"

"桂兄，这不是理由。"

"没有人需要讲理由，有理也讲不清。你们的来历底细，的确可以震慑绝大多数英雄好汉。但我是一个出道没几天的年轻人，抱有崇高的信念，具有真挚的热情和勇气，在这莽莽鬼蜮江湖中遨游闯荡，岂能因为你们这种强梁组合，向我说一句威胁恐吓的话，我就乖乖扮惊弓鸟漏网鱼儿溜之大吉? 那我日后还用混吗? 还有什么好混的? 你希望我是这种人吗?"

"你可以和我并肩携手，开拓你的事业前程呀！"

"哈哈！跟你们打江山？"他大笑："你看我，四肢发达头脑简单，胸无点墨言谈粗俗，举止轻浮狂诞，穿起龙袍也不像个皇帝……"

"你人才一表，相貌堂堂。"

吴娥打断他的话，双手在身前似乎毫无意识地缓缓相互抚摸："你没有理由故作狂诞，你应该像英雄好汉般，站出来宣示你的信念和勇气，争取你应该获得的尊荣。我，可以给你最强力的支持。我，可以帮助你获得想要的一切……"

他的右后方，闪出仅露双目的银扇勾魂客。

"小子，你也像一个大笨蛋似的，面对面与妖术通玄的妖女打交道，让她暗中施法制你。"老怪杰大叫大嚷："你曾经用这些话来嘲讽我，你自己却当局者迷，犯了同样的错误，难道说，你已被妖女的美色迷昏了头？"

"哈哈，男人被女色所迷，是天经地义，理所当然的事呀，你岂不是少见多怪吗？哈哈！你看，这女人有多美，多够女人味……"

话未完，他猛地左手一抄。

传出一声怪响，是从他紧握的掌中传出的。

异象发生了，他的沉重老羊皮大袄，像被狂风所掀动，像有百十只看不见的怪手，在他身上拉扯，连刀也不住蹦跳欲飞。

他挫下马步，虎目中焕发出奇异的慑人幽光，左手握拳举在胸正中，右手左揉右挽徐徐挥动，与无形的拉扯力，汇合成环绕体外的阵阵无形涡流。

吴娥开始曼妙的起舞，体外迸发阵阵惨绿色幽光。

银扇勾魂客大骇，向下一伏开溜。

一声沉喝，桂星寒反击了，右掌一翻，猛地虚空一掌吐出。

吴娥连退三步，裙袂飘扬。

一声娇叱，桂星寒猛地一震，浑身火发，瞬即火焰飞腾，火焰带有绿色的焰尾，可知温度必定甚高，老羊皮大袄在火中变形。

他一咬牙，左手紧握的五指一松，向前一扬，掌中飞出一团散碎的红芒。

吴娥尖叫一声，舞姿倏然加快，蓦地风雷乍起，全厅的灯火在同一瞬间熄灭。

银扇勾魂客被飞天夜叉紧紧地抓住，紧缩在门侧的壁根下战栗。

耳边听到桂星寒似已力竭的叫声："走！"

两人衣领一紧，被拖了急走。

三人在南郊的一座树林中歇息。桂星寒已经透支了大量的精力，亟须调息以恢复元气。

"这妖女到底是什么鬼玩意？妖魅？"

银扇勾魂客余悸仍在，向飞天夜叉询问。

老怪杰这几天来随桂星寒多次与弥勒教的人周旋，经历过怪异诡谲的变故，本来已经见怪不怪，但今晚看到的可怕情景，仍感到毛骨悚然，胆战心惊。

"你问我，我问谁呀？"飞天夜叉更惊怕，这些事故，根本不能用常情来解释的。在人们能够理解的范围中，那是不可能发生的非常理现象，即使是亲眼目击，仍然无法接受所见的事实。

"恐怕只有这小子知道，可惜他不会说。"老怪杰指指在树下休息打坐的桂星寒。

"说你也不信呀！"

"我能不信？你看他烧掉了袄面布料的大袄，变成什么鬼样子了？他像火窟里逃出的幸存者。他身上所发的火，决不可能是他活得不耐烦，而引火自焚的。我看得千真万确，妖女并没有用火烧他。"

"我看到妖女远在他前面一两丈，像受到无形魔手攻击的狼狈样。"飞天夜叉摇头苦笑："总之，他两人都不是人，一定。"

"我不是人？"桂星寒长身而起，伸伸懒腰。

"也许是妖怪，我摸摸看，你是不是无血无肉冰冷的怪物。"飞天夜叉真的伸手去摸他的手，毫无顾忌地摸他的脸。

当然不是冷冰冰的，双手温暖有血有肉。

"最好让我抱抱。"桂星寒腔调怪怪，作势抱她入怀，可知心情大佳，并未受到伤害。

"啐！"飞天夜叉扭身转开，感到浑身一热。

黑夜中虽然看不清她脸上的表情，但可以想到是极好看的，脸红似火，表情丰富。

"妖女的道行，高得出乎我意料之外。"桂星寒呼出一口长气："如果我所料不差，她必定已获得龙虎大天师真传。另一个男的，似乎更可怕。"

"你应付得了她吗？"飞天夜叉关切地问。

"面对面较量，她奈何不了我。"

"以她的造诣，杀掉皇帝该无困难吧？"

"别说笑话了。皇帝身边武功强的高手甚多，禅功道术出神入化的高僧和老道，最少也有二十个。那位活神仙神霄保国宣教高士陶仲文，就不是弥勒教这些邪门人士所能对付得了的。"

"没错，他确已修至地行仙境界。"银扇勾魂客是老江湖，见闻广博："他受艺于罗田万玉山，万玉山就是众所周知的活神仙。早几年在京都风雨雷云坛，陶仲文还是致一真人，与龙虎山张天师张彦颐共同登坛，明里奠神暗中斗法，张天师就差了一两分道行。所以这次皇帝南幸，带陶仲文而不带张天师随驾。"

"桂兄，你对付得了陶高士吗？"

飞天夜叉不死心，大概仍在打算盗取皇帝的珍宝。

"大概对付不了，我对修真之学涉猎并不深。家师说我不是神仙中人，我只会一些皮毛小技。"桂星寒说得相当谦虚，但"大概"两字，也表明他不自甘菲薄。

"咱们该走了，今晚不能再招惹那些人啦！"银扇勾魂客举步便走。

"你还想盗取皇帝的珍宝？"

桂星寒一面走，一面向傍在左侧的飞天夜叉问。

"我不甘心呀！"飞天夜叉大感沮丧。

拼武功，她信心十足，但和会法术的人相抗，她想起就有毛骨悚然之感。

"放弃吧！小丫头。"桂星寒拍拍她的肩膀："我相信你并不靠那些珍宝活命养家。"

"我毫不在乎那些珍宝，我爹是亿万富豪呢！"飞天夜叉急急解释："我做女飞贼，主要是……是……"

"走成名捷径，案子做得越大，成名越快，甚至可一鸣惊人。"桂星寒摇头苦笑："许多初出道闯江湖的人，志比天高，但踏踏实实的人，成名的机会少之又少。因此，一些好高骛远的子弟，改走捷径妄想一步登天，走上了不择手段，甚至无所不为的不归路，最后的下场可悲，已注定了他是一个失败者。"

"你呢？"

"在这里惹了灾祸，不是我的错。"桂星寒意指这次的冲突。

不但与天下第一秘教为敌，更与朝廷的锦衣卫打打杀杀。与锦衣卫冲突，就等于向皇帝挑战，形同叛逆，也等于与天下的官府为敌。

皇帝要经过这里，他将成为向皇帝行刺，大逆不道的钦犯，天下共诛，十恶不赦的死囚。

岂仅是一鸣惊人，那简直是轰动天下。

"你也放手吧，还来得及，桂兄。"飞天夜叉有自承失败的表示。

"出了事就不要怕事，我必须面对逆境。"桂星寒却没有放手的意思。

"我……"

"你放手?"

"是的，不能做力所不逮的笨事了。"

"好现象。"

"你也放放手好不好?"飞天夜叉央求。

"我放手而他们不放，日后我哪有好日子过?"

"那你……"

"我要逼他们放手。"桂星寒语气坚决，信心十足。

"你打算如何逼?"

"走着瞧，皇帝即将到来，那些人不解决和我的纠纷，死路一条，他们会急得上吊。"

"我帮你逼他们放手。"

"不，这是我和他们的事。"桂星寒断然拒绝。

飞天夜叉默然，有点感伤。她知道，桂星寒讨厌她是贼，不屑和她做伴，该是分手各奔前程的时候了。

但她却难以割舍这段波诡云谲，曾经互相伤害，却又共患难的情谊。

这期间，桂星寒在她的心目中，分量越来越重，桂星寒的一言一行，皆可左右她的情绪变化。

即使走在桂星寒身边，她也感到心情特别愉快。与桂星寒一次轻微的手眼接触，她也感到心跳加快，身躯起了异样变化，那种难以言宣的震撼感觉，既恐慌又快乐，乐于承受，却又心中惶乱不安。

这种感觉是何时发生的? 她却理不出头绪。

也许，是发生在那次弥勒教妖匪登门索人，桂星寒却从地窖逃出，把她陷入妖术所困的身躯，挟离现场脱困的那一刻吧！

总之，桂星寒已完全主宰了她的情绪变化。

刚才桂星寒是恢复疲劳，高兴地捉弄她，有点失态戏谑地说要抱抱她。她又羞又急，惶乱闪闪的避举动出于女性羞怯的惶急本能，其实心念本意却正好相反。

能依偎在她心仪男子怀中，那该是多么美好的事。

"等那个皇帝过后，我就走。"她幽幽地说。

"这时你想走，也走不了。"

"我知道……"

桂星寒并不了解她的心意，黑夜中也看不到她神色的变化。

"先遣警戒人员，恐怕已经布满许州附近了。"桂星寒再往北一指："往北，更是寸步难行。沿途兵马络绎，丁勇步步设防，旅客决不许可通行，道路已经封锁，犯禁的人后果可怕。"

三人谈谈说说，奔向六七里外的落脚处。

仅歇息了一个半更次，五更初正之间，银扇勾魂客便被桂星寒叫醒了，立即收拾行囊。

住在邻舍农宅中的飞天夜叉，与她的十二名同伴，也被唤醒，收拾行装准备动身。

夜黑如墨，寒风刺骨，村中不时传出犬吠声，没有任何人在外走动。

田野空茫死寂，寒夜凄清。

麦苗全覆埋在冰冻的大地之下，要不了多久，春的脚步光临，冰雪融化大地解冻，新的麦苗将以惊人的速度苗长，这一带便呈现一片无际的青绿，接着便是麦浪壮观的夏季了。

"辛苦了大半夜，睡眠不足，小子，你就十万火急把我们叫醒，你在搞什么呢？"银扇勾魂客一面整理包裹，一面嘀咕埋怨。

"另找地方歇息，养精蓄锐。"

桂星寒将背箩捆妥，试拔他的天斩邪刀看是否趁手。

飞天夜叉不需自己整理行囊，因此穿着停当，便前来帮桂星寒收拾。

"在这里再睡一两个时辰，岂不省事？"飞天夜叉也对他的决定大惑不解。

"天一亮，这里保证受到大批高手包围。"桂星寒将背箩背上了背："不要小看了那些人，每个混蛋都是精明的好人才。如果我所料不差，天一亮官兵丁勇必定各就各位，各在讯地报告封锁，路上不再有人行走，交通断绝，这里距城不足十里，正是封锁区的边缘。再不走，可就走不了啦。"

"他们沿途的封锁区，确是十里左右。"飞天夜叉说："我从磁州跟了一段里程，略为了解他们的习惯。封锁地区，通常是一日程。难道说，是皇帝昨晚在郑州驻驾？"

他们当然不可能知道，昨晚皇帝在河北岸的卫辉府驻驾，决不可能知道昨晚行宫大火，皇帝几乎葬身在火窟中，消息应该在今早，从卫辉府传出。

即使锦衣卫使用八百里鸡毛报飞传，消息也不可能这时传抵河南岸。

他们并不知道警戒地区负责人陈百户，为了天斩邪刀出现的事慌了手脚，被迫提前采取紧急戒严手段，以便制造铲除天斩邪刀的机会。

除不了天斩邪刀，陈百户的脑袋肯定会保不住。

狗急跳墙，任何手段都得搬出来施展。

陈百户并不知道皇驾何时可以到达，京都到承天，数千里行程，事先不可能订定行程时间表。

仅能从不断前后飞传的讯息中，估计圣驾可能抵达的时间。

每一座城市，每一段行程，先遣警戒人员都专派某一位官员负责，圣驾过后才解除责任，再飞赶超越到前面的城市，另赋任务。

新郑这段地区的负责人是陈百户，责任区北起县北五十里，与郑州交界，南至长葛县界二十里。这一地段发生任何意外，他都得负全责。

性命要紧，陈百户能不全力以赴？

"小子，你的意思是逃出警戒区外？"银扇勾魂客怎知桂星寒的打算？

"我引他们到警戒区外痛宰。"桂星寒虎目中冷电湛湛："御林禁卫军与造反的妖孽钦犯勾结，残害我一个无辜的人，天理何在？我不会放过他们，哼！"

"豁出去了？"

"没错。天一黑，我再到城里大开杀戒，把新郑闹翻天，让皇帝砍这些混账们的脑袋。"

"小子，可不要闹得太大了。"银扇勾魂客似乎不胜惶恐："成为钦犯，名气有了，但毕竟风险太大，日子难过，重赏之下，你将成为众所争夺的猎物。"

"我现在放手，同样会成为钦犯。老哥，亡命逃避的人，猎他的人更多。龙虎大天师是天下共知的钦犯，敢狂言要猎他的人有几个？名气越大，敢猎他的人越少。我烧起一把焚天烈火，敢猎我的人寥寥无几，我如果胆怯放手逃了，那才真的日子难过。"

"这也是实情。祸闯得越大，怕你的人就越多。一个敢轰轰烈烈干一场的好汉，他所获得的尊敬也水涨船高。小子，既然你已经决定了，那就好好地干吧！我将设法劝阻伏魔剑客那些人参与。"

反激作用生效，老怪杰眉飞色舞，心中暗笑，年轻人受不了激，不怕后果严重，一激就坚定豁出去的决心，正中老怪杰下怀。

"你最好不要参与，那些人敢不听锦衣卫密探的驱策？甚至会替他们打头阵，你劝阻得了吗？说不定你也会被列名钦犯，被他们擒住解去领赏呢！"

"怎么会？你不要危言耸听。"

"是吗？走着瞧好了。"

桂星寒领先出房，扭头向跟在后面的飞天夜叉说道："你人多，在高手眼中，人多反而是累赘，你一定要带着他们，尽快地远离危险区，以免有人落入了他们的手中，你日后的处境将十分恶劣。"

"你不会善用人手，布下埋伏等他们来吗？他们人多，而我有可用的人手……"飞天夜叉大表不满，对他固执的孤军奋战态度不敢苟同。

"人多便形同是造反啦，我不希望这次的偶发事件，被他们描绘成预谋，你们先走，要快！"

"咦？你的意思……"

"快走，越快越好！"桂星寒嗓音一变。

"小子有所发现了。"

银扇勾魂客低声说道："咱们走，不要缚住他的手脚……咦！"

桂星寒已经不见了，像是一眨眼就无影无踪。

飞天夜叉一跺脚，气冲冲地赶上走在前面的同伴。

她本来打算说服桂星寒，利用她的人手布伏，与对方决战，让她有机会并肩联手。桂星寒显然不愿和她合作，她十分失望。

第十章　城外劫杀

破晓时分，小径旁的枣树林前，四位高僧席地而坐，不诵经却高谈阔论。

"那个什么神将元帅，大概死得心不甘情不愿。"法慈大师在没有外人的地方，说的话可就没有高僧味了："如果他知道天斩邪刀，等候他前往挨刀，一定会趋吉避凶，在大街上和我们拼缠，就可以逃过大劫了。"

"生有时，死有地，师兄，咱们不是相信因果吗？种什么因，就得什么果。那个神将元帅杀人挥刀，死在刀下理所当然呀！"另一位高僧说的因果似是而非："他如果在大街上和我们拼搏，我们能沾血腥杀他吗？"

"就算我们不得已杀他，也不能用刀。"第三位高僧更不像高僧："那个陈百户震怒地决心全力一掷，一意孤行，不知会枉送多少性命，连累多少人挨刀。师兄，你觉得他们十路埋伏，成功的机会有多少？"

"呵呵，这得看天斩邪刀是不是朦然无知了。"法慈大师大笑："糊糊涂涂一头撞入埋伏区，不死也得脱层皮。"

"狗多咬死羊，何况围起来咬？"

"他们不是狗群，而是虎狼群。"法慈大师的口气有愤懑味："以北面两里地小河沟来说，那是进出城的小径，十个人以妖术和暗器，同时猝然猛攻，天斩邪刀不被撕成粉碎才怪。"

"南面的双池小径，也是乡民出入县城的必经之路。"第四位高僧不甘寂寞："那一路埋伏，实力又太弱了，十个武功不怎么高明的教头兼密探，绝对禁不起天斩邪刀的切割。"

"可不一定哦！"法慈大师说："两边是冰已解的池塘绝地，出其不意先用暗器，一逼之下，不死于暗器，也将被逼落片刻可将人冻僵的深池里。"

"毫无防备的人，怎能闯得过暗器阵？看来，天斩邪刀只有靠菩萨保佑了。"

"管他呢，那是菩萨的事。"法慈大师整衣而起："呵呵，事不关己不劳心。咱们到别处走走，找地方化缘，一夜没睡，饥寒交加受不了啦，走也。"

"我佛慈悲。"其他三僧也一跃而起。

四位高僧缓步离去，宝相庄严，这才有高僧的气派了，情绪控制得很好。

枣林中潜伏着一个人，把四高僧的话听得字字入耳。

"这四个大和尚很有意思。"这人是桂星寒，冲着四位高僧缓缓离去的背影暗笑："苦修了几十年，还没修至六根清净境界，居然玩弄借刀杀人的游戏，大概他们受了满肚子委屈，受不了啦！"

他往东北方向窜走，宛若电光流火。

小河宽仅丈余，流经这一带荒野，可灌溉两里多连绵不绝的麦地。小径在河北岸，是乡民进城的必经道路，平时并没有多少人行走。荒野里枯草荆棘丛生，间或生长着一些不足两年的小榆树。

十个人分为三组，潜伏在小径北面，眼巴巴监视着东面，那是县城的方向。

昨晚三更，天斩邪刀还在城里兴风作浪。

　　直至四更天将尽，仍然有人看到一个来去如风的人影，在县衙附近飘忽不定，甚至打昏了三个巡街的密探。

　　这表示天斩邪刀，在天亮之前必须撤出城远走，该从东面来，走这条路的可能性非常高。

　　十个人腰间，皆携有大型的乾坤百宝袋，是盛装法器的宝贝，表示十个人都是具有神通的术士。

　　枯草高及腰际，坐在草中才能看到远处的景物，想看远些，必须站起来。

　　天终于亮了，东面毫无动静。

　　最东的一组人，等得心中焦躁。

　　三人与同伴的另一组，相距约二十步左右。

　　"这杂种可把咱们累坏了。"一个术士站起来远眺，口出怨言："把他弄到手，我要剥他的皮。"

　　"恐怕他不会到这条路上来，轮不到你剥他。"另一同伴说："我觉得，大少主这一招十路埋伏并不妙，人都分散了，守株待兔，是最笨的主意。咱们应该全面搜寻他，穷追猛打，就算捉不住他，至少也可以把他远远地赶离县城，暂时解除危机。"

　　"三宫主受了伤，大少主沉不住气。也就是说，他有点心怯。"第三个人又接着说："大少主刚赶到不久，一点也不了解天斩邪刀这混蛋的底细，一时大意，被那混蛋在面前伤了三宫主，伤了他的自尊。因此，他坚持配合陈百户，双方联手布十路埋伏，他自己带了人策应，希望能亲自擒了天斩邪刀碎尸万段。哼！既然设了十路埋伏，哪有机会让他亲自出马擒住天斩邪刀？比方说，我们发现了他，他能及时赶来亲自下手吗？"

　　"我们把死人交给他，也算是他亲自出马呀，他亲自带人出城策应，证明他并不心怯。老七，你批评他心怯是不公平的。"

　　"我无意批评他，他缺乏旺盛的斗志是事实。"

　　"也怪不了他呀，他的道术比三宫主差了一分半分神通。三宫主一时大意受了伤，他也一时大意来不及出手。不管是否真的大意，他没能出手是事实，对天斩邪刀不无顾忌，没有制胜的把握，所以寄望在埋伏上，不能说他的斗志不旺盛。"

"算了算了，没有争论的必要。"老七悻悻地说："老三，看到什么了？"

"什么都没看到。"站起远眺的术士摇摇头："三里外鬼影俱无，那杂种不会从这条路上来了，咱们的运气不佳。"

"也许是走运。"

"是死运！"沉雷似的叱声起自身后。

像掠过一阵狂风，挟如电刀光一掠而过，掠过小径，掠过小河，远出三十步外，突然向下一闪即没，像被野草荆棘吞没了。

三个人都倒了，一个腰被砍断了一半，一个左颈被割开，一个颈右裂了口。

西面的两组人，总算发现逸走的人影了，还不知死了三个同伴，呐喊一声追过小河，狂追人影，把埋伏的事抛诸脑后。

第二组人在最西，因此反而追在第三组四个人的后面，顾前不顾后，注意力全放在逸走的人影上。

前面的人影倏然隐没，他们以为必定是伏倒在草中躲藏，毫无戒心地跟着第三组人飞掠。

第三组有四个人，其中之一是指挥，追的也最快，两三起落便到了人影隐没处。

草下没有人，像窜入草丛的野兔。

野兔窜入的地方，绝不是兔藏身的地方，入草便贴草隙飞遁，原地绝不可能找到。

草丛高仅及腰，藏不住人的。

"大家小心……"这人大叫，倏然止步回顾。

眼前的朦胧人影，正反往他们先前埋伏处电掠而走，而跟在后面的第二组三个人，正疯狂地向草下掷倒。

用不着小心了，这一组三个人已经死了。

"天斩邪刀……"有人认出人影是谁了。

人影不易分辨是谁，太快了，而且是背影，能分辨的是那把刀，刀的样式怪异，呈现的刀光也就不同，是从刀光中分辨出是天斩邪刀。

天斩邪刀指人，也指刀。见过这把刀的人，莫不望影心惊。

这些人在这里埋伏，要宰天斩邪刀，反而被天斩邪刀所痛宰，两冲错斩了六个人。

天斩邪刀的身影刀光，已隐没在他们先前的埋伏区，反客为主，取而代之，不知藏身在何处。

全凭人多势众以及埋伏取胜，目下人手死了十之六，埋伏失效，斗志迅速沉落，甚至绝望崩溃，叫喊声充满惊恐的意味，四个人不约而同，惊怖得失去追赶的勇气，也进退维谷。

为首的人发出震天警啸，却鼓不起勇气上前去搜寻，四个人表面上列阵自保，其实随时准备逃走。

人影不再出现，四个人越等越害怕，手中的剑已经颤抖得抬不起来啦，也支撑不下去啦！

幸好天斩邪刀不再出现，这些人实在害怕那把杀人无声无息的邪刀。

北面不足三里，另一组埋伏也是十个人，是锦衣卫的密探，听到南面传来的啸声了。

埋伏，如非绝对必要，是不能移动的，而且必须避免暴露位置。

十路埋伏，可知必定有十组人，分别在可以通行的地点布伏，每组最少也有十个人。

另有游动策应的人，在十路埋伏的地区待机而动。

警啸声传出，表示猎物已被发现，左右两路埋伏的人，不必再在埋伏区守候了，必须尽快前往支援，两三里距离片刻便可赶到。

奔出半里地，通过一片荒地。

他们必须尽快赶到，参与包围、攻击或搜捕，用任何可用的手段，搏杀最可怕的天斩邪刀。

沿途不可能有凶险，天斩邪刀已经被发现了。

荒草荆棘丛中，突然弹刃似飞蝗。

有人在等候他们经过，而且人数甚多。潜伏在草中的人并没现身，相距两三丈，弹丸一闪即至，骤不及防的人，毫无闪躲的机会。

砰啪啪一阵爆裂声中，十个人无一幸免，惨号着纷纷摔倒，创口成了血洞，有些创口仍在冒烟。

是流光弹改造的霸道暗器，本来是用来照明或纵火的器具，改制成暗器威力倍增，是用来专门对付弥勒教妖人的利器，贯入人体才爆炸，但在体外却不会造成伤害，与儿童玩的惯炮性质相同。

被击中的人，除非击中要害，不然不会致命，但伤势却痛苦万状相当严重，挨上三两颗，铁打的人也受不了，不痛死也会痛昏。

人影暴起，刀剑齐挥收拾残局。

为首的人年约半百，右胁与右肩背，出现两个血洞，皮袄炸得皮毛往外翻，摔倒后居然撑得住，吃力地翻身坐起，痛得浑身的肌肉不住抽搐。

他看到人影，看到兵刃的光芒，牙关一咬，颤抖的手吃力地拔剑。

跌坐在地上，剑不易拔出，抬头上望，看到露出美丽面庞的飞天夜叉，和飞天夜叉手中的长剑，以及利镞似的慑人目光。

"你……你是谁……"他气竭声嘶，咬字还倒清晰。

"飞天夜叉。"

这位仁兄是最近赶到接受差遣的人，并不知道飞天夜叉与冷剑天曹一群人冲突的经过，更不知道飞天夜叉与弥勒教妖人之间的过节。

"为……为什么？为……什么……"

这人可能不知道飞天夜叉是何人物，怎么无缘无故用歹毒的暗器偷袭。

"你不知道为什么吗？"

"在……在下……"

"你们这些人在干什么？"

"搜捕—……一个叫天……天斩邪刀的……人……"

"那就对了。"

"你……"

"我要替天斩邪刀，清除对他不利的人。"

"你是他……的同党……"

利剑终于拔出了，对面的剑光也在这一刹那下射。

白天，四乡十里内的村庄，所有的人皆不许离村走动，民壮全被召集沿路布哨戒严，交通断绝，昼夜皆有成队的丁勇巡逻。

白天不可能再有人进出县城而不被发现，天斩邪刀已被阻绝在城外。

十里戒严之外，大批高手奔东逐北。

血腥好浓好浓，不时有人抬回尸体。

可是始终没能掌握天斩邪刀的动向，阻止不了他飘忽不定的快速打击，打了就跑神出鬼没，刀一现必定有人送命。

撤走时快逾电火流光，无人能追得上他，任由他在这数十里方圆的荒野麦地来去自如。他不逞英雄，避免与大群高手决战，猝然暴起一击即走，把这些高手杀得望影心惊，心胆俱寒。

这些人起初是信心十足，斗志高昂，勇气百倍。然后是愤怒如狂，誓为死去的同伴报仇。接着是心惊胆跳，斗志沉落，最后是……

派出的人开始后撤，信心全失，撤回十里有民壮丁勇列阵布哨的戒严区，仓皇集结胆战心惊，完全失去出击的勇气。

这次倾巢出击，所付出的代价太大了。

付出惨重的代价，问题仍未解决。

弥勒教的人，损失最为惨重。

他们不甘心，不再接受密探们的指挥，分道扬镳各自为政，另组行动队发挥攻击埋伏的手段，身手不够高明的人全部远离。

陈百户也另有打算，他必须解决迫切的危机。

天斩邪刀离开了西乡，西乡已经没有他狩猎的对象，那些人已经撤离，他不需在没有对手的地方逗留，他有他的打算。

他不能进入十里戒严区，至少白天不能，丁勇民壮都是一些可怜虫；他不能伤害这些被强制征召的可怜虫。

他进入北乡地区，另避狩猎场。

皇帝的车驾从北面来，他往北移动。

近午时分，土阜最高处，升起了袅袅青烟，有人在平坦的阜顶生火。

四周枯草形成草垫，压伏在冰冻的大地上，一望无涯不影响视界，只有一些散落的矮树丛，没被严冬的冰雪所压倒，枯枝正好利用升火。

立起两个三脚架，树枝穿上一只洗剥干净的大肥鸡，置在架上徐徐转动。枯枝生的火颇为旺盛，肥鸡已油光水亮，皮呈脆黄色，香味迎风飘扬。

午间有一只烧鸡入腹，真是极为惬意的享受。

他坐在地上，兴致勃勃专心烤他的鸡。

背篓已经不在身边，酒葫芦却拴在腰间。有酒有烤鸡，夫复何求？南面王不易，对人生已别无所求啦！

西北风劲冽，烟上升度有限，一吹即散，虽位于土阜高处，远在里外的人，事实上看不到火烟，但仍可吸引一里以内的人。

也许，他要利用烟火把猎物引来。

西南半里外有人接近了，来势相当快，可能是被烟火引来的，是一个人。

他坐的地方，可以远眺三里外。

但如果来人利用散布在各处的矮树丛，以隐秘的行动接近，将很难发现，他所处的地势并不理想。

他以为猎物被引来了，到了百步外却发现料错了。来的是一个人，不是猎物，而是一个他熟悉，而且有点喜爱的女人。

是葛春燕姑娘，风帽掩耳掀系在上面，露出美丽的面庞，远远地便一目了然。

"你倒是惬意得很呢，桂兄。"葛姑娘喜滋滋地奔近，往他身侧坐下，大有江湖不拘俗礼女英雄气概："是不是见者有份？我饿了！"

他对葛姑娘本就有好感，好感更增加了些，不打不相识，相识逐渐会发生好感。

"分你一根鸡腿。"他欣然说："敢喝的话，喝两口高粱酒可以挡寒。"

"小气鬼，分一半好不好？"葛姑娘嫣然一笑，伸手抢他贯着鸡的树枝："再烤就焦啦，我来分！"

"唷！你是反客为主吗？"他拨开葛姑娘的纤手："下酒要烤香些，再等一等。喂！我知道你姓葛，可否请问芳名？"

"小名春燕，我的轻功不错呢。"

"剑术也不错，你已获昊天神剑的精髓，可以挡住我的天绝三刀，真不错。他们派你来做说客呢？抑或是勒令你向我递剑？"

"是少林的长老，要我向你求情的。"葛姑娘叹了一口气：
"你把他们杀惨了，向少林长老施压力，要求少林弟子出动对付
你。少林长老对他们勾结弥勒教妖人，感到十分愤慨，并不在乎
他们加压力，只是念及你真在新郑掀起狂风巨浪，不知会累及多
少无辜。"

"少林僧人出动，也奈何不了我。"

"桂兄，少林弟子不会出来对付你。"

"那……"

"法慈大师知道你对我这个冒失鬼，略有少许好感，所以曾
经向来使请求，让我自由走动，以便找你商量，请你暂时离开，
不要惊扰皇帝圣驾，专使却毫不客气断然拒绝了。现在，他们已
被你杀得心胆俱落，只好重新要求法慈大师出面挡祸消灾，我才
能自由走动。"

"如果我不答应呢？"

"少林弟子不会出城助纣为虐，任何后果法慈大师一肩挑。"

"你回去告诉那个专使，我在北面抱獐山破庙等他，我要他
澄清陷害我的理由，追究责任。申牌初，我等他。他如果不来，
哼，看情势，皇帝今天薄暮时分该可赶到。晚上我进城，找皇帝
评理。"

"御林军还没有到达，皇帝的车驾，不可能在傍晚到达。通
常先遣的一部分御林禁军，在车驾前面一日程部署。所以如果今
晚先遣御林军到达，明早他们动身，那么，明晚车驾便会抵步
了。"

"我会往北迎上，或者干脆到郑州等。"

"桂兄，你一离开新郑，这位专使就没有责任了。郑州是另
一位专使的责任区。你往北走，这位陷害你的专使可就乐歪啦！
等于是上天保佑他平安。"

"我不会让他乐歪，老天爷也不会保佑他。"桂星寒冷笑：

"我有的是时间，我有耐心等皇帝的到来，不搞他个烈火焚天，决不善罢甘休。你告诉他，他最好到破庙和我了断，申牌初，过时不候。"

"好，我一定把话传到。"

"现在，我们喝酒吃鸡。"

葛春燕高高兴兴越野而走，心中充满快乐。

她如愿地找到了桂星寒并为他传达讯息，任务达成固然感到高兴，但真正令她欢欣鼓舞的原因，是桂星寒用老朋友般洒脱的态度对待她。

那种无拘无束自然洒脱的融洽相处，笑闹着争着喝酒撕鸡的情景，似乎他俩是多年相知的朋友，或者是多年邻居玩伴，她浑然忘记处身在刀光剑影的危境中。那种相知、契合、受到真诚赞美与鼓励的感觉，让她觉得所产生的亲和感，形成一股神秘的力量，把她拉向桂星寒的力场中心，叩开了她少女的心扉。

任何一个熟识或不识的人，看到她现在神采飞扬，明眸中异彩光灿的表情，都可看出她的人生已进入全新的境界，她是一个快乐满足的青春少女。

前面右首一丛凋落的矮树中，钻出挡住去路的老侏儒，就用困惑的目光，审视她脸上兴奋快乐的神情，似乎感到困惑。

她脸上的兴奋快乐表情，突然僵住了。

她对这个老侏儒不算陌生。少林高僧那天晚上，跟在桂星寒身后潜入知县大人公馆，目击桂星寒抛下孙强的脑袋大闹厅堂，曾经看到这个侏儒与两个妖人同伴，法慈大师曾将消息透露给张家大院的群雄。

这个侏儒在江湖凶名昭彰，令人闻名丧胆，看成恶毒凶残的毒蛇猛兽。

天杀星魏不扬，恨他的人称他为三寸钉。

这恶贼在陈百户那些人面前化名为吴飞（无非）。陈百户是锦衣卫的正式军官，不知道吴飞是何人物。

冷剑天曹却对天杀星一清二楚，悚然而惊，心中有数。

法慈大师知道这个杀星，伏魔剑客更是心中叫苦。

弥勒教妖人图谋张知府的内眷，已经让伏魔剑客这些人心惊胆跳了，再来了这么一个武功超绝的杀星，张家大院的高手名宿中，还真找不出能和天杀星拼搏的人，所以把这个杀星列为最可怕的劲敌。

她心中一懔，暗叫不妙。

一声剑吟，她心怯地首先撤剑。

"嘿嘿……"天杀星手持着几乎与身同高的天王伞，鬼眼色迷迷地盯着她，发出恶狼似的怪笑："你这漂亮的小女人满脸春情，遇上什么快活的好事了？嘿嘿嘿……你是张家请来保护女眷的人之一。"

她心中叫苦，这恶魔怎么可能知道她的底细？

如果弥勒教的妖人，不知道张家大院内众英雄的底细，怎会十万火急，分向南北请来众多高层人物，进行入侵大计，又怎敢十七个人便准备大举袭击？

伏魔剑客一群人，一直就犯了知己不知彼的错误。

"是又怎么样？"

她把心一横，情绪逐渐稳定下来了，举剑的手，稳定坚强，内力澎湃。

初生之犊不畏虎，她并不怕这个老杀星，乍见面心理上难免被老凶魔的名头所慑，激动的情绪一稳定，她的勇气与信心也就逐渐恢复了。

"老夫要你。"天杀星的意思简单明了。

"你这老妖……"

"你对我有大用，嘿嘿嘿……"天杀星一摆天王伞，狞笑极为丑恶："既可陪老夫上床暖脚，又可作为胁迫伏魔剑客的人质，嘿嘿嘿……来得好！"

天王伞一声怪响，撑开足有五尺方圆，成了一具硕大无朋的巨盾，足以容纳三四个侏儒护身，任何兵刃也不可能攻击盾内的人。

她发起猛烈的攻击，剑吐出漫天金蛇，风雷乍起，攻击速度近乎人体的极限。

响起十余声清鸣，剑击中伞面声如暴雨。

伞骨是铁枝所制，伞面是九合金丝所织，韧性奇大，剑尖刺入深入不及半寸，随即被反弹而出，有如棒击皮鼓，鼓敲棒反弹，双方都不会受到伤害。

伞面共有六处狭窄的活动掩蔽口，持伞人的兵刃，可从掩蔽口透出，不需挪开伞再出招反击，设计得十分精巧，攻击防御功能卓越。

一根金属管刚伸出一只掩蔽口，葛姑娘的身影已快速地在伞前消失。

她在刹那间攻出十余剑，皆被天王伞挡住了，乘势飞跃而起，前空翻急向伞后飘落。

天王伞疾转，挡住了想从后面进招的剑。

她不可能比天王伞移动快，上空越超无效，她立即绕圈追逐，制造进招的好机。

很不妙，伞反而将她逼得不住后退。

"嘿嘿嘿……"伞后的天杀星怪笑："老夫要把你全身的精力耗光，再好好享受你。这里四野无人，把你剥光在这里享受一番，一定十分够味，嘿嘿嘿……"

一处掩蔽口金属管乍现，一枚淡淡的、肉眼几乎难及的针形暗器，从管口喷出，速度惊人。

她看不见伞后的天杀星，天杀星却可清楚地看到她，管口出现，她毫无所知。

右上臂一麻，挥动的剑突然出现劲道半途消散现象，刚向侧旋出，剑突然失去控制，飞脱出丈外，右手也失去感觉。

她还不知道右上臂已贯入一枚四寸小针，剑突然脱手，她大吃一惊，本能地向着坠剑处跃去。

糟了，体内先天真气出了岔。

巨大的天王伞，像一座山般随后压倒。

她感到手脚发麻，脚一沾地浑身一软，向下一栽，天王伞已到了身后。

"到手了……"耳听天杀星狂喜的叫声，她感到心向下沉，绝望地举手扣向自己的咽喉。

手一动，随即无力地搭落在冰冷的土地上。

"我完了！"她心中狂叫。

背心猛地一震，身躯猛然斜升欲飞。

一声怪响，天王伞下压。

她的双脚，幸好顺利地间不容发滑出。

"定下心调息。"她耳中听到熟悉关切的语音，感觉出身躯着地被轻轻翻转。

"是他！"她心中狂喜地叫。

神智是清明的，仅身躯失去控制而已。

躺在地上，她看到不远处桂星寒的背影。

那把天斩邪刀，似乎发出炫目的光华。

她的轻功非常高明，已估计出桂星寒在千钧一发中，抓住她的背领飞跃，这瞬间已离开现场五丈以外了，对桂星寒的轻功，佩服得五体投地。

桂星寒不出刀，笑吟吟地绕大圈子，不疾不徐绕走，让天杀星张着沉重巨大的天王伞，跟着他转动，真像跟着主人的狗。

天杀星人矮腿短，怎跟得上他？他走一步，天杀星要走三步。

天王伞的重量，几乎与天杀星的体重相等，这可是沉重的负荷，支撑不了多久的。

江湖朋友都知道，这凶魔与人交手，通常一出手，便将对手逼住，立下毒手追魂夺命，三丈内针不虚发。

从伞的掩蔽口中，可发出两种致命的武器。一是蟠龙筒射出的麻痹毒针，是活捉对手的武器。

一是锋利的短匕首，称为藏锋刀，长仅一尺，随伞向对方压去，发则必中。

如要追赶高明的对手，这凶魔就难以胜任了。

葛姑娘轻功超绝，真不该舍长用短近身相搏的。

桂星寒绕走的身法十分怪异，不时扭动顺逆不定。天杀星抓不住发射毒针的机会，更没有贴身用藏锋刀攻击的可能。

"我要把你累死，累得像一头病狗，再好好摆布你，把你一身骨头拉长以恢复正常。"桂星寒一面游走，一面笑吟吟挖苦讽刺老凶魔："那天晚上你的两个男女同伴，是贵教什么人？你从实招来。"

追逐无望，天杀星不再上当，停在原地等候，天王伞半张，左手暗藏着蟠龙筒。

筒内有九枚毒针，可单发亦可齐发，十分歹毒，可惜这种小弩筒功能有限，针的重量也小，威力仅及三丈左右，是"暗"才有大用的利器。

"少吹大气了，小辈。"天杀星利用机会调息养力："你奈何不了我。嘿嘿嘿……老夫等你送死，也等那个漂亮的小女人死。"

桂星寒心中一震，葛姑娘中了毒！

"是吗？"他仍在笑，但恶向胆边生："你等不到我死，死的一定是你。"

他徐徐向前逼近，左手背在身后。

"你瞧，你送死来了。"

天王伞再次全张，像龟壳般形成无隙可击的保护盾。

"刀来了!"

喝声似沉雷，刀光似雷电。

筒口伸近掩蔽口，刀光也到达伞前。

一道青虹从天而降，从伞上边缘超越，虹尾形成弧形下搭，闪电似的落在伞后的天杀星背部，传出叭一声爆响，碎帛与羊毛纷飞。

"哎……"天杀星狂叫，人向下一仆。

是桂星寒的腰带，游走时已解下卷握在左手。

江湖朋友的腰带，有千百种用途，是江湖人必备的物品之一，与百宝囊同是江湖朋友的随身至宝。

比方说：插兵刃、携物、爬墙、捉人、捆人……

当然可作兵刃，而且是非常管用的兵刃。不论内家外家武朋友，皆可运用自如。

带尾下击，这一记柔劲的丹凤点头，力道决不会轻。天杀星所穿的羔皮外袄，被击中处已经震烂了，比挨了一巨锤更沉重，背骨已受到重创。

桂星寒越伞跃过，单足向下疾点。

但他突然收脚，靴底硬从天杀星的背上斜收。

天杀星的顶门炸开了，红白一齐迸流。

是自碎天灵盖而死的，内丹已成的修道人，在走投无路时，自杀应劫的神奇秘术。

天斩邪刀既然称天斩，妖魔鬼怪哪有活路？自杀是惟一的道路，至少也可以避免酷刑的逼供。

摘走天杀星的百宝囊，桂星寒急急找解药。

毒针的用途是擒活口，岂能不带解药？

毒针贯入姑娘的右上臂，创口不需敷治。服了解药姑娘仍然躺在桂星寒的怀中，等候药力行开，等候手脚恢复行动的能力。

即使立即可以恢复，她也不想移动。

"徐徐吐纳，助药力行开。"桂星寒温柔关切地叮咛，让她感到好亲切，好温暖。

想像中，被男人抱住是非常危险，非常可怕的事，怎么被桂星寒抱在怀里，情形完全相反呢？

地面太冷，桂星寒不得不把她抱在怀里。

她感到浑身发烫，寒冷的天气早就不存在了。

"那天晚上，在街上，是不是你抱……你拦住我的？"她忽然想起一件事。

"就是你这冒失鬼。"桂星寒凋侃她："幸好我早一刹那看出是你。真得设法治一治你的冒失毛病，你就不把自己看成淑女吗？"

"从小就练武，拳打脚踢舞刀弄剑，会是淑女吗？你废话。"她白了桂星寒一眼，咬着樱唇羞笑。

"小心嫁不出去哦！起来活动，我看到你的手可以动了。"

她心不甘情不愿挣扎下地，感到依依不舍。

"好啦好啦！"她噘起小嘴："我还没想到要出嫁，整天在屋子里劳累到死呢！谢谢你及时赶来救我。你怎么知道我有危险？"

"你以为我能放心让你一个人走？这附近不知有多少心黑手辣的可怕人物活动。"

"谢谢你关心我。"

"别客气，我们是朋友，我不希望你有危险。你有密探所发的通行腰牌吗？"

"有。"

"好。你不能乱走了，往东，三里左右，便是外围警戒区，有丁勇驻守。转往东南，不远处就是大官道。刚才我暗中跟在你后面，似乎发现你有点失魂落魄，也像是心中有事，因而不管东西南北信步而行。这次，可不要大意了。"

她脸上一热，瞥了桂星寒一眼，芳心怦然。她想："为了你才失魂落魄呀！"

当然她没有勇气说。

"好走。"桂星寒拍拍她的香肩。

"你小心，日后见。"她惶乱地匆匆走了，像受惊的小鹿。

"这冒失可爱的小女孩。"桂星寒在她身后喃喃地说，他真的喜欢这个活泼大方的小女孩。

五个人站在天杀星的尸体旁，眼中爆发出悲愤的神色。

天王伞跌在一旁，蟠龙筒躺在尸体旁边，筒尾的精巧发射机械全毁了。

"只有一个人可以逼他自绝。"那位中年人愤恨地说，咬牙切齿脸色冷厉。

这人是那天晚上，代表弥勒教与陈百户洽商，自称吴世的中年人，地位最高的全权代表。

身边跟着一个十二三岁少年，小小年纪，一双冷厉的大眼居然十分慑人，与年龄不大相称。

他佩了一把匕首，定然是杀人经验丰富的小魔头。

"没错，那人一定是天斩邪刀。"另一位中年人粗眉深锁："可是背上的创伤，却不是利刀所造成的，而是分量不轻的大型钝器，这就不符所料了。"

"像他那种超尘拔俗的高手，而且会五行道术，任何物品用在他手中，都可成为致命的武器，杀人不需用刀。"

"魏天尊功臻化境，所使用的外门兵刃与暗器，是对付伏魔剑客的主力，必要时可以和少林的秃驴们分庭抗礼。这表示天斩邪刀的武术道术，其高明的程度，出乎咱们意料之外，至少目下在新郑的人中，没人能对付得了他。可不能再不断派人搏杀他了，这会断送许多弟兄的性命，暂且放过他……"

"我会另行设法的。"吴世阴阴狞笑："此人不除，本教将元气大伤，他非死不可，你们走着瞧好了，不久定有好消息。"

"长上打算……"

"天机不可泄漏。"

"目下……"

"传出信号，咱们的人立即撤出。"

信号传出了，在外面活动的人纷纷撤出危险区。

福无双至，祸不单行，意思是说，好事不会再三光临你的头上，倒霉的事却会接二连三临头。

一个正走霉运的人，必定是精神散漫，垂头丧气，反应能力必定差了许多，难免会处处出差错，祸事自然而然不断发生了。

葛春燕也许在走霉运，麻烦接二连三。

桂星寒不再暗中保护她了，必须赶往抱獐山破庙，预先侦察一番，作好防险准备，需要充分的时间布置。同时，也深信她到了警戒区，便可放心大胆返城，不可能再发生意外了。

仅走了半里路，右侧不远处，人影纷现，闪出了飞天夜叉与两名男女随从，快速地拦住了去路。

双方不陌生，不是仇敌。

葛春燕对飞天夜叉前往张家，透露弥勒教的事，所有的人心存感激，都对飞天夜叉另眼相看，不以飞天夜叉是女飞贼而有所歧视。甚至看成站在同一边的朋友。

"咦！是林姐。"葛春燕欣然打招呼，随即脸色一变，油然兴起戒心："怎么啦？你们的神色不对。"

"你以为我会有好脸色给你看？哼！"飞天夜叉冷笑："那些

官匪相互勾结的贱种，大概已经知道情势恶劣，对付不了桂星寒，所以情急唆使你出马，集三方之力对付他，是吗?"

"咦！你胡说些什么?"她讶然叫。

"可恶，你明明知道我说些什么。"飞天夜叉沉叱："你少给我反穿皮袄装羊（佯）。"

"你怎么不问情由乱入人罪……"

第十一章 损兵折将

"哼！你不要强辩。我曾经看到少林和尚，在西乡各处成群结队走动。你也在这里出没，分明是项庄舞剑意在沛公，好，先擒住你再说。"

"林姐，你冷静些……"

飞天夜叉哪能冷静？任何威胁到桂星寒安全的障碍，都必须尽可能加以排除。

一声娇叱，人剑俱进，轻虹剑迸发出万道彩虹，满天光华吞吐。

有理说不清，葛春燕必须自卫。

同时，一股莫名的妒气油然而生。

飞天夜叉本来与桂星寒是敌对的，银扇勾魂客曾经将经过，告诉伏魔剑客一群人，之后才改变态度，从恩将仇报转变为相助桂星寒，这才成为同仇敌忾的朋友。

非女人不足以了解女人。

她也是与桂星寒冲突，转变成化敌为友的。而她对桂星寒，便因接触而产生令她依恋的奇妙感情。

飞天夜叉的转变，她一点也不喜欢。

"谁怕谁呀？"她也怒叫，剑一起雷电交加。

她的昊天神剑术，连桂星寒也赞誉有加，妒意激发了怒意，当然全力以赴。

拼武功剑术，飞天夜叉信心十足，敢向皇家侍卫挑战，凭借这分勇气就令人刮目相看了。

两人都对剑术下过苦功，都勇气十足，信心坚定，搭上手各展所学，绝招杀着有如滚滚江河，奇招迭出，险象横生，但见人影依稀，满天雷电声势骇人。

男随从双手持降魔杵，紧张地在旁戒备，女随从更是紧张焦灼跟着移动，苦于插不上手。

两人的轻功似乎也半斤八两，闪动进退速度之快，无与伦比，每一次生死须臾的接触，皆在电光石火似的瞬间开始与结束。

旁人绝对无法参与抢救或协助。好一场真正的超绝高手，惊险万分的势均力敌的拼搏，谁也无法在近期中获得上风。

逐渐打出真火，招式也就越来越凶险。

每一次瞬间强力接触，所爆发出来的震耳金铁交鸣声，也就越来越骤急，入耳惊心。这表示双方正逐渐放弃巧招，采用全力以赴的绝招，逐渐冒险切入近身，行致命的雷霆一击了。

如果再拖延片刻，将有人走险。

走险，很可能一接触便生死分野。

纠缠中，猛然传出一声最急剧的震耳剑鸣，旋动快速的人倏然分开，震力将两人各震得退了三四步，剑上的劲道也半斤八两，棋逢对手。

“今天非毙了你不可！”飞天夜叉怒叫，挺剑向前逼进，衣领中冒出由汗所蒸发的雾气，像山中因气候激变所产生的上升云雾。

“我也有此同感。”葛春燕当然也不甘示弱：“你这种不讲理的人，死掉是最好不过的了。”

其实这是气话，为自己的性格掩饰，她就是一个冲动冒失，不太讲理的人。

　　双剑相对，即将爆发雷霆一击。

　　男女两随从，太过关注主人的安危，注意力全放在两人的激斗上，忘了留意四周的动静。

　　远处八个借草木掩身，逐渐接近的人，已到了三十步外，这时突然不再悄然接近，长身而起飞掠而进，三五起落便到了近旁。

　　男随从发现有人电掠而来，心中一懔，大喝一声，降魔杵一挥，飞快地堵住来向，迎接速度最快的第一个人，威风凛凛，无所畏惧。

　　男随从以为是张家大院的人，是来接应葛姑娘的侠义英雄，必须阻止这些人加入，不在乎对方人多。

　　喝声惊动了两女，停止发招同向掠来的人注视。

　　"不许再进！"男随从大喝，声如沉雷。

　　领先到达的人刹住脚步，炯炯虎眼狠盯着凛若天神的男随从。

　　后面七个人随后到达，男随从脸色一变。

　　两个人是熟面孔：冷剑天曹和方世杰。

　　"他们是什么人？"最先到达的中年人，用洪钟似的嗓音向冷剑天曹问，不怒而威，气概不凡。

　　腰间所佩的刀是绣春刀，侍卫所使用的军刀。

　　七个人在左右列阵，一个个高大剽悍，气势逼人。

　　冷剑天曹与方世杰所站的位置，是地位最低的左外侧，不但地位低，也没具军人身份。

　　"启禀大人。"冷剑天曹欠身恭敬地回话："那位姑娘姓葛，是陈大人允许她，帮助维持治安，身家清白颇有地位的人。那一个叫飞天夜叉，是……"

　　"是什么？"

　　"据说是一个女飞贼。"

"据说？"

"江湖人如此云云，属下没有了解详情。"冷剑天曹毕竟是个江湖名宿高手，不便乱人人罪。

事实上飞天夜叉出道为期甚暂，身处京都的人，怎知道一些江湖传闻是真是假？不知者为不知，高手名宿岂能以耳代目信口开河？

"女飞贼如果属实，不能轻易放过她。"这位大人可不是不轻信人言的人，重责在身也不容许任何疏忽："她们虽然身在警戒区外，但携有凶器就应该严办。"

"回大人的话，这位女飞贼是向天斩邪刀寻仇的。"冷剑天曹说："属下曾经逮捕她，却被天斩邪刀救走了，他们之间，不知到底有何关系，搜寻天斩邪刀刻不容缓，可否交由葛姑娘处理？葛姑娘的武功足以胜任。"

"这个……"

"天斩邪刀一定就在北面不远，必须尽快搜获他。"

"也好。"大人点头应允："走！"

"葛姑娘，飞天夜叉交给你了。"冷剑天曹临行，向葛春燕交代："咱们搜寻天斩邪刀的事十万火急，不能留下人协助你。"

八个人掠走如飞，向北如风而去。

葛姑娘冲八人远去的背影啐了一声，伸伸舌头做鬼脸。

"你果然是协助他们的人。"飞天夜叉火又来了。

"见你的大头鬼！"葛春燕的气也上升了："我和桂兄是好朋友。不久前，我和他在一起，宰了那个三寸钉天杀星魏不扬，就是那个改名为吴飞的死侏儒。你可不要红口白舌胡人人罪。"

飞天夜叉心中一动，怒火消了。

"不久前你和他在一起，宰了天杀星？"飞天夜叉不再冲动，开始用心机："是真是假？你没扯谎？"

"用得着扯谎？哼！我挨了天杀星一枚毒针，不杀死他我哪有命在?"

"我不相信，说说看。"

葛春燕不想和飞天夜叉胡缠，她必须赶快回城，向陈百户传达桂星寒的口信，早走早好。

事不关心，关心即乱，她急于替桂星寒传口信，便忽略了其他的征候。

冷剑天曹本来是由陈百户指挥，而这一个佩绣春刀，气势威严的什么大人，把冷剑天曹当属下使唤，这代表什么意义?

当然，她不可能知道锦衣卫的指挥系统，也不知道锦衣卫先遣驻驾新郑有些什么人，陈百户专使的身份底细，她更是一无所知。

急于动身，她只好将与桂星寒在一起的经过说了。

飞天夜叉听完，大吃一惊。

抱犊山破庙，位于北行大道旁不足一里，正是最重要的戒严区。

皇帝车驾经过之前，抱犊山附近，恐怕每株草木都要经过仔细搜寻，桂星寒居然在破庙约会，简直拿自己老命开玩笑。

"你的话，我还没能全信。"飞天夜叉不动声色，脸色仍然难看："在查证之前，暂且放你一马。"

"你少吹牛，你根本奈何不了我。"葛春燕撇着小嘴："你不必奢言放我一马，你们三个人一起上，本姑娘还不在意呢。"

"是吗?"飞天夜叉又冒火了，剑举上啦!

葛春燕倏然飞退三丈外，化不可能为可能。

不必起势前跃三丈，已经是了不起的成就了，她竟然能在原地猝然飞退三丈，简直惊世骇俗。

"唔! 逃的功夫确是了不起。"飞天夜叉由衷地说，也感到有点心惊，虽然语含嘲弄。

"你飞天夜叉会飞，也了不起呀!"

"少给我贫嘴。"飞天夜叉又要冒火了。

人哪能飞？葛春燕的话，讽刺的成分浓厚，并非真心奉承。

"就算你会飞，我也不怕你。"葛春燕傲然地说："将来，我也要取一个能飞的绰号。"

"飞蛇、飞鼠如何？"飞天夜叉以牙还牙嘲弄地说。

"狗嘴里长不出象牙。"

"那就称作飞狐吧，你可真像一个狐狸精。"

"啐！"

"我郑重警告你。"飞天夜叉笑容敛去，声色俱厉。

"你算什么东西？哼！"

"今后你必须离桂星寒远一点。你们这些替官府做走狗的人靠不住。"

"你少管我的闲事。"葛春燕飞掠而走。

"我们去找他。"飞天夜叉向两随从匆匆挥手，向北急奔。

　

抱獐山距城二十余里，实在不能称之为山，树林却相当茂盛，人藏身在内很难发现。

冷剑天曹八个人，并非以抱獐山为目标，本能地向可能有人隐藏的地方走。

他们也无心留意搜寻每一处地方，八个人也搜不了多少可疑处所，走在一起不住张望，用意就是将天斩邪刀引出来。

真要穷搜，出动上千兵马也无能为力。

远出五里外，前面是一座颇广的树林，远在里外，便可看到一个人站在林外，向他们远眺。

"就是他！"方世杰目光锐利，对桂星寒大概印象深刻，一看外形便知道遇上了目标："天斩邪刀，他佩刀的方式一看便知。"

"你们不可鲁莽，由本座与他打交道。"那位大人冷静地交待："留意信号行事，我不希望白跑一趟，如果让他逃掉，我惟你们是问，唔！他像在等我们。"

对方没有"动"的迹象，应该是在等候他们。

以身作饵现身招引危险性甚高，一头闯进埋伏里后果严重。大概八个人信心十足，艺高人胆大，不怕一头栽入陷阱里，人多其实也不怕埋伏。

"他所站的地势高，早已发现我们了。"另一人脚下放快："故意现身引我们的。长上，我们反被他引来，情势恐怕失去控制，对我们不利。"

"废话！"

一眨眼，林前的人影不见了。

"快！"

八人狂风似的赶到林前，傻了眼，树林广阔，人可以藏匿在任何地方，如何找？

"天斩邪刀，我们要和你谈谈。"为首的大人只好高叫，实在不知该如何搜寻。

林空寂寂，高叫了三次毫无回音。

冷剑天曹心中雪亮，双方一定会作决定性的解决。

天斩邪刀既然现身将他们引来，决不会一走了之，也不会因为他们的人多，而心怯溜之大吉。

八比一，他们掌握了胜机。

可是这位号称剑客的名宿，却有点忧心忡忡，被对方先发现引来，心理上也就有了被动的感觉，心中不是滋味，从猎人变成了被猎者，心理上所承受的压力要沉重得多，信心也就大打了折扣。

上次他们的人更多了几倍，天斩邪刀还不是来去自如？

他们不想分开搜寻，而情势急迫，不容许他们定下心来等候，他们已经没有多少时间了。

"姓桂的，咱们要和你谈谈。"冷剑天曹只好硬着头皮，亮大嗓门高叫。

领队的这位大人脾气不怎么好，但也不得不压抑火气，忍下在附近狂搜的冲动，已经知道狂搜无济于事，偌大的树林区，八个人实在无能为力。

"时辰未到，没什么好谈的。"西面远处，传来桂星寒震耳的语音。

桂星寒拒绝谈，理直气壮。约定申牌初，在抱獐山破庙谈，目下是未牌初早着呢！而且这里距抱獐山也有七八里，时地都不对。

葛姑娘的口信哪能传得这么快？

"你是个胆小鬼吗？"冷剑天曹用上了激将法。

"你自以为是大胆的英雄？"

"在下一代名剑客，本来就是英雄。"

"好，你一个人过来。"

"这……"冷剑天曹心中一跳，反而被激了！

"这可以证明谁是胆小鬼，阁下，希望你不是一位胆小名剑客，我等你。"

为首的大人，向他打出只有自己人才懂的手势。

"我来了。"他把心一横，向声音传来处奔去。

军令如山，他也不甘心作胆小名剑客。即使那位大人不打手势命令他前往，他也必须硬着头皮上。

他不可能知道桂星寒藏身在何处，只好昂然向前走，让桂星寒找他。他并不急于与桂星寒碰头，争取同伴布置的时间。

姜是老的辣，桂星寒果然不出所料来找他了。

"你不必往前走了。"身后突然传来桂星寒的语音，似乎发自耳后。

他心中一跳，但不慌不忙徐徐转身。

桂星寒不曾在叫阵之后，从背后袭击他。

上次桂星寒突然从屋内制住他，双方并没交手，那次被制完全是意外，因此他还没弄清桂星寒的武功根基，也就自以为桂星寒不见得能胜得了他。

桂星寒并没附在他身后，而在右后侧三丈以外，语音似乎发自耳后，那是上乘的传音技巧而已。这种技巧并非什么不传之秘，比千里传音术差远了。

"阁下，你已经完全了解项某的身份，是吗？"他暗中默默行功，沉着稳定颇有老江湖的修养："你还知道些什么？"

"该知道的，在下都知道。"桂星寒更为沉着，语气不凌厉，不带霸气："不知道的也有，所以要向你揭秘解惑。"

"你知道你的所作所为，是犯天条的吗？"

"决不比勾结妖逆龙虎大天师严重，不要抬出天条来唬我。"

"不关你的事，阁下。"

"正相反，我是你们勾结之下的受害人。我要知道内情，因为这根本是不可能发生的事。天下各地官府，都有捉拿妖逆余孽就地斩决的指示。你们身为锦衣卫皇家禁军，怎么可能与妖逆勾结？除非你们存心附匪，在此地图谋即将到来的皇帝。"

"胡说八道！"

"你是不打算吐露勾结内情了？"

"咱们这些人，只知奉命行事。你口中所谓的妖逆，何以为证？龙虎大天师在何处？你见过他与咱们在一起吗？"

"这些强辩夺理的话，你可以向新郑的百姓说，在下不吃你这一套，我要用我的方法和你理论。"

"你要……"

"把你弄到手之后……"

左侧人影电掠而至，七个人分两侧堵住他的退路。

一声冷笑，天斩邪刀出鞘作龙吟。

"逆犯好大的狗胆！"这位大人虎目怒张，威风凛凛，声如炸雷打断桂星寒的话，那君临一切的气概，十分慑人，真有虎将的威势。

"哦！你这混蛋是什么东西？"桂星寒不怒反笑，有意激怒这位不可一世的大人："我敢打赌，你要不是吃错了药，就是失心疯了，或者是一头疯狗。"

"大胆匪类！"

"闭上你的狗嘴！"桂星寒破口大骂："你不要扮疯狗乱吠乱咬人。我不知道你们这些混蛋，凭什么指我是匪类逆犯。你看你，穿得像半民半匪，佩了杀人的刀，说的话却又不像百姓平民，你凭什么在我面前胡说八道？我穿的佩的与你相差不远。还有，那个混蛋杂碎。"

他用刀向方世杰一指，方世杰本能地惊退了一步。

"他在大街上，无缘无故纵奴仆行凶，而且乘我不备从背后偷袭，打了我一记致命的九绝溶金掌。你们凭什么任意杀人？在下在大街上行走，清清白白的穿街过府正常旅客，你们为何不问情由便下毒手杀我？接着再勾结在陕西造反的弥勒教妖孽，联手四出搜杀我无休无止。你们这些勾结匪类的狗杂种不死，天道何在？不宰光你们这些贼王八，决不罢手。"

他糊涂装到底，不指出对方是锦衣卫的身份，干脆就指称他们是匪类，以便制造大开杀戒的借口。

就算对方敢冒泄密的大不讳，透露锦衣卫身份，他也可以用对方勾结匪类的罪名，指对方也是叛逆而大张挞伐。官匪勾结，人人得而诛之。

"在下奉命查缉奸宄匪徒。"方世杰大声分辩："你这混蛋一脸贼像，所以要捉你法办……"

"狗东西！你就是奸宄匪徒。你奉谁之命，你是什么东西？

查缉奸宄匪徒，是新郑捕快的事。你撒泡尿照照你的脸孔，你像
个捕快吗？"

"在下是……是……"

"你是不折不扣的大混蛋，勾结弥勒教妖孽逆犯的主谋。那
个被你弄到民宅的漂亮女人，就是弥勒教圣香堂的香主七仙女之
一。"

"你也无凭无据指证她是弥勒教的人……"

"那我就惟你是问！"

刀一扬，方世杰又吓了一跳。

"本座从京师来，先锋营指挥，御林军中军百户罗。"那位大
人不得不亮身份了，一字一吐神气得很："京都禁军南巡，奉命
肃清沿途匪类，你……"

"你这混蛋既然是禁军的军官，居然穿了便服，居然公然勾
结逆匪，陷害无辜，证据确凿，罪加三等。"桂星寒兴高采烈大
叫大嚷，高举钢刀："好哇，大爷把你们剁掉手，穿了琵琶，拖
至官府领赏。告发你们通匪的罪状，一定可以领一笔可观的赏
银。"

"闭嘴……"

"匪官看刀！"他声如沉雷，挥刀直上。

理直气壮，当然勇气百倍。

罗百户快要气炸了，脸都变绿啦！在京都，锦衣卫被人看成
毒蛇猛兽，作威作福，操生杀大权无恶不作，不论是在京或出
京，天下臣民谁敢在他们面前抬头说话？

这可好，碰上一个胡说八道的狂汉，不但骂得痛快，而且气
吞河岳挥刀，这还了得？

"我要剁碎了你喂狗。"罗百户咬牙切齿，拔出绣春刀疾冲相
迎。

就在双方即将接近的瞬间，罗百户的四个手下，几乎在同一

刹那左手急扬，右手刀以比罗百户的速度快一倍的身法，猛从两侧扑上了。

四种暗器先发，飞刀、钢镖、铁翎箭、铁蒺藜，全是歹毒的利器，四个人面对面发射，计算极精，决不会误伤到自己人，大概平时配合得十分圆熟。

四把刀形成聚合的刀山，劲道之快速猛烈极为惊人，一看便知是武功超绝的高手，御前带刀侍卫中的顶尖超拔人才。

桂星寒早就料到这些人的意图，一个先锋营指挥，拥有许多部下，怎么可能亲自挥刀与匪徒搏斗？身临前敌本来就是兵家大忌，主将一死必定全军大乱。而且看罗百户挥刀迎上的气势举动，也没有奋勇格斗的意念。

他前冲的身躯突然前仆，身形一旋便滑到罗百户脚前，本来是头前脚后的，倏忽中脚旋出前面，一脚扫中罗百户的右脚。

所有的暗器落空，四把刀也来不及折向下劈。

一声怪叫，罗百户扭身便倒。

他的身形贴地而转，刀伸出了。

千钧一发中，冷剑天曹、方世杰和另一位使剑的中年人，三把剑齐向下指。

一声长笑，他反向后面的四名使绣春刀的人飞跃而起，刀光似惊电，从最右侧的两个人身后一掠而过，远出三丈外倏然转身横刀屹立，仰天狂笑。

"哈哈哈哈……"他的长笑声向四面哄传，震耳欲聋："太爷要逐一摆平你们，说一不二。你们死不了，太爷不要你们的命，我要让那位回老家的皇帝，明白你们勾结逆匪的弥天大罪。"

两个人的右腿，皆齐膝而折，摔倒在地挣扎，连坐起来扼住断腿的精力也没有了。

片刻如果无法裹伤，必将鲜血流尽而死。他口说不要这些人的命，这些人不裹伤，人死了不是他的错，他并没食言。

罗百户不但不救助伤者,反而领了两名侍卫,狂怒地挥刀向桂星寒冲去,似乎同伴受伤是极为平常的事,大概这就是所谓纪律吧,杀敌第一,救伤不是身临前敌第一线兵士的事情。

桂星寒开始游走,要把这些实力仍在的人引散。

冷剑天曹不是军人,有丰富的应付江湖武朋友的经验,看了罗百户有勇无谋的表现,心中一凉。

"罗大人,不能追逐。"冷剑天曹不得不提供意见了:"你会让他逐一把我们杀掉的,这匪徒全凭身法快速灵活,把我们引散以便分而击之。"

罗百户终于醒悟,停止追逐结阵后退。

六个人半弧形列阵,三把刀三支宝剑实力仍在。

桂星寒在三丈外不再接近,横刀屹立豪气飞扬。

"你们以为阵脚很坚固是不是?"他逐一打量这六个人,找寻弱点:"暗器远攻,刀剑近身合击,主意不错,问题是你们六个人,是否能每个人都能圆熟地配合,能否六合一,看刀!"

刀光乍起,像一道闪光,绕向对方的右侧后方,快得难以看清人影,只看到淡影流动,刀光似电。

阵势立乱,岂能在原地等候接斗?所有的人,皆追逐着刀光左抄右截。

疯狂暴乱的片刻周旋,漫天彻地的刀光剑影激旋狂舞,利刃破风的啸吟动魄惊心,不时爆发的金铁撞击声,令人心沉胆颤。

蓦地传来一声厉叫,接着又是一声惊呼。

人影飞抛,另一个滚动。

暴乱倏然中止,风止雷息。

"叭达!"飞抛的人摔出两丈外,右腿骨像是断了,小腿软绵绵拖动,已失去了作用。

滚出丈外的人,右臂似已失去活动的能力,刀已不在手中,痛得挣扎难起。

桂星寒远在两丈外，右手拖住那位使剑的中年人背领，像狼叼住一头小猪拖着走，光芒四射的天斩邪刀，在对方的颈旁磨动，用的是刀背。

只剩下三个人：罗百户、冷剑天曹和方世杰。

倒地的与被擒的三个人，幸好都是完整的。

"滚！"桂星寒沉叱，一脚将被擒住的人踢倒。

"这次在下用的是刀背。"他轻拂着刀，瞥了罗百户三个陷在惊恐中的人一眼："在下的刀不宜使用刀背敲人，稍差分寸便只能杀人。下一次，你们三个，可别撞上我刀上的背刃，小心了。"

他的刀尖前三分之一，背部开锋等于两面开刃，与剑相同，所能使用的刀背范围不大，刀背挡架兵刃或者敲击，稍差分寸便损及锋刃，所以已损失拼命单刀的一半功能，交手时须避免使用刀背，而刀背却是封架的最佳部位，缺了口的刀剑，不能再使用了。

雷霆一击，表示他有以一比六的攻坚力量，而且仅用技巧，便摆平了一半人。

一个右腿骨被敲断，一个右肩骨也敲裂了，一个被踢断了两根肋骨，三个人已失去了挥刀舞剑的能力，也无法凭自身的力量逃走。

"我要把你们困在这处树林里，等你们的掌令长官前来，公布你们勾结匪逆，意图劫持皇帝的逆谋。"

桂星寒一面说，一面扬刀逼进："你们最好乖乖就擒，以免被在下误伤，砍断了手脚，活的机会有限。也许，你们死了反而幸运些，一旦逆谋泄漏，你们的家小也将一同遭殃，说不定会诛族呢！"

这可够狠了。

这些人指称他是匪类，他指证这些人勾结妖匪谋逆，以子之矛，攻子之盾，反咬一口，他成了揭发逆谋的英雄。

传来几响击掌声，然后是一声悦耳的娇笑。

幽香扑鼻，随风飘来，令人心神一荡，精神振奋。

罗百户本来已经心胆俱寒，已经没有丝毫威严存在，四个得力部属已全部受到重创，已濒临绝望边缘，官威扫地，惊恐莫名。

这时突然有外人出现，他这种失败的狼狈相，哪能好看？急怒之下，本能的拾回已失去的尊严，恢复耀武扬威的习惯。

"干什么的，不许走近。"罗百户的权威性叱喝随口而出。

是一个戴狐皮风帽，披了狐裘，内穿连身软缎宝蓝色八折长裙，眉目如画美得出奇的女郎，浑身散发着醉人的幽香。可是，小蛮腰上的佩剑，可就不像一个千娇百媚的淑女了，而是仗剑称雄的女英雄。

女郎是从一株大树后踱出的，一面鼓掌表示激励，一面娇笑，以吸引众人的注意，笑容可爱极了。

桂星寒一皱眉，虎目狠盯着女郎美丽动人的面庞。

"显然这里有人倚众群殴，八比一。"女郎悦耳的嗓音，含有强烈的不满："这在江湖道的武林朋友来说，是不可原谅的恶劣行径，毫无武朋友的顶天立地气概，本姑娘看不顺眼，路见不平，必须拔剑相助。"

"这里的事，与江湖规矩武林道义无关。"冷剑天曹只好出面打交道，罗百户缺乏与江湖男女打交道的经验："也没有不平事招引江湖人士干预，这是官方擒捕不法匪徒的案件。"

"哦！你们像官方办案的人吗？"

"自郑州至许州，三百里戒严，你应该知道的。"

"本姑娘从密县来，一出山区便感到有异，因此四处打探，不明所以。你们是……"

"我们是执行公务。姑娘如果是不明所以的旅客，最好脱身事外，退回至密县的大道，过几天再动身，目下南北两路皆已戒严封锁，任何旅客也禁止通行。你走吧，以免被波及。"

"不对。"女郎轻摇蠓首，表示不信："你们把这个人当歹徒吗？他几乎无意认罪，也不像歹徒见了公人就逃走呀！到底有何隐情……"

"闭嘴，不是你该过问的事。"罗百户故态复萌，又大冒其火了。

"不像官兵抓强盗，此中一定有见不得人的隐情，天下事天下人管，本姑娘管定了。喂！兄台，他们指你是罪犯，你怎么说？"

女郎向桂星寒询问，问的口气并不公正，偏袒桂星寒的意味颇为明显，分明是已有先入为主的念头。

"他们才是官匪勾结，半官半匪的大罪犯。"桂星寒心中好笑，不好拒绝女郎的好意："即将发生百载难逢的盛事，这些人要大逆不道杀皇帝图谋不轨……"

罗百户心中大急，皇帝即将到来的消息，怎能事先泄露？心一急就铤而走险。绣春刀光芒一闪，挟迅雷的声势猛然扑上了。

铮的一声金鸣，天斩邪刀错偏了绣春刀，左马步探入，抓住罗百户的领口一带，左腿起膝，狠狠地撞中罗百户的小腹。

刀把斜撞，重重地击中罗百户的左颈侧软弱部位。

两记打击皆十分凶狠沉重，一气呵成，一照面胜负立判，干净利落毫不拖泥带水。

呃了一声，罗百户半昏迷伏倒在桂星寒脚前。

冷剑天曹这才如噩梦初醒，这才知道桂星寒的武功可怕，毫不取巧硬攻硬抢，从正面中宫锲入擒人，一接触便在电光石火似的刹那间，将一个地位甚高的御前侍卫生擒活捉，似乎不费吹灰之力手到擒来。

这位名剑客，只感到毛骨悚然。

上次被桂星寒偷袭制住，这与武功高低无关，大意失手非战之罪。现在，桂星寒所展示的实力，足以让那些自以为身手超绝，自以为功臻化境的高手心底生寒。

"多死无益！"

这位名剑客机警地大叫，意在向方世杰提警告，猛地斜窜三丈，急似漏网之鱼，穿越树丛去势有如流光逸电。

方世杰不需警告，从另一方向飞掠而走，速度比冷剑天曹快一倍，逃走的轻功身法是超一流的，身影比冷剑天曹消失的速度也快一倍。

"唔！这混蛋不但掌功惊世，轻功更不含糊。"桂星寒也有点心惊，总算进一步了解方世杰的所学，知己知彼，了解敌人多一分，也多一分胜算。

美丽女郎也眼神一动，狠盯着方世杰急速远去的背影愣了一愣。

"像是流光遁影绝学。"女郎喃喃地说："能修至这种境界，天下大可去得。兄台，这年轻人是何来路？他不像一个办案公人呀！"

"我只知道他姓方，叫方世杰，武功非常了不起，个性阴狠像个笑面虎。他纵走加上双手助势，流光遁影却是身形尽量收缩以减少阻风，两种轻功是不同的。这个混蛋的轻功，是属于在空中可以自由控制的飞翔身法。"

"唔！你的看法相当精确。我姓李，小名凤，仗剑初闯江湖，请多指教。请教兄台尊姓？"

"姓桂，桂星寒，在江湖遨游一段时日，却不曾有志闯江湖扬名立万，但有人替我加了个难听的，而且相当唬人的绰号：天斩邪刀。"

"天斩邪刀？我好像听过你这号人物？"李凤表示不是毫无所知的初出道小人物："你把这些人……"

"把他们吊起来，等他们的主脑人物前来理论。"

"毙了岂不一了百了？这种人……"

"不！他们是活口，也是证人，不能毙了以免贻人口实，不能让他们诬赖我理屈而杀人灭口。"

"好，我帮你把他们吊起来。"李凤欣然说，义形于色，表现热心。

六个人的腰带派上了用场，用来捆住双手吊在横枝轻而易举。

桂星寒于心不忍，替被砍断腿的人裹伤上药。

那位右肩被敲裂的侍卫，如果再被捆住吊起来，右臂铁定会成废物，甚至创伤延至内腑，伤加剧可能老命不保。

"阁下，不……不要酷待我们。"这人惨然说："后续到来的指挥官，性情比罗大人更凶暴，不会和你们理论，更不会管我们的死活，必定会指挥围攻……"

"我不信他会鲁莽行事，不追究你们通匪谋逆的重大阴谋。"

桂星寒冷冷地说："在京都，一句谋逆的谣言，也会引起轩然大波，最少有十个以上的相关衙门严加追究。"

"桂兄，你还不明白吗？"侍卫沮丧地说。

"我明白什么？"

"当初龙虎大天师囚在天牢，皇上就派有密使与他达成某种协议。"

"皇帝派密使与造反首领达成协议？"桂星寒有点恍然，但意似不信。

"是的，锦衣卫也只有少数的人知道。北镇抚司的一些有关官员，可能知道密议的内容。"

北镇抚司与南镇抚司衙门，是锦衣卫正式办案的对外机构，一在京都一在南京，完全不受刑部衙门的管辖，那是皇帝私人的掌刑，秘密而又公开的机构。

"你知道?"

"不知道,只听到一些风声。"

"我对风声颇感兴趣。"

"皇上要利用龙虎大天师,乘机铲除一些他厌恶的文武大臣,将那些大臣攀咬出来。双方的协议是,不能以白莲社名义活动,不能在京都附近倡乱,你如果咬定他们是弥勒教,在官府罪名是无法成立的。咱们利用他们对付你,他们也借我们的势力找你公报私仇,如此而已,你无法坐实咱们通匪罪名的。桂老兄,放手吧,走得远远的大家平安,何苦冒与天下为敌的危险?"

"他娘的混蛋,官府坑害良民,最恶毒的手段是买盗栽赃,所以称破家令尹。"桂星寒咬牙切齿:"连皇帝都做这种绝子绝孙的狗屁勾当,哪能天下不乱? 龙虎大天师能打破天牢脱困,内情却如此简单,天杀的! 你们都不是好东西!"

"桂老兄,你该知道咱们身不由己呀!"

桂星寒一脚把对方踢翻,丢掉手中的捆人腰带。

"好! 就算你们身不由己。"

他虎目怒张,神光似电不怒而威:"替我警告你们的人,离开我天斩邪刀远一点以策安全,下一次碰头,一刀一个不再和你们讲理,你们滚吧!"

他昂然大步离去。

李凤姑娘神色百变,跟在他后面盯着他的背影发呆。

"你的绰号为何叫天斩邪刀?"李凤傍在他右侧,转蠓首微笑着问。

"这与我用的刀有关。"他不想多加解释:"你从密县来,有同伴吗?"

"有一位侍女,在西面的村落暂借农舍歇息。桂兄,你呢?"

"孤家寡人一个,双肩担一口,一人饱一家饱,四海遨游随遇而安。”

　　"你轻易放过那些人，大丈夫气概，豪杰胸襟，要在江湖行侠仗义?"

　　"什么行侠?"

　　"这……"

　　"我不懂，我也不想懂。哦! 天色不早，这一带凶险重重，赶快离开吧! 过三两天才能到县城，目下南北大官道没有旅客走动，携刀带剑的人，处境尤为凶险。"

　　"你呢?"

　　"我不甘心。"

　　"你的意思……"

　　"我要等他们的主要负责人理论，如果得不到令我满意的答复，哼，我要放一把焚天烈火。"

　　"我的剑很利。桂兄，请不要拒绝我的剑加入。"

　　"咦? 你……"

　　"我觉得，你是一个值得我尊敬的朋友。"李凤大方地挽住他的臂弯，真像是好朋友："就算你提携后进，带我见见世面，好吗?"

　　"呵呵! 一旦你介入我的事，今后你在江湖闯荡，将寸步难行，扬名立万的机会成空。别开玩笑了，姑娘，这不叫提携后进，而是毁掉后进的大好前程。如果你真认为我们是朋友，我会赶你离开。"

　　"你要赶我走?"

　　"是的，因为我也把你看成朋友，初见面你就古道热肠站在我这一边，表示你对我的信任，热诚可感，是一位值得交的朋友，你走吧! 容图后会。"

　　"我好高兴，桂兄。"李凤喜不自胜，笑吟吟白了他一眼："既然把我看成朋友，朋友就该有难同当，你赶不走我的。放心啦，有我一把剑助威，你不会后悔的。我的剑术很不错呢!"

"你听我说……"

"不听，不听。"李凤扭着小腰肢拒绝解释，宜喜宜嗔且刁蛮的神情十分动人："独木不成林。闯起祸来，两个人必定比一个人有劲些，喂! 要往何处走?"

"这个……"

"你再罗罗索索，我会恨你的。嘻嘻! 不瞒你说，我是很难缠的!"

桂星寒傻了眼，摇摇头苦笑。

其实，他对李凤甚有好感，颇有一见投缘的感觉，他很想进一步了解李凤的为人。至少在第一印象上，还真有几分一见如故的契合缘分存在。

葛春燕姑娘性情爽朗明快，留给他的印象相当鲜明。但葛姑娘在亲友的管束下，凡事做不了主，所走的道路有既定的方向，与他的道路方向殊途不同归，只能保持普通的道义交情。

飞天夜叉又是另一类型的人，在气质上颇为接近。只是，飞天夜叉是一个女飞贼。他无法突破心理的障碍，不想与飞贼为伍，无形中产生排斥感。

第十二章　陆柄出山

李凤的出现，颇令他感到意外，起初颇有戒心，现在他越来越喜欢这位初闯道的小姑娘了。

"好吧！"他无可奈何地说："这可是你自找的，以后可别埋怨我事先没警告过你。毕竟你是一个成年的大姑娘，你自己所做的事自己担当负责。当然我会站在朋友的道义立场，做我所能做到的事，包括替你挡一切灾难，有难同当。"

"不说有福共享？"李凤跳脚轻笑。

"哈哈！我们这一类浪迹天涯的流浪者，说福不灵说祸灵。目前身在灾难中，说福未免太早了些。可能会有一场惨烈的搏杀，你必须做好心理上的准备。"

"往何处走？"

"反正说出来你也不知道，走就是啦！"

"我不是正跟着你走吗？"

"哈哈，也许我该拖住你，感情地叫一声女孩别走，因为这一走吉凶难料。"

"江湖朋友的口头禅：是福不是祸，是祸躲不过；哪管得了是吉是凶？你怕吗？"

"怕我也得走呀！不是吗？"

六个人，有大半勉强行走。

　　那位与桂星寒打交道，肩骨受创的侍卫，便是可以勉强行走的人，但也不能丢下长官和同伴不管，只好硬着头皮在原地等候救援，等候巡逻的人发现他们。

　　巡逻没等到，却等到快步而来的飞天夜叉。

　　看到这些人手中的绣春刀，飞天夜叉眼都红了。

　　"好哇！你们这些半官半匪的害民贼，似乎全都受了伤，可让我碰上了。"飞天夜叉欣然娇叫："大概又是天斩邪刀所做的窝囊事。他那个人外刚内柔，死老虎不吃人，样子难看而已。我是专门替他善后的人，你们认命吧！"

　　剑吟隐隐，轻虹剑出鞘光芒四射。

　　"不需小姐费心，杀这些杂碎污了小姐的手。"男随从拉掉降魔杵的套袋，大踏步上前："属下手痒，正好一一打破他们的狗脑袋。"

　　这种天王使用的降魔杵，重量有十余斤，大石头也一砸粉碎，打破脑袋甚至不需带劲。

　　生死关头，这位侍卫再次发挥自救的长才，同伴已失去拼老命的力道和勇气，他是惟一能有胆气自救的人了，必须硬着头皮赌运气。

　　"姑娘想必是飞天夜叉了。"侍卫上前相迎，居然勇气十足无畏无惧："确是天斩邪刀伤了我们，大仁大义不与我们计较。"

　　"我计较。"飞天夜叉伸手虚拦，阻止男随从挥杵："冷剑天曹那些人，所加给本姑娘的侮辱刻骨铭心。他们职责所在，找我理由正当，但受弥勒教唆使找我，就不可原谅了。"

　　"他们也是不得已，身不由己……"

　　"住口！我不听这些遁词。"

　　"我有交换性命的消息，如何？"

　　"值得吗？"

　　"绝对值得。"侍卫语气肯定。

"我不信。"

"说出消息后，姑娘如果认为不值得，再杀我们为时不晚。听我说完，即使没有价值，对你也不会有损失，是吗？"

"唔，有道理，你说说看。"

"我先说我们遭到不幸的经过……"侍卫利用说经过的机会，缓和飞天夜叉涌起的杀机，最后说："紧要关头，来了这么一个美如天仙的女郎，这女郎……"

片刻之后，飞天夜叉带了两名随从，脚步加快追踪桂星寒，侍卫与罗百户六个人的性命保住了。

弥勒教南北两地的人已先后赶到，分别在城内城外落脚。抱獐山的联络站，按理早已取消了，何况风声鹤唳，情势紧急，撤站理所当然。

但桂星寒是相当小心的，一点不敢大意。

"我在这里约会陈百户。"

他向李凤说："已不足半个时辰，他们来不来无法估计，我先在四周搜搜看，这里曾经是弥勒教设下的联络站。"

"为防万一，搜一搜应该的。"李凤自告奋勇："你搜外面，庙内由我负责。"

"庙内应该不会有人，但也得小心在意。"

"好啦，好啦！我不但小心，而且机警能干呢！"

李凤媚笑着推他动身，自己往破庙门举步，举动大方亲昵，有意无意地流露出撒娇的风情。

桂星寒呆了一呆，那纤纤的玉手在他的肩臂轻推，他竟然感到心中怦然，仿佛那纤纤玉手有一种亲和的热力，一触之下，浑身产生异样的波动，心跳陡然加快。那熏人欲醉的幽香，也产生了催情作用。

他举步离去，心中暗叫：我是怎么了！

他并非不曾与异性接触过的处男，至少在最近期间，他曾经搂抱过葛春燕，曾经救过飞天夜叉肌肤相亲。

两位姑娘皆是年轻貌美的美女，相貌和风华气质，决不比李凤差，他一直就不曾有过这种怦然心动的感觉。

也许，这就是所谓缘分吧。

有些男女，即使睡在同一张床上，也不会产生心动的现象，甚至连生理本能的冲动也付阙如。

走了几步，他情不自禁转首回顾。

李凤袅袅娜娜的背影，刚消失在破庙门内。而他怦然心动的感觉，似乎比刚才更强烈了。

"这是一个可爱的女孩。"他喃喃低语。

桂星寒不自命英雄，并不代表他不是英雄。

英雄与平凡的人，其实相差无几。

英雄也是人，有人的一切优点与缺点，同样会有七情六欲，有凡人的正常感情变化和需要。

当然，他不会排斥女人。

缘分两字，深究时玄之又玄，不必深思，却平凡得有脉络可寻。

他与葛春燕相处的感情不好也不坏，那是打出来的交情。

葛姑娘冒失鲁莽，幸好他是个不怎么计较的人，能化敌为友，已经算是颇有缘分了。之后相处的时间有限，无法获得感情进一步的发展环境，各有前程，不可能走上日久生情的道路。

与飞天夜叉的交情，更是从激烈的打打杀杀中产生，先天上的排斥感，压下了进一步亲近的欲望。

李凤与他第一次见面，便不着痕迹地赞美他。

英雄也需适时适当的赞美与鼓励，因为英雄绝对不是圣人。

三个萍水相逢的女人给予他的感受迥然不同，自然而然的，他感情的天平便倾向于李凤这一方，随接近时光相等分量渐增。

也许，这就是所谓缘分吧！没有一个身心正常的男人，能排斥一个对他赞美、鼓励、热诚亲近的女人。

似乎，他已决定了所走的方向。再深深注视了庙门一眼，这才放心开始搜索庙四周的可疑征候。

那种怦然心动的感觉，久久仍然存在。

在庙外绕了半圈，凋林中鬼影俱无，也找不出有人走动留下的痕迹，不可能有人潜伏。

按葛春燕传讯的时间估计，先遣的埋伏人员应该早片刻到达了。

一无所见，但他的思路，已经投落在庙内搜索的李凤身上了，注意力也就留意庙内所传出的声息，一有动静，他便会以最快的速度冲入。

果然有了动静，李凤的一声娇叱破空传来。

心中一急，他飞越庙墙狂野地冲入内殿。

破庙占地不广，跃登屋顶便一览无遗。

他已有所警觉，看到飞升的人影便立即迎头截住。

"要活口……"他急叫。

可是，已叫晚了。一刹那，下面剑光飞腾的晶亮剑光，已逐影上升。

人影距檐口不足三尺，上升的剑恰好到达，剑尖正贯入人影的下体，贴耻骨滑入腹部，入体近尺，劲道极为猛烈。

上升的人影如受雷击，浑身一震，但仍然上升，被上面的桂星寒一把揪住背领，消去升势，一顿之下，同时向下飘落。

他已看出这人是谁了，另一手抓住对方失手放弃的拐杖剑。

是黄泉双魔的大魔孔成，老相好。

大魔的拐杖剑原来是抓在手中的，逃走时剑竟然还在杖鞘内不曾拔出。这是说大魔是惊弓之鸟，见了人就逃走，没有拔剑一拼的念头，脱身第一没有斗志。

他首先认出拐杖剑，因此急叫留活口。

下面中院站着李凤，是将人追出的刹那间，飞剑追击上屋逃走的大魔，急动之下发剑，准确度十分惊人，身形稳下剑已中的，技巧精绝无与伦比。

他抓着人飘落，对李凤的身手大感心折。

"是会妖术的人。他一定是你所说的弥勒教的妖匪，我不得不杀他们。我讨厌利用迷人神智的邪术杀人的败类，几乎上了他们的当。"

"他们?"桂星寒拔出大魔腹下所中的剑，利用大魔的衣衫擦掉血迹递给李凤。

大魔已经有气出无气入，双目睁得大大的，厉光仍然炽盛，令人望之心悸，狰狞可怖的濒死形象，会让胆小的人做噩梦。

"里面还有一个。"

"一定是二魔关功。"

"那人突然用棋子向我急袭，我只好给了他一剑。"

"那就是二魔关功，他们的夺魂棋子相当歹毒。这两个老魔在弥勒教的地位并不高，武功却高强，性情阴险毒辣，江湖朋友提起黄泉双魔，胆气便消失了一半。你能在短暂的片刻毙了他们，非常了不起，天下大可去的，你的造诣修为大出我意料之外。"

"谢谢你的夸奖。抱歉，没替你留活口。"李凤挽了他的臂弯向后殿走："他们一个突用棋子而下杀手，一个用可以让人心乱的妖术行凶，我猜他们必定是弥勒教的妖人，不得不倾全力反击。"

"其实并不需要活口，我与弥勒教的妖人结怨，双方各展神通你死我活，不需什么口供了。我只是感到奇怪，这两个老魔怎么还留在这里，他们的秘窟建在城内城外，实在没有把人留在这里的必要，所以存疑……"

"你说的，并不需要活口。"李凤打断他的话，指指已经断气的二魔尸体："见了弥勒教的妖人，就像这个二魔一样，立下杀手毙了准没错。"

"我们到外面去等。"他不再理会二魔的尸体往外走："时辰快到了。"

"桂兄，你与谁有约？"

"城内戒严的指挥官，一个姓陈的百户，锦衣百户。"他信口答。

"锦衣百户？"

"对，也就是紫禁城的侍卫。"

"哎呀，你是说锦衣卫派到外地抓人，带了圣旨的缇骑？"

皇帝派往外地抓人的锦衣卫官兵，称为缇骑。缇骑并不限于锦衣卫的官兵，另有两个单位的人也称缇骑，那就是东西两厂，三个单位合称厂卫。

"不是缇骑，而是御林禁军出现在这里。"

"什么？御林禁军出现在这里？"

不知经过多少岁月了，至少在最近几个世代里，从来不曾有过皇帝光临这一带。百姓们八辈子也不知道皇帝是什么东西，他们也不曾梦想过，看一看天老爷的儿子是不是真的头上有角的玩意儿。

皇帝通常称天子，意思是天老爷的儿子，所以传国玉玺上所刻的字大书"受命于天"。皇帝也是龙，坐的椅叫龙座，穿的衣叫龙袍。既然是龙，头上该长了角与众不同，表示坐在龙座上统治江山的，是天老爷的儿子，或者叫龙子的怪物。

百姓小民能看看皇帝，该多好？

但皇帝不希望被百姓看到，以免被看出他不是天老爷的儿子，因为他与凡人并无不同。他更不是怪物，身上绝对不比凡夫俗子多长一件器官。

所以，皇帝出巡各地必须戒严，不许平民百姓看出他与凡人并无不同，保持神龙见首不见尾，就可以保持神秘和威严。

"不出三天，京都紫禁城那位皇帝，就会经过这里。"

桂星寒不再隐瞒："身负戒严的这些先锋禁军，勾结弥勒教的人陷害我，欺人太甚，我要公道。"

"桂兄，你要向皇帝讨公道？"

"有何不可？"他咬牙切齿："大不了像弥勒教的龙虎大天师一样，干脆兴兵造反。古代汤武革命，不是高举吊民伐罪的旗号吗？"

"那你就该与龙虎大天师合作联手呀！"

"没胃口，那混蛋用愚民手段裹胁百姓，建立他们的强盗事业，名不正言不顺，所用的手段也残忍卑劣。"

"桂兄，你真要号召天下群雄兴兵，我替你摇旗呐喊，替你罗致天下豪杰……"

"小凤，你算了吧！"他无意中改了亲昵的称呼，表示心情开朗，对这次事故，并没有太大的怨恨："发发牢骚说来玩消口气而已，可别当真。呵呵，看你弱不禁风的淑女像，做女将军举大旗像什么呀？"

"像什么并不重要，重要的是你要干什么，我都会毫不迟疑站在你身边，同心携手有福同享，有难同当。"

"小凤，你了解我吗？"

"那并不重要，重要的是我喜欢了解现在的你。桂……星寒，你不认为这是我对你所表现的承诺吗？"

"谢谢你信任我……"

"你值得我信任，星寒。"李凤拉住了他，蛾首羞怯怯地依偎在他壮实的胸膛上。

蹄声隐隐入耳，有几匹健马正向破庙飞驰。

飞天夜叉并不知道桂星寒的去向，只能在各处穷找寻踪觅迹。冰冻大地，很难找出留下的足迹，因此浪费了不少时间，始终找不出桂星寒的去向。

但所寻的方向大致不错，而且终于抵达抱獐山。

蹄声隐隐，吸引了他们的注意，急急穿过一处树隙，果然看到离开官道的九匹健马，九骑士伏在鞍上飞驰，越野而走，速度惊人。

"小姐，跟他们的去向赶。"男随从大声说："其中几个人佩的是绣春刀，穿轻裘但健马负荷甚重，里面一定穿了甲，很可能与桂星寒有关。"

"快追！"飞天夜叉不假思索下令。

九匹健马行进的方向，与他们差了相当大的角度，她们必须采斜向追赶，很可能无法会合。即使他们敢不珍惜体力用轻功急赶，也只能在里外会合点，跟在后面追赶，不可能将健马截住。

她心悬桂星寒安危，毅然用轻功急追。

良驹的全速冲刺距离，只能及三至五里。中速程度，则可远及二十里，之后便血液沸腾，后继无力了。

三至五里之内，轻功绝难与健马对抗。两条腿的人，全速冲刺的距离，绝难超过两里，两里外便体力耗尽，呼吸困难，摇摇欲倒了。

只有肌肉构造特异的人，才能长期奔跑而呼吸不至于困难，血液的沸腾点也低，爆发力与众不同。

这种天生异禀的人非常优秀，普通人即使肯下苦功勤修苦练，也无法克服先天体质上的差异，下十倍苦功，也比不上天生异禀的人，耐力与爆发力依然相差甚远。

天生异禀，也就是练武根基之一。

名师择徒，花一辈子岁月，也难找到这种有优异体质的人。所以有些名师，收徒宁缺勿滥，宁可将绝学带入坟墓，也不滥收门人弟子有辱师门。

事急矣！她硬着头皮用轻功追逐健马。

破庙前气氛紧张，杀气好浓好浓。

九骑士雁翅分列，中间为首的人身材特别高大雄健。

六把绣春刀，三把雁翎刀。

九骑士都穿火红骑装，外穿轻狐裘皮袄，内穿锁子短甲，可承受刀砍斧劈。

每个人的皮风帽皆放下掩耳，仅露出一双神光炯炯的大眼。

为首那人的眼眶外肌肤，几乎是暗红色的。与一般人的暗黄或古铜色不同，与苍白更沾不上边，似乎他是一个有红色肌肤的西域人。

他那双特高特长的腿，更是与众不同，站在那儿真像鹤腿，可能走起路来也像鹤。

"你就是什么天斩邪刀桂星寒？"这人中气充沛，声震耳膜，虎目神光似电，似乎有红色的火焰放射，正是天生异禀的火眼金睛。

"不错，那就是我。"桂星寒的嗓门也大，不能在这时输气。

在他右后侧的李凤，却胆气不够，在对方九双似乎可以杀人的凌厉虎目逼视之下，心怯的神情暴露无遗。

有些人的目光，真可以令人丧胆。那些曾经杀人如麻的人物，眼中的杀气连鬼神都害怕。

"听说你很勇敢，杀了我不少人。"

"没错，因为理在我这一方……"

"不要说你的理，我曾经调查过了。你的事，只怪我的部属无知愚蠢，但你不该杀我不少人，情理可容，法理难许。"

"你们可以玩法，我也可以不加理会。"

"你还要闹下去？"

"公道未申……"

"我不追究你的错误。"

"你是……"

"先不要问我是谁，告诉你，我言出如山，一言九鼎，无人可以违抗。"

"好，我尊敬你。"

"听说你很勇敢，造诣非凡。"

"小有成就，亡命而已。"

"我要试试你的胆气和武功。"

"这……"

"这几位是我的部下，有名的铁卫武将，一比一公平相搏，你敢和他们较量吗？"

"有何不可？"

"壮哉！"那人手一挥："能砍倒他，砍！"

"卑职遵命！"一名甲士行军礼应诺，大踏步出列到了场中心。

一声刀吟，绣春刀出鞘。这种厚背薄刃锋利如剃刀，刀身有弧度适于马战的军刀，可以双手使用，亮晶晶如一泓秋水，刀外形就有令人胆落的杀气，比单刀长，比剑短，挥舞自如，极其灵活。

"真刀较量，死无怨恨。"甲士亮刀沉声说："小子，怕死就不要拔刀。"

天斩邪刀出鞘，光芒也极为耀目。

宝刀对宝刀，兵刃上棋逢敌手。

"谁怕谁呀？"桂星寒扬刀逼进，豪气飞扬："在下的刀，两年来还没碰上敌手。阁下，我上啦!"

"随时欢迎……"

人影斜冲而至，宛若劲矢离弦，只看到人影一动便已近身，似乎双方相距的两丈距离空间，并不存在，一动即近，目力仅能看到动的迹象而已。

人似要撞及，却看不到刀光。

甲士反应超人，目力似乎更为锐利，桂星寒神乎其神的快速接近身法，居然逃不过甲士的眼。

绣春刀幻化眩光，及时与冲来的人影接触。

一刀落空，又一道眩光再发，然后是第三道眩光。

刀没砍中人影，人影似是虚幻没有实体的鬼魂。

再发的眩光是第二刀，同样没砍中人体。甲士运刀之快，已臻速度的极限，一眨眼的瞬间共连发三刀，追逐着贴身旋动的人影，破风声似瞬发的风雷，一发即止，无法分辨是三刀连发的尖锐破风声。

一声怪响，人影倏分。

碎毛纷飞，是狐毛。

甲士疾退五六步，马步大乱，几乎立脚不牢。

右背肋袄裂，狐毛翻出，裂缝长度近尺，露出里面铁青色的锁子甲，互串的小铁环出现一道浅浅的刀痕，深有一分，所造成的刀痕极为惊人，那几乎是不可能的事，把锁子甲摆放在地上砍，刀只会卷口，不可能砍入一分。

如果没有锁子甲保护，这一刀很可能将人斜砍成两段。

"这家伙的刀真邪，是怎么砍中我的?"甲士大惊失色，摸索着锁子甲被砍处讶然惊叫。

高手面对面挥刀相搏，居然在挥了三刀之后，反而被砍了一刀，又居然不知道这一刀从何而来的? 这是不可能发生的事。

"换一个来!"桂星寒豪勇地高叫。

另一位甲士哼了一声，拔出雁翎刀。这玩意是冲锋陷阵的利器，一刀可将人劈成两半。

"你们不中用，退，都退！"为首的红眼人沉喝，挥手赶人。

八名甲士应声后退，退出广场。

"女人，你也退。"红眼人粗大的手指，指向脸色不正常的李凤。

李凤吓了一跳，乖乖向后退，退入破庙内，不敢停留。她被桂星寒那神奇的一刀，也吓了一大跳。

旁观者清，她这个旁观者，竟然没看清桂星寒是如何出刀的，又如何在可怕的雷霆三刀攻击之下，安全无恙毫发未伤的。甲士那如电的三刀，超绝的高手名家，也绝不可能在贴身相搏中逃得性命，甲士的刀法是超绝中的超绝高手。

桂星寒满腹狐疑，这个人为何把八名护卫，赶离身边三十步以上，岂不古怪？

"你在玩什么花招？"他惑然问。

"我要和你谈谈。"红眼人挪动那双瘦长的鹤腿，背着手神态轻松。

"谈什么？"

"你很了不起。"

"夸奖夸奖。"

"我目下掌理南镇抚司，即将回京都掌理北镇抚。"

陆柄掌理锦衣卫，世袭的本职是副千户。

但他并没在京都统领，跑到南京坐镇南镇抚司。嘉靖帝准备南幸，他才赶回京都布置护驾南下。

后来皇驾返回京都之后，陆柄不再离开京都，在天下各处要地，广置驻院作为密谍活动中心，他自己不再在外走动，也因而被酒色淘空了身子。

他所培养的密谍，把天下的贪赎大官，以及地方的强梁巨猾，杀得心胆俱寒。

　　他被名列四大奸恶之一，史上也被列为奸佞。但这人一身硬骨，生平不曾陷害一个正人君子，而且周全善类，一掷万金，毫无吝色。许多被奸臣昏君陷害的正人君子，在他手中得以昭雪存活。

　　四大奸恶惟一得以善终的人，就是他。

　　桂星寒不知京都官府的事，但却知道锦衣卫的南北两镇抚司，知道两镇抚所掌理的"天牢"是怎么一回事，不由大吃一惊，有点恍然。

　　他所面对的人，一定是威镇天下的可怕人物。

　　"我不怕你。"他沉着地说："龙虎大天师都活得好好的，我一个小人物，到处都可以藏身，天下大得很呢！你无奈我何！"

　　"不要扯上龙虎大天师。"

　　"可是……"

　　"那混蛋不犯在我手上便罢，被我弄到手，哼！我要剥他的皮。"

　　"你们勾结他……"

　　"那是几个佞臣所操纵的狗屁事。目下我不能有伤君心，装聋作哑放他一马，小丑跳梁不成气候，一旦成患我饶不了他。"

　　"你在玩火。"他摇头苦笑。

　　"我是火德星君降世，玩火是老本行。废话少说。"

　　"你要说什么？"

　　"先锋营被你搞得鸡飞狗跳，用十万火急塘报递送河对岸，我只好带了八虎贲赶来看究竟，本来打算出动骑军搜杀你的。"

　　"我会往西南山区跑。"

　　"不必了。你听我说，我即将回京，打算建立几支行动谍队，需具有奇技异能，武功超尘拔俗的勇士，担任锄奸发伏，抑豪强惩恶霸主干，已派人至天下各地，物色各种优秀人员。你，好，真好。迄今为止，我的八虎贲还没碰上敌手，你一照面，便砍了名列第三的虎贲致命一刀。我要聘请你做我的参赞，协助成立行动谍队。我每年赠你五千两银子奖金，订约期一年，每年换约，去留悉从尊便，决不勉强。不要辜负大好头颅，桂星寒。"

话说得诚恳，条件更是优厚无比。武林人最好的出路，是做保镖护院，一年也不过赚三二百两卖命钱。

雇一个长工，一年赚二三十两银子，已经是极高的价码了。

"阁下抬爱，我很感激。"他收了刀摇头苦笑："可惜你我无缘，相逢恨晚。"

"什么意思？"

"我杀了你很多的人，惭愧。阁下宽宏大量不予追究，但你那些部属如何想法？我跟了你，会陷你于不义，你的部下也将对你离心离德，他们不会忘了，我杀害他们袍泽朋友的仇恨，日后如何相处？"

"这个……"

"我无德无能，只好辜负了你的抬爱。日后我会替你留心物色人才，到京都替你效力。"

"好吧，你这个人值得爱惜。这里的事，我将责成我那些饭桶部下，立即撤消紧急搜杀令，不许他们追究你的事。你最好暂且远离，以免那些心怀激愤的人暗中报复。我要回郑州，不能兼顾这里的事，有些人阳奉阴违成了积习，我很难严厉管束这些世家勋臣子弟。"

"好，我立即西行回避。但言之在先，他们如果不肯罢手，我有权采取报复行动。我再说一遍，抱歉。"

"我接受。日后有暇光临京都，别忘了找我把酒言欢。"

"你……"

"我，陆柄。"

"哎呀！"他大吃一惊。

"后会有期。"陆柄扭头便走。

他呆立在原地，目送陆柄偕同八虎贲上马离去。

李凤曾经表示过，和他有福同享，有难同当，真够情义的。

可是，李凤退入破庙，竟然不敢逗留，直退至后殿才藏身在暗处等候。

那位虎贲甲士，挥刀向桂星寒攻击三刀，劲道、速度、技巧、辛辣……举目江湖，能接下或躲闪得了这三刀的高手名宿，恐怕真找不出几个。

如果对方九个人同时挥刀进攻，桂星寒哪有侥幸的可能？

桂星寒如果遭到不幸，这些人怎能轻易放过李凤？

李凤预留退路，也是人之常情。

听蹄声远去，李凤出来了。

"咦？星寒，他们怎么走了？"李凤眼中疑云重重，急于找到答案。

"他们不再追究我的事。"桂星寒不便多说："他们很讲理，知道错不在我。"

陆柄赶退八虎贲甲士，赶走李凤，目的是双方所谈的话之内容，不容第三者知道。桂星寒当然明白陆柄的用意，怎能将经过告诉李凤？

他尊敬这位锦衣卫指挥使，决不会泄漏那些涉及机密的内容。

"他们那位首领是什么人？"李凤追问，心中谜团急欲解开。

"那人自称陆柄。"

"哎呀，他是锦衣卫指挥使，目下坐镇京都，怎么跑到此地来了？"

"你怎么知道这个人的底细？"桂星寒一怔。李凤说，她刚出道闯江湖扬名立万。

江湖上的绝大多数高手名宿，恐怕也不知道陆柄是老几。

桂星寒知道锦衣卫的首脑，称为指挥使，但却不知道指挥使是陆柄。百姓小民哪有闲工夫管皇家的事？天高皇帝远，不关百姓小民的事。

指挥使是经常更换的，陆柄的前一任是陈寅，再前一任是王佐、骆安、朱宸。朱宸是嘉靖帝登基后，第一任锦衣卫指挥使。

这是说，短短的十八年中，更换了五位指挥使。

陆柄的世袭职是锦衣卫总旗。嘉靖八年武职的会试中，勇夺了武状元，才正式袭任锦衣卫副千户。

平民百姓，怎知道这些事？

李凤知道，而且知道底细。

"听人说的啦！"李凤一言带过。

"消息灵通，是闯江湖必具条件之一。我消息不够灵通，其实我很少与江湖朋友打交道。"桂星寒不再追问，也没放在心上。

"你怎不乘机宰了他？"李凤不胜惋惜。

"宰了他？你说得真轻松。"桂星寒苦笑："他们每个人身上都穿了防身锁子甲，只有细小的暗器才能穿甲而入。那个和我拼刀的甲士，刀上的劲道真有千钧，用刀挡必定触刀即折。一比二，我勉可应付，也只能应付而已，胜算有限。"

"他和你说什么？"

"我和他讲理。"

"把责任推到弥勒教身上？"

破庙门传来一声轻咳，步出飞天夜叉三个人。

"本来责任就是在弥勒教妖人身上呀！"飞天夜叉悦耳的嗓音像是唱歌，笑容可爱极了，表示心情愉快："星寒兄愣头愣脑，直肠直肚，不曾扯谎，也不会用心计，当然实话实说啦！"

"哦！你们也来了？"桂星寒颇感意外。

"早就来了。"飞天夜叉走近，指指破庙角的断垣："像老鼠一样躲在墙洞里。你挥刀时我就来了，惊出一身冷汗，那个甲士的刀法好可怕。幸而相距甚远，看到了也来不及救应，真要冲出去，我这三个人恐怕他们派一个甲士，就可以摆平我们了。哦！星寒兄，这位小妹是……"

"她叫李凤，认识不久的朋友。"桂星寒完全忽略飞天夜叉的神色变化，也不想揣摸怪异的笑意有何含义："锦衣卫密探不再找我，但为防万一，我只好先行回避，这就退出警戒区外。你最好也走吧！他们职责所在，为防意外，他们有些人会不顾一切的。"

"你的问题解决了，我的问题还没了断呀！"

"你是说……"

"弥勒教不会放过我，也不会放过你。"飞天夜叉又走近，盯着李凤微笑："所以，你我仍然是有难同当的搭档，还有一段时日相处。李小妹，你一个人？"

"我还有一位侍女，留在新郑到密县大道的村落暂住。嘻嘻！你在我面前托大吗？你贵姓？"

"你该认识我呀！我本来就比你大三两岁，叫你一声小妹理所当然呀！"

桂星寒愕然，说话怎么隐含玄机。

"我该认识你吗？"李凤脸色微变："我从密县来，初出道……"

"你怎么可能从密县来呢？密县小地方，街头的张三与街尾的李四，站在大门口叫一声，交代事情也不必走动。左邻右舍家里多养一条狗，全城都知道。那座城对四乡所发生的事故，鸡毛蒜皮的小事也一清二楚。一年中看不到十个八个外地人，大道上没有几个商旅往来。只要向任何一个市民打听，你这位天仙化人的小姑娘，他们必定一清二楚，你真的是从密县来的？"

"咦？你怎么疯疯癫癫，说这些无聊的事？"李凤大表不满。

"我是指出事实，指出有些事瞒不了人。"飞天夜叉依然笑容可掬："我并没有怀疑你的意思。只是觉得你有点来路不明。我和星寒兄的处境相当危险，有些事必须小心谨慎，严防意外，便可活得长久些。当然我们不会把你看成可疑的敌人，但你故意隐瞒你的来向，我觉得你无此必要，是吗？"

"你小心，我也会保护自己呀！来踪去迹坦然无讳，是江湖闯道者的大忌。"李凤为自己的行为辩护："你会留下线索，让你的仇家寻线追踪吗？"

"好了好了，我们不要为了一些小事争执好不好？"

桂星寒采息事宁人的态度，要结束话题："林姑娘，你把李凤当成可疑的敌人，是无此必要的。目下我们惟一的仇敌是弥勒教妖人，李凤姑娘不久之前，就杀了该教的地位不低的黄泉双魔，尸体还留在庙内呢。"

飞天夜叉一怔，大感意外。

她转头注视男随从。男随从摇摇头苦笑，表示迷惑。

"你是不是听到了些什么风声？"李凤问："我不认识黄泉双魔，我也深信没有江湖名宿高手认识我。似乎你和星寒兄，都对弥勒教怀有强烈的戒心，该教想必具有震慑江湖的实力。我杀了他们的人，似乎已经卷入是非中了，日后我真得提防他们报复呢！"

"不是什么风声，而是颇为可靠的消息。"飞天夜叉有意透露一些口风："弥勒教有许多年轻貌美的女弟子，其中名列七仙女的两女，星寒兄曾经和她们交过手。所以，你不能怪我对你起疑。"

"我们必须及早离开，这里仍然是险地。"桂星寒打铁趁热，不希望飞天夜叉再起猜疑，立即动身举步："弥勒教会把黄泉双魔被杀的账，毫不迟疑地记在我头上，与你们无关。李凤姑娘，你这就回去和你的侍女会合吗？"

"是的，你在何处落脚，回头我去找你。"

"在西南方向十里外的鲁家庄。"

"回头见。"李凤兴高采烈地走了。

飞天夜叉目光灼灼狠盯着李凤的背影离去，凤目中神色百变。

她的落脚处也在鲁家庄方向，事先并不知道桂星寒的真正落脚处，心悬桂星寒的安危，只带了两名随从四处奔忙穷找，有机会便痛宰那些埋伏的人，飘忽不定备极辛劳，希望能减轻桂星寒的压力。

"你知道老怪杰在何处吗？"桂星寒一面走一面问着，没留意飞天夜叉脸上神色的变化。

"可能在城里，设法阻止少林长老出面阻止你。"飞天夜叉其实不知道银扇勾魂客的下落，只凭老怪杰的行动加以猜测而已："星寒兄，这个李凤是怎么一回事？你是怎样认识她的？"

她在明知故问，可知她是一个颇会用心机的人，与李凤见面时，情绪的控制就高人一等。她能在焦急中摆出明朗的笑脸，也非常人能所及。

但毕竟她很难完全控制情绪反应，机心也不够，因此并不怎么技巧地盘诘李凤，几乎反而露出马脚。

桂星寒心胸胆荡，将与李凤见面的经过说了。

"你好像怀疑她是七仙女之一。"桂星寒最后说："不要多疑，好吗？七仙女都是经验丰富的成名人物，她却什么都不懂。你毕竟出道比她早，也该提携后进呀！"

"她既然杀了黄泉双魔，按理我不该再怀疑她，可是……可是……"

"可是什么？"

"算了，以后再说。"

"你一定听到什么风声了。"

"也许我被人愚弄了。"

"怎么一回事？"

"有人提醒我，弥勒教要出动女将军图谋你。"

当初龙虎大天师在陕西兴兵造反，悍将中有十大元帅，而且有女将军，统率贼众攻城掠地颇为出色。

龙虎大天师有三个儿子是亲生的，也收养了不少义子义女，亲信弟子也有男有女，而且女的似乎比男的出色。

他的三个儿子大仁、大义、大礼，武功和道术，就比不上他的几个义女，女弟子似乎也都比男弟子强。

造反期间，第三个儿子李大礼，表现最为出色。目下在下一代的人中，领导能力也最强，可以独当一面，具有蛊惑群众追随他的魅力和神通。

"他们早就出动女将对付我了。"

"所谓女将军，该是意指他们地位很高的女人。当年兴兵叱咤风云的女将军，兵败死伤殆尽所遗无多，就算有，目下也是半老徐娘了，怎能派半老女人蛊惑你？七仙女是最近几年崛起的新秀，还不配称女将军。"

"哈哈，你真会说讽刺话。"桂星寒大笑："我承认七仙女都是花容月貌的绝色美女，但她们还蛊惑不了我。我也承认我是一个正常的男人，喜欢年轻貌美的女人是正常的，绝不是罪过，但不会被女色蛊惑。你也是年轻貌美的绝色佳丽呀！我可曾对你流露有失风度的举动？"

"那是因为你讨厌我是女飞贼的缘故。"飞天夜叉撇撇嘴："等皇帝驾到，我去偷他的珍宝给你看。或者……或者……"

"或者什么？"

"对我计算你，逼你的事，仍然怀有怨恨，因此我一切意图补偿的举动，你都拒绝接受。"

第十三章　公报私仇

桂星寒默然，脚下显得有点沉重。

人与人之间，见面第一印象十分重要，一旦印象不佳，以后便很难改变恶劣的成见。

飞天夜叉控制酒店，把他和银扇勾魂客弄入地牢，逼两人投效，吃了不少苦头。若要说他对这件事完全没有怨恨，那是欺人之谈。

假使那天晚上，侵入向飞天夜叉索人的不是弥勒教妖人，而且要索取的人不是他，就算来人把飞天夜叉生吞活剥，他也懒得伸手过问。

他并不认为飞天夜叉与他并肩对付仇敌，是补偿对他的亏欠，而是同仇敌忾所形成的共识，并非因意图补偿对他的亏欠，而站在一边并肩应敌。

在心理上，他一直就存有疏离感。

飞天夜叉对他的沉默，心中大感不安。

"你不想说什么吗?"飞天夜叉终于忍不住沉闷，用失望的口气打破僵局。

"没有什么好说的。"桂星寒脚下一紧。

"我……"

"你已经有了名气，经过风浪。你的所作所为，该有力量担承责任与结果。老实说，迄今为止，我还弄不清我是好人还是坏人，根本不配干预别人要做什么，该做什么。我挥刀杀人，哪有脸去劝人为善，所以你根本不需介意我的做法和想法，尽管去做你所想要做的事吧!"

久久传来飞天夜叉充满倦意的声音:

"小心那个女人。"

走了十余步，他听不到跟来足音，扭头一看，飞天夜叉三个人已经不见了。

鲁家庄在城西十五六里，远在紧急戒严区外。

桂星寒返回寄住的农舍，已是黄昏降临。农舍主人刚替他备妥晚膳，银扇勾魂客便兴冲冲地赶来了。

"我在城里带来了好酒。"银扇勾魂客将两只酒葫芦往桌上一搁，喜形于色:"没有倒霉事需要担心了。咱们该好好庆祝一下。"

"你高兴什么?"他笑问，取酒葫芦替老怪杰倒酒。

"别泼冷水好不好?"老怪杰一口干了半碗酒:"官方撤消对你的十万火急搜杀令，难道不值得庆祝? 我不知道是怎么一回事，显然是你小子神通广大，事情极不寻常，是不是你付出了某种交换条件?"

"我停止进入戒严区。"他显得意兴阑珊，提不起劲:"那个皇帝，至少不必担心我去找他理论了。"

"就这么简单?"

"对，就这么简单。"

"他娘的! 你失去见皇帝的机会了。"银扇勾魂客没酒醉，说的却像是醉话:"在京都，要见皇帝真不简单。首先得在御林军的监视下去击登闻鼓，然后滚钉板表示你的勇气和决心，再立下生死状，递冤状由值鼓人员讯问，认为真的需要皇帝处理，才经值殿御史奏呈进行初审。能不能见到皇帝，还是未定之天。现在你只要一挥刀就可以见到他，竟然轻易地放弃，实在可惜，这可是千载难逢的天大机缘呢!"

只有告御状或许能有幸见到皇帝,平民百姓哪有这种幸运?击登闻鼓告御状,并不能保证可以见到皇帝,除非是告变。告变,意思是告有人造反,而且有凭有据,皇帝才会亲自审理。

上京告变的人,是惟一可享受特权的人。不需申请路引(通行身份证),可以住驿站(官方招待站)。最先得讯的地方官,需无条件派人照料入京;沿途各州县官府,不得留难并需派人加意保护过境。够神气吧?其他的冤状,可就无人理睬了。

"罢了,我并不希望成为钦犯,那日子不好过,我又不想隐姓埋名。"桂星寒一口喝了一碗酒:"我猜,这两天皇帝便可以到达。明天天一亮,城内城外任何蛇鼠也动弹不得,你会回张家吗?"

"不回去了,那边不需要我这种二流人物帮场。张家这几天应该无惊无险。先锋营禁军已经到达,勒令弥勒教的妖人离境,违者格杀勿论。那个陈百户,好像已经被看管起来了。"

"那混蛋如被看管,必定会激怒他的死党,迁怒在我头上,我尔后的日子恐怕不好过。"桂星寒笑不出来,虎目中杀机怒涌。

陆指挥使显然重视他拒绝投效的理由,所以不勉强他投效。他杀了不少锦衣卫的官兵和密探,那些人的同袍友好怎肯甘休?锦衣卫的官兵,都是世袭的皇亲国戚功臣子弟,平时作威作福权倾天下,通家世好狼狈为奸,同伴被杀,岂肯坐视不管?公不能为所欲为,私底下必定同仇敌忾肆行报复,这是人之常情,陆指挥使当然心知肚明,确也无法管束这些激进人士胡作非为。

"小子,你的处境似乎并没改善。"银扇勾魂客见多识广,已经知道不宜乐观太早了。

"屁的改善,恐怕更为险恶呢?"

"似乎我也脱不了身。"

"那是一定的。"

"该死，咱们成了同一条破船上的难友了。"

"他们的目标是我，不会在你身上浪费精力。管他娘！兵来将挡，水来土掩，谁怕谁呀？"

"对呀！除死无大难，他们来好了，明的暗的咱们陪他们玩。"

"日后张家有何打算？还要入川？"

"他们还敢入川？"银扇勾魂客苦笑："在这里已经应付不了，动一动只有死路一条。皇帝去后，找地方把张知府的家小藏起来，用些手段故布疑阵，或许能度过这次劫难。你仍要到荆山？"

"不到黄河心不死，走一趟也安心些。天大地大，吃比天大，来，敬你一碗酒。"

天刚黑，李凤带了一位十四五岁俏巧侍女，踏入鲁家庄的庄门。庄丁大概心中有数，这些带了剑的江湖朋友，必定是同一路的人，不待询问便把她俩领到桂星寒安顿的农舍。

她俩带了简单的行囊，还真有点闯荡江湖儿女英雌的气概。但主婢俩身上的华丽衣着，以及令人沉醉的彻体幽香，可就不像一个能吃苦耐劳，不畏餐风宿露的闯道者了，她们哪能适应闯道者的生涯？

侍女叫丁香，奴婢当然随主人姓。丁香小小年纪，却生了一双眼神极为锐利的大眼，不苟言笑，外表比实际年龄要成熟得多，毫无天真无邪的少女气息，走动时轻灵如猫，与一般少女蹦蹦跳跳迥然不同。

桂星寒替银扇勾魂客引见，老怪杰不住皱眉头。但一听李凤杀了黄泉双魔，老怪杰疑团尽释，一改怀疑冷淡的态度，对李凤大表欢迎。

能轻易地一剑一个杀了黄泉双魔的人，足以跻身于超等高手之林，多一个高手并肩站，就多一份力量，难怪老怪杰的态度转变。

农舍主人热诚地在替两女准备宿处，安顿停当，在厢房的小厅品茗。天气寒冷，小厅中还特地设了一个取暖的火盆，水壶就搁在火旁，随时皆有沏茶的沸水供应。菜油灯光度不足，很难清晰地看出彼此的神色变化。

丁香侍候茶水，婢女是没有座位的。

"小子，你认为皇帝在两三天之内，可以到达这里吗？"银扇勾魂客自然而然地，把话题放在目下最重要的事件上。

"我是从陆指挥使的行动估计的。"桂星寒说："他回郑州，皇帝应该还在河北岸，即使过了河，在郑州也会有一段时间逗留。这不关我的事，定下心歇息几天再动身。"

"我陪你走一趟荆山，沿途找朋友放出风声，应该有人知道九灵丹士的下落。"

"谢啦！希望不要耽误你的事。"桂星寒由衷地道谢，转向李凤问："你呢？你的去向在何处？"

"我只是出来见见世面，并没有特定的去向。"李凤话中的含义，完全表现对他的信任和依赖："有你带携在江湖遨游，我是三生有幸。你请放心，我不会成为你的累赘，而且可以成为你的有力臂膀。星寒兄，我对我的武功修为有信心，希望你也能肯定我的成就，不会吝惜我共享你的光彩吧？"

"我会尽全力照顾你，但愿不至于让你失望。"桂星寒的口气有托大之嫌，但也表示他欢迎李凤并肩遨游江湖的心意："多一个人就多一份力量；你我一刀一剑，天下大可去得。眼前最重要的问题，是锦衣卫密探中的一些人，以及弥勒教妖人的威胁在这几天必须解决。所以，我们这几天必须特别小心……"

话未完，他一口吹熄了惟一的菜油灯。

银扇勾魂客也十分警觉，抓起水壶淋熄了炭盆的火。

"星寒兄……"黑影中传来李凤的急叫。

他们的兵刃都是随身携带的，处身在危险区，必须时时刻刻提防意外，兵刃不在身是十分危险的事。

侍女丁香首先撤剑，但听得到剑鸣，却看不到人影，小厅太黑了。

"出来戒备。"外面的黑暗小院子，传来桂星寒的低叫声。

银扇勾魂客吃了一惊，桂星寒怎么可能在吹熄灯的同一刹那，便到了厅外？

"这小子是个鬼。"老怪杰嘀咕，身形下挫，退至壁根蛇行，小心地滑出厅外。

下挫的刹那间，感到一阵阴风掠身侧而过，还以为是从厅外刮入的寒风，因此并不在意。

窜出小院子，侧方不远处，李凤主婢的身影，似乎在同一瞬间幻现。

"我真的老了，这两个初出道的小姑娘也比我快。"老怪杰藏身在墙角下，心中暗暗叹息老之将至。

老怪杰有所感慨，是有原因的。下挫窜走时，明明听到位于内侧的李凤，出场叫唤桂星寒，而出去之后，位于内侧的李凤反而比他先出厅，他竟然毫无所觉，这表示李凤主婢后动先出，不但速度比他快一倍，超越时无声无息，更令他悚然而惊。

桂星寒比他快，理所当然。他知道桂星寒会遁术，弥勒教的妖术无用武之地，即使桂星寒在他眼前变化，他也不以为怪。

对面的瓦脊，出现八个人影，天太黑，无法分辨这些人的身份面目，每个人皆仅有双目露在外面，即使面对面也认不出是些什么人。

院子里，也并肩站着三个人，黑夜中仍可看出他们叉腰屹立的无畏勇猛气势，可以感觉出慑人心魄的杀气凌厉迫人。

"姓桂的，给我滚出来！"中间那人喝声震屋瓦，气势凌厉无匹。

屋上的八个人身形倏动，扼守在三方的檐角，上去的人很可能身在半空，便会被暗器射下来，三方堵死，下面的人不可能从屋上脱身了。

桂星寒幻现在三人的面前，相距丈余面面相对。

李凤一闪即至，并肩一站剑已在手。

侍女丁香出现在李凤的后外侧，掩护主人的外侧后方，十分尽职。

桂星寒没拔刀，因为对方三个人手中也没有兵刃。

"我，天斩邪刀桂星寒。"桂星寒的嗓门也不小："有人敢亮名号吗？我天斩邪刀算起来，也算小有名气的人物，可不希望面对一些不敢亮名号的胆小鬼，杀几个无名胆小鬼污了我的刀。"

"咱们来了这许多人，杀你一个小有名气的小辈，已经很有面子，不亮名号与是否胆小无关。"中间打交道的人，显然拒绝亮名号："杀死了你，咱们也不怎么光彩。咱们来惟一的要求是杀死你。"

"我知道你们是些什么人了。"

"知道就好。唔！又怎么多了两个女人？"

"我天斩邪刀有同伴并不稀奇呀！"

"不对，咱们已经摸清你的底细了。你孤家寡人，有女的仇敌，却没有女的同伴，这两个……"

"喂！阁下是前来调查家世吗？"李凤抢着说："天斩邪刀有否女同伴，用不着查，是吗？飞天夜叉就是他的女性朋友……"

"少给我胡说八道。"为首的人怪叫："飞天夜叉曾经捉住天斩邪刀和银扇勾魂客，胁迫他两人入伙，不但咱们查得一清二楚，弥勒教的人更知道详情，曾经向飞天夜叉胁迫索取天斩邪刀，这已不是秘密。你两个女人不是飞天夜叉，到底是何来路？犯不着与这个要犯一起死，你们最好滚蛋，还来得及。"

"嘻嘻！你们的人，会让我走吗？"李凤向上遥指屋上的人，笑声悦耳似银铃。

"当然会，咱们不想多牵连无辜。"为首的人举手一挥，右方屋顶上的三个人闪在一旁："走！"

"可惜你大方，我却不想走。"

"你……"

"我是天斩邪刀的好朋友，好朋友患难与共。而且，我实在看不出，你真有放走我的宏量。那不是你们办案的习惯，你惟一的目的，是把我们拆散，分而歼之，成功的机会比较大些。"

"闭嘴！"

"理直气壮，我必须说。"李凤似乎成了主人："你们一定是擅自前来公报私仇的，犯了最严重的错误……"

"不是犯错误，而是犯军法。"桂星寒接口："阁下，你们知道后果吗？"

"你一定死，没有任何值得忧虑的后果。"

"如果我死不了，后果将严重得谁也承担不起。"

"你一定会死的……"

"不见得。不客气地说，你们先锋营与密探，没有能挡得住在下天斩邪刀的人才，在下随时都可以来去自如。你们杀死不了我，我就会去找你们的皇帝，去找陆指挥使，你们的脑袋绝对保不住。"

"你不要说大话。"

"是吗？如果你们有把握要我的命，会派出这许多爪牙来吗？可知你们根本就没有杀掉我的信心。"桂星寒坦率地指出对方心虚的事实。

多派一些人，固然成功的机会相对地增加，但也表示没有必可成功的把握，增加人手壮胆以增加声势而已，也表示没有独当一面的人才。

"这个……"为首的人心中一虚，语气不稳定了。

"你们走吧！以免不保首领。"

"早晚咱们会找你算账……"

为首的人口气已经软弱，已隐约流露出怯意，正在心中盘算权衡利害，打算制造最佳的撤走借口。

如果杀不了他，他也许真的会去找皇帝，或者去找他们的指挥使，惊动圣驾，他们谁能承担得了责任？那将是天大的祸事。

"算账选日不如撞日，立即解决以免夜长梦多。"李凤看出对方已有怯意，急急截断对方的话。

侍女丁香与主人心意相通，突然闪电似的飞扑而上，剑出狠招银汉飞星，洒出满天星芒，出其不意突起发难，毫无所惧向三人抢攻。

桂星寒不想与锦衣卫仇恨深结，所以不打算与这些人拼命，晓以利害劝这些人了解后果的严重性，眼看对方意动，有撤走的可能，没料到变生仓促，李凤出乎意料之外，突然抢先下手攻击，和平解决的希望落空。

侍女丁香飞扑进击，狠招银汉飞星攻的是上盘，这种出招的技巧极为危险，攻击高手更是险中之险。

但是，这仅是乱人耳目的佯攻。

李凤如影附形随后跃出，这才是真正的攻击主力。她的身法，比丁香迅疾一倍以上，见影而不见形，剑在丁香的剑招已发之后超越，后发先至，像一道闪电，抢先一刹那与对方接触。

三个人的武功非常了不起，目力也极为锐利，反应超人，在这电光如火似的刹那间，三把锈春刀几乎同时出鞘，立加反击风雷狂发。

"铮！"一把刀与李凤的剑接触，刀突然斜震而起。

剑光流转，奇准地贯入为首那人的左肋。

丁香的剑后至，剑尖幻化的星芒，贯穿一个人的脖子，左入右出剑到如穿鱼。

李凤的剑光再转，那位刀被震起的人，马步还没稳下，剑光已贯腹而入。

一照面，一刹那，三个人全完了。

屋顶上的八个人，在剑光迸发时，怒吼着纷纷往下跳，刀剑的闪光似奔电。

桂星寒不能不动刀了，李凤主婢必定身陷重围。

一声怒啸，他刀发满天雷电。

躲在墙根下的银扇勾魂客，也毫不迟疑地现身冲出，不敢使用银扇，用剑毅然冲入血肉屠场。

四比八，但一个桂星寒似乎已经够应付了。

李凤主婢联手的默契极为圆熟，一冲出便摆平了两个刚跳落的人。

这是一场惨烈的快速大屠杀，激烈而毫不精彩，双方的武功修为相差太远，杀人的技巧也不能相比，桂星寒四个人已可完全主宰全局。

刹那间暴乱便结束了，共有九具尸体，躺在血注中，没有活的人。

"糟！逃掉了两个。"银扇勾魂客数毕尸体，顿脚叫起苦来。

九具尸体，却有五具是李凤主婢击毙的。黑夜中搏杀，双方都是高手中的高手，暴乱中逃掉两个机警的人，是极为正常无法避免的事。

"逃掉两个岂不更好？"李凤拖了一具尸体，从院角的地面拖出："他们逃回去如此这般一说，其他的人不被吓得胆裂魂飞才怪，今后必定望影心惊，永远不敢再找我们送死了，哎……"

屋檐下暗器悄然破空下降，一个人影随在暗器下疾降，雁翎刀如天雷下劈，从李凤的顶门上空下击，身手高明极了。

李凤扭身便倒，一枚透风镖钉在她的右肩后，松手丢掉尸体，伸手急撑地面以支持身躯。

刀光横空，人影幻现，铮一声狂震，天斩邪刀崩开了光临李凤顶门的雁翎刀，反手一拂，刀光似电，削断了那人下踹的一双小腿。

是桂星寒，在千钧一发中到达，间不容发地挡住了力道千钧的雁翎刀，反手出刀的同时，抓起李凤斜掠出丈外，生死须臾危极险极。

砰一声大震，双腿已断的人重重地摔落，左掌一挥，啪一声拍中自己的天灵盖。

双手力道仍在，居然可以自拍天灵盖自杀。

"我的右后肩……"李凤含糊地叫。

"是镖。"桂星寒焦灼地说："希望不是毒药镖。老哥，找那人的百宝囊搜解药。丁香姑娘，抱你家小姐回房准备救治。"

侍女丁香一言不发，接过李凤抱了便走。

不是毒药镖，镖钉在琵琶骨上。幸好天气冷，李凤穿了狐皮外袄，等于是一层皮革，加上几层衣衫，镖贯入的力道减弱了许多，伤势不算重。

丁香负责裹伤。桂星寒和老怪杰不便相助，在小厅重新生火取暖沏茶，一面等候，一面交谈，对密探们这次大规模袭击，并没感到太大的意外。

"我们必须立即离开。"桂星寒向禀明处理伤口的侍女丁香说："此地已经不安全。逃走了一个人，将激起密探们更大的公愤，后续大举前来报复的人，实力之庞大将难以估计，必须尽快动身。"

"小姐伤势不轻，不宜走动。"丁香木无表情，断然拒绝他的主意。

"必要时我背她走。"桂星寒的态度也坚决。

"伤势不曾稳定之前，不能移动。"丁香的态度更坚决，不苟言笑的面孔像有一层浓霜："小婢决不冒创口崩裂的风险。"

不管桂星寒有何表示，说完便冷着脸走了。

"你有了难题。"银扇勾魂客苦笑。

"似乎是的。"桂星寒大感烦躁。

"多一个同伴，就多一分照料的麻烦；同伴是女人就更麻烦。小子，你有了两个麻烦。"

"显然是的。"

"这个小侍女，倒是对主人忠心耿耿。"

"她与李凤名虽主婢，情同姐妹，所以我不得不容忍她，她对我似有敌意。"

"小子，你不觉得这个小女孩，是否太世故了些？哪像一个十三岁的少女？简直就是城府甚深的中年女人，委实令人迷惑，莫测高深。"

"她一直就反对李凤与我结伴同行，似乎对男人毫无好感，因此对我敌视，当然不会有好面孔给我们看啦！"桂星寒为丁香的态度辩护，毫不介意丁香的敌意态度："十个奴仆有九个少年老成，你又何必大惊小怪？"

"我总觉得某些地方不对劲。"银扇勾魂客粗眉深锁："少年老成，应该是平时受到虐待的结果。既然她们情同姐妹，就不会有受虐待的事故发生。那小丫头的目光好遥远，好寒冷，不苟言笑，举动冷静沉稳，发起攻击时却有排云驭电的气势。小子，对这种莫测高深的人，你必须心中有所提防……"

"老哥，你愈说愈玄了。"桂星寒含笑打断老怪杰的话："她对主人忠心，应该获得尊重的。我去劝李凤，再耽误下去，恐怕就走不了啦！"

"能拦住你和这把刀的人，恐怕没有几个，出了事，第一个倒霉的人一定是我。我是武功最差劲的一个，何况我不能使用勾魂扇拼搏。去劝她吧！走得愈快愈好。"银扇勾魂客知道情势不妙，急于离开趋吉避凶。

大批高手来得比预估的时间快得多，四更初鲁家庄便陷入包
围。

十具尸体仍在小院子里，农舍主人全家老少，被捆绑在牛栏
里，表示他们　　　　　人。

分头追缉连夜展开，大索附近村落。

八个人押了三个男女，在鲁家庄的西面两里外的树林里，四
周黑得伸手不见五指，只能从声音分辨每个人的身份。

三男女之一，是七仙女的老四天权仙女。三个男女并没上
绑，剑与囊仍在身上，表示他们并非是真正的俘虏，仅暂时被看
管而已。

为首的人是冷剑天曹项英，副手是方世杰。其余六个人，一
个个义愤填膺，神色冷厉，对天权仙女三个人虎视眈眈，跃然欲
动。

"梅英，事已至此，你不必再隐瞒什么了。"方世杰不再扮演
多情的风流剑客，虽则语气仍然温柔，但含义却充满凶兆："农
舍一家老少的口供，决无虚假，天斩邪刀身边的两个人，决不可
能是你所说的飞天夜叉。"

"飞天夜叉十五个人，在西乡完全在咱们的监视下。"一个怒
形于色的人沉声说："她们的落脚处，距鲁家庄足有十二里，天
一黑她们就不再外出，目下仍在咱们的人有效的监视下。女人，
你指证她就犯了严重的错误，透过嫁祸的老把戏，你玩错了地
方。"

"而且这两个女人，曾经出现在天斩邪刀身边，我与方老弟
曾经与她们打过交道。农舍主人，所指证的就是这两个女人。"
冷剑天曹语气也不友好："受伤的孙侍卫回城之后，就说出这两
个女人可疑。"

"而且，孙侍卫是与飞天夜叉打交道的人，飞天夜叉并没伤害孙侍卫与罗百户，带了两个随从，锲而不舍追踪天斩邪刀，证明他们之间，仍有恩怨未了，不可能联手杀害我们的人。你们如果不招出内情，休怪咱们得罪你了。"

"我根本什么都不知道，只能凭猜测把消息告诉你们。"天权仙女沉着地说："所谓内情，也只是你们想当然的看法。你一口咬定那两个女人，是我们的重要人物，这种想法实在可笑，简直荒谬绝伦。"

"诸位，不要逼我，所发生的事故，我毫无所知。你们不能不讲理，毕竟双方仍算是并肩站的人。我只有一句话：拿证据来。要不，你们可以向我们的使者质问。"

冷剑天曹发出一阵阴笑，这种笑声充满凶兆。

"你知道我们的使者在何处。"天权仙女听出凶兆，再次提出使者作护符。

"是的，我们知道。"冷剑天曹腔调怪怪地，我们两字尤其怪："你们的举动，我们是不会忽略的，并不以为你们与我们有协议，而忽略了危险性掉以轻心，你们仍然是对今上具有潜在威胁的人。"

"什么意思？"

"小意思。嘿嘿嘿……说贵方使者的事。曾姑娘，你一定要我们这样做吗？"

"你们做什么？"天权仙女已看出危机，但还不明白是什么触发了危机。

"去找贵使者质问的事呀！"

"你们去找他好了。"

"我们会去找他的，嘿嘿嘿……"冷剑天曹的阴笑，委实令人听了不自在："曾姑娘，你知道吗？咱们这些人办事，讲究……讲究什么……哦！想起来了，讲究宁可错杀一百，不可让半个嫌犯漏网。"

"你……"

"即使是捕风捉影的传闻，我们也会抓一大堆有关甚至与传闻无关的人，追查个水落石出。而这件事证据该已有了七八成正确，你想，我们会怎么做，是吗？"

天权仙女终于悚然而惊，知道不妙了。

宁可错杀一百，不可让半个嫌犯漏网。说这两句话轻松简单，其实这里面充满血腥，不知冤死了多少无辜，每一句话都饱含血和泪。

手刚搭上剑把，右肩背便挨了一击。

是方世杰，在八尺外用九绝溶金掌攻击。

"世杰，你……"天权仙女剑拔不出来，踉跄站稳嗄声叫："你……你不能这样绝……绝情待……我……"

另两位男女大骇，不敢妄动。

四周的六位高手，手已伸出蓄劲待发，只要两男女有所异动，必定受到六位高手无情的攻击。

"梅英，我抱歉。"方世杰一把扣住了天权仙女："不要怪我，我不能失职。"

"你……"

"合作是你惟一的生路，梅英。"

天权仙女与方世杰攀交时，自称曾梅英，从男欢女爱一拍即合中，密探与弥勒教的人搭上了线，双方各得其所，暂时合作各取所需。因此，两人是这次事故的关键性人物。

因利害而结合，也将因利害而分开。

两人的地位都不怎么高，发生利害冲突，他俩也就最先倒霉，势弱的一方必然会成为牺牲品。

方世杰决不可能做出失职的事，而且他是势强的一方。

"天啊！我……我的确什么都不……不知道……"天权仙女

崩溃了，她的美色已无能为力了。

"我会非常公正地对待你。"冷剑天曹说，举手一挥："拿下，押走。"

另两位男女毫无反抗的机会，六只巨手搭住了他们。

飞天夜叉十五个人，落脚在西乡的边缘，南面不远处是至密县的大道，距新郑已在十七八里外。数十里外可以看到苍色的隐隐山区，那就是嵩山的余脉。

她在调查李凤的行踪，沿途的村落应该可以查出线索。

走密县的外地旅客甚少，往来的十之九是本乡本土的人，陌生人在这条路上行走，决难遁形，不需向特定的蛇鼠打听，只消询问几个村童便可了然。

当然不可能有人看到李凤主婢，那种遍体幽香的特定人物，即使仅露出双目，也会引起村民的特别注意，何况李凤穿了名贵的狐裘，而且带了剑。

即使远在戒严区外，她也不敢掉以轻心，夜间仍然派有警戒的人，在寄住的农舍布下警戒网。

但她忽略了远程的警戒，没留意有人在远处监视。

监视，不需接近。

天刚破晓，她仍不死心，准备早膳，继续向密县大道以西一带村落打听。

桂星寒不理会她的警告，她不便再唠叨，以免增加桂星寒的反感，她必须提出证据，以揭破李凤主婢的谎言。

而且，要掀开李凤主婢的身份之谜。

她从罗百户的同伴侍卫口中，获得可靠的线索，但必须求真求实，不能凭片面的、主观认为可靠的消息，便指证李凤主婢的身份可疑。

显然桂星寒对李凤极有好感，她不能像个妒心重的女人力争。她是一个自尊心强的大姑娘，桂星寒的冷淡使她却步。

她之所以继续求证，原因是李凤杀了黄泉双魔。这是她慎重的表现，希望找出李凤是敌是友的确证。

如果是友，桂星寒就不会有危险。

她所强烈关心的，是桂星寒的安全。桂星寒身边多两个武功高强的女人，她并不怎么介意。

整装待发，每个人的行囊皆留在农舍，准备西行远出三十里外，沿途向各村落的人查询。

远远地，便看到村口栅门站着两个佩刀的人。

天气寒冷，农暇季节，但已经有村民在外走动，犬吠声此起彼落。

栅门口那两个佩刀人，决不可能是村民。

栅外是百十步的村道，与官道衔接处，设有歇脚亭供应茶水，也有两间小店贩卖旅行必需品，门还没开，歇脚亭内也隐约可见有人走动。

男随从脸色一变，迅速拉掉降魔杵的护袋。

"小姐，有人等候我们。"男随从向院子里低叫，同时发出信号通知住在邻院的同伴。

片刻，十五个人在栅门口列阵。

扼守在栅门外的人，增加至五个了。

百十步外岔道口的歇脚亭，可看清的也有五个人。

五个人一字并肩扼守栅口，一个比一个雄壮。风帽掀起掩耳，露出威风凛凛极具威严的面孔，虎目精光四射，威猛雄壮令人望而生畏。

所穿的狐皮袄是火狐皮，袖口与下摆所露出的毛是棕红色的。佩刀是绣春军刀，袄内可能穿了锁子甲。

飞天夜叉心中暗暗叫苦，这些人可能已经在这里等候许久了，她的一切动静，显然皆在对方的有效掌握下，大白天，想脱走十分不易。

可见的人已经有十个之多，附近还藏有多少？

生死关头，她反而沉着冷静。

"哦！你们是冲本姑娘而来的？"她脸上流露出微笑，不让内心的恐惧形之于外。

"不错。"中间那位留了大八字胡，身材特别强壮的中年人声如洪钟，凌厉的目光，不转瞬地狠盯着她，真有慑人的气势。

"你们认识我？"

"知道你是叫女飞贼的飞天夜叉，好像是姓林，本部有关你的资料不多，大概你还不算成名人物。"

"你们是……"

"我，大汉将军龙骧右卫骁骑尉周。"

锦衣卫的大汉将军，名额有一两千之多，十之七八是世家出身的子弟，大半是御前带刀侍卫，官品自四品至六品。骁骑尉是正五品，官品已经与一等府的知府大人相等了。

大汉将军通常由御林禁军二十卫中选任的。锦衣卫是二十卫中的首卫。

这人自称龙骧右卫骁骑尉，表示他不是锦衣卫正科出身的人。龙骧卫有四卫人马，是随驾的最精锐亲军。论战力，龙骧四卫的子弟，比锦衣卫强得多，锦衣卫的人，根本不配冲锋陷阵。

大汉将军的出现，表示皇帝即将到来，甚至可能已经到了新郑了。

飞天夜叉被"大汉将军"四个字唬住了，以为真是一个"将军"呢？她和一般百姓小民一样，对京都的军衔身份毫无所知，凭常识以为"将军"必定是统率上万兵马的指挥官，地位吓人声威显赫的国之栋梁。

她也感到奇怪，这位"将军"怎么只带了几个部属，在这荒村僻野中，费神地对付一个"女飞贼"？

"捉贼不是你一个将军的职责吧？"她笑容敛去，笑不出来了。

"我要知道那个叫天斩邪刀桂星寒的人，目下藏在何处。"周将军虎目怒睁，咄咄逼人。

她心中一跳，锦衣卫的人果然不放过桂星寒。

"我怎么知道他的下落？"她沉声答，其实她的确不知道桂星寒目下在何处。

"不许隐瞒。"周将军沉叱："你不甘心，不断在新郑左近追逐他，不时曾经碰头，分分合合始终线索不断。所以，我惟你是问。"

她恍然，这些人还以为她仍然与桂星寒为敌。

同时她也感到心惊，幸好不曾与桂星寒联手并肩对付仇敌。

这些人并不知道，她暗中杀了不少密探。

她所用的杀光灭口手段，确是用对了。

"不瞒你说，我正在出动所有的人，全力搜寻他的下落。"她知道情势不对，必须利用情势制造脱险的机会："昨晚天黑之前，他可能在西南一带潜伏。我正要往西走，也许能将他搜出来，他逃不掉的。"

她已经相当精明老练，表情控制得很好，眼神坦率，不曾暴露内心的感情变化。

周将军逼视着她，显然正留心捕捉她的眼神变化，向同伴打眼色，甚至用手式相互示意。

"昨天黄昏时光，你曾经见过他吗？"

"这……"

"不许说谎！"

"见过。"她佯装吓了一跳，表示心怯。

"在何处。"

"我也不知是何处，反正就在那一边。"她向东北一指，那是抱獐山方向。

"他同行的有些什么人？"

"一个男的，两个女的，无法分辨是什么人。"她不敢隐瞒，当然也有意隐瞒重要的情节："我只有三个人，三比四，我毫无胜算，所以不敢动手。"

"幸好我们已查证确实，你不是那两个女人。"

"咦！你的意思……"

"那两个贱妇，伙同天斩邪刀，昨夜在鲁家庄，杀了我们十个人。你听着，我们要他们三个人，活的。"周将军声色俱厉："你愿意帮助我们吗？"

"我希望他……桂星寒是活的。"

含糊其辞，语气暧昧。

"三个都要活的。"周将军粗心大意，不在词句上挑毛病。

"我尽力而为。"

"好，你可以动身了，往西。"

"这……"

"往东，你一定死。"

"我本来就要往西。"

"那就好。记住，不许玩花招。"

"你……"

"我们会有人留意你的举动。人弄到手，往这里送，记住，要活的。如果你带了捉住的人往西走，不回到此地来，哪怕你飞到天尽头，我也会把你捉住化骨扬灰，走！"周将军挥手赶人，移至一旁让出去路。

"我可不是你的密探。"她大声抗议。

"你还不配，你只是受到征用的人。"

"你……"

"快滚！"

她银牙一咬，带了人愤然出栅。

官方可以任意征用平民百姓，但可以折算徭役。

连紫禁城的皇宫内院，都有征用的人充劳役。京都的平民百姓，一年最少也有两个月，替官府执役，而且是无偿的劳役，是明定的差徭，不能逃避。

天下各地府州，衙门里约有一半人，上至站堂司库，下迄打扫执炊，都是挨家按户征用的，期限长则一年，短则三五天。地方官照例没有经费养这些人，只好根据民众应义务供役的规定，轮流征调民众充任以折算徭役期。

每个平民，除了女的，自十四岁至六十岁，每年须义务一至两月，不但无偿，连吃饭都得自备。至于临时征调修桥铺路等等，还不算在出役的账内。

比方说，衙门里的三班六房，也有三分之一是出役的人担任的，但有饭吃，没有工钱而已。

连捕房的巡捕，也有三分之一是无偿征用的。惟一赚钱糊口的方法，就是勾结专任巡捕，与城狐社鼠挂钩，暗中为非作歹上下其手。所以，一个青衣巡捕走在街上，人人侧目，巡捕声誉之坏，无以复加。

这位姓周的大汉将军，征用飞天夜叉，是绝对合法的，百姓小民惟一可做的事是服从，依法有据没有理由好讲。

远出三里外，飞天夜叉往路右的树林一钻。

往回路眺望，没看到人影。

但她心中雪亮，跟踪的人不怕苦了两条腿，用的是越野遥监跟踪技巧，不需接近监视。

十五个人聚集在树下，一个个怒形于色。

"我们分批向西走，三里外越野。"她寒着脸，语气有强烈的憎恨："那些混蛋跟不了多久的，他们不可能远离。"

"越野之后，切记逐渐隐起身形，尽量远走，潜伏一段时日，分散至南阳聚会。尔后的行动必须保持隐秘，等我到达后再决定行止。"

"小姐今后的打算……"男随从神色不安，已听出她的口气，是分散远遁潜踪，有点不以为然。

人一分散，力量也就瓦解了。

"你们都走，我们决不能与这些人抗衡。我留在后面吸引他们，掩护你们脱身。"

"小姐……"几个人同声急叫。

"我们不能以卵击石，暂避风头是第一要务。我一个人方便些，可以保持神出鬼没地自由活动。我必须以你们的安全为念，多一个人我就多一分顾忌。"

"可是……"

"不要和我争辩。"她说得斩钉截铁："在南阳府城等我。现在，我们来分组。"

片刻，第一组四个人出发。

她是最后走的，是第三批，仅带了男女两随从。远出三里外，往路右的树林一钻便形影俱消。

跟踪的人，从此失去这十五个盗群的踪迹。

密探们不可能离开警戒区过远，不可能放弃职守擅自行动。皇驾即将来到，那少数胆敢擅离职守的人，在最重要的时刻，必须各归本位，以免上级从严追究，失职是极为严重的罪名，须冒死罪之险。

万一皇帝受惊，那就更糟糕。

第十四章　奸人暗算

桂星寒对情势相当了然，因此尽量向西走，远离戒严区，以便找到安全的地方，让李凤养伤，这期间一切行动皆必须停止。

他们在一条小河旁的荒野小屋中藏身，那是村民看守田野作物的茅舍，麦将熟的季节，才有看守居住，冬季不可能有人驻留。

远离村落，安全第一，但食物张罗不易，须到远处的村落购买，而且白天不能前往。

李凤的伤势并无大碍，但三五天之内不可能复原。

必须等皇帝过境三五天之后，才能重新露面活动，正好让李凤安心养伤，以后再作其他打算。

桂星寒不便经常在茅屋中逗留，看守人住的小茅屋，比棚屋好不了多少。屋分内外间。外间铺麦秆做床，内间是简单的灶间，外间让李凤主婢做卧室，他和银扇勾魂客，只好挤在灶间睡柴堆，白天就没有地方可去，呆坐在内间实在受不了。

他和老怪杰坐在屋左的野地里，这一带的小树丛高约丈余，聊可避风，躲在树下真像草窝。

"今后你有何打算？"银扇勾魂客闲散地问："我是指你与锦衣卫那些人的事。"

"回避。"他不胜烦恼："我心中内疚。"

"你心中内什么疚？"

"杀那些人，是没有必要的。"他用手槌打地面："陆指挥使不追究我的事，盛情可感，我岂能肆意杀他的部属？虽然他那些部属不听管束。"

"由不了你呀！黑夜中他们入侵……"

"黑夜中脱身不难，我们可以一走了之呀！即使是大白天，他们也不可能拦住我们。"他不胜烦恼，心中有愧，自然感到难安。

"情势不由人。小子，不是你的错，你懊恼也无济于事。心中有内疚的感觉，日后便很难有勇气面对他们的，搏杀势必加剧，你将失去挥刀的力道。"

"他们早晚要回京都的，不会再有搏杀了。"

"是吗？"银扇勾魂客冷笑："小子，这是一厢情愿的不切实际想法。"

"你是说……"

"他们可以驱使或逼迫任何人对付你。比方说，少林弟子。"

"这……"

"所以，你必须狠狠地挥刀，让所有的人不敢找你，才是自救之道。以龙虎大天师这个大钦犯来说，天下间敢找他的人屈指可数。"

"我不能。"他苦笑："扪心自问，即使不发生昨晚的屠杀事故，冷静思量，我也不能再次挥刀痛宰他们，毕竟他们职责所在，身不由己。"

"你小子这样想……"

"以方世杰那混蛋来说，发现可疑的人，他为了尽职，有权对付我，只是手段卑劣过火而已。他打了我一掌想要我的命，当时我就有权报复宰了他，但我悄然一走了之，原因就是我不能因为他尽职而报复他。"

"罢了，你小子的所作所为，有意无意地往正道上走，无法促使你成为江湖怪杰了。怪，是不重视理性的，你绝难胜任，你没有怪的条件。"

"别提了，烦人。"

茅屋前出现侍女丁香娇小的身影，佩的剑鞘尖快要垂及地面，怎么看都像一个刚发育的女孩，但脸上冷漠的神情，没有丝毫女孩气质，倒像一个饱历人间辛酸，心中充满仇世念头的老妇。

"你要干什么？"桂星寒讶然问。

丁香举目四顾，向前举步。

"我四处走走，看有何动静。"丁香一面走一面说："顺便察看附近的村落，入暮时分去找食物。"

"不能到处乱走，太危险……"

"我知道什么叫危险。"丁香头也不回急步走了。

桂星寒跳起来，想追出相阻，却被银扇勾魂客一把拉住了。

"她只听她主人的话，你劝阻不了她的。"老怪杰摇头苦笑："这是一个令人难测的小女孩，你无法阻止她做任何事。"

"可是……"

"昨晚她出其不意发动袭击，你根本不可能及时制止她。"

"她是有点怪。"桂星寒无可奈何地说，泄气地坐下了："但对主人忠心耿耿，倒是值得称道的。"

"我总觉得，有些什么地方不对劲。"银扇勾魂客喃喃自语。

"你说什么？"

"没说什么。"银扇勾魂客支吾以对："我也许真老了，常起疑心自言自语，这是老之已至的征兆，不是好现象。"

其实银扇勾魂客并不老，四十余岁正壮年，只是成名得早，名气不小，加以性情古怪，平时穿着打扮毫不讲究，让人在感觉上，感觉他是前辈，也就想到老字而已，他自己也从不为老不老辩护，更没有纠正对方的兴趣。

桂星寒就没把他看成老前辈，叫老哥叫得怪顺口。

最近的村庄也在三里外，如果相距不远，就用不着在田地附近建看守小屋，堆放不重要的笨重农具了。

在一座枣林深处，丁香与一双男女面面相对。这双男女扮成村夫，剑藏在宽大的老羊皮袄内。

"为何这时才赶来？"丁香的话冷冰冰，口气哪像一个没有地位的小婢女？

"你们沿途留下的记号很难找，中途又发现几组搜索的人，因此耽误了。"男的说，神情相当恭顺。

"人都来了？"

"恐怕有些人来不及赶来，他们要躲避搜索的人。"

"你们的胆子愈来愈小了。"

"锦衣卫的杂碎反脸，不得不小心提防呀！昨晚的事，大少主很不高兴呢！"

"他还挑剔什么？"

"锦衣卫的人突袭秘站，向我们兴师问罪。大少主认为，你们不该攻击搏杀他们，更不该由你和三宫主发动，影响大局，咱们失去官方的暗中支持了。"

"情势紧急，我们如果不抢制机先突下毒手，死的将是我们了，怎能怪我们？毕竟面对凶险的是我们，情势也千变万化，不是我们所能控制得了的，哼！站在凶险外说风凉话容易，当事人却须面对千艰万难，这公平吗？"

"这……这是大少主的事。"男的欲言又止："大少主也……也对你们迟迟不下手，颇……颇为不满，所以要……要你们赶快下手。"

"有一个老人精在旁，难免有所顾忌呀！下手只许成功，不许失败，只有一次机会，三宫主怎能不谨慎？我走了，等我的信号。"

"是，我们会注意信号。"

丁香扭头便走，脸色更冷了。

附近的地势并不怎么隐蔽，麦田已变成冰冻的原野，视界辽阔，但西南一带是荒野，杂树丛生，荆棘遍布，地里的小径也有行道树生长。

银扇勾魂客是老江湖，对警戒的事相当重视。侍女丁香走后不久，他便兴起观察四周防险的念头，并不以离开戒严区甚远而放心歇息。

侍女丁香去找地方购买食物，桂星寒只好进入茅屋陪伴李凤。

李凤的伤并不重，但为了不至于牵动肩背的创口，右臂加了吊巾，避免右手活动幅度过大，表面上看她必定右手活动困难，其实并无阻碍。

她不必像一般病人躺着休养，半倚半坐在粗制的长凳上，整理她行囊中的杂物，颇为专心。

她的行囊是一个包裹，行动时由侍女丁香携带。丁香也有自己的包裹，体积略小些。

她的百宝囊所盛物品简简单单，包裹中除了换洗衣物之外，没有可疑的物品，行家如果加以检查，必可发现她根本没具有行走江湖的准备。

当然不可能有人检查。老怪杰和桂星寒都是男人，哪能检查一个大闺女的包裹？也没有必要，两人已把李凤主婢看成志同道合的朋友了。

即使没有当成朋友看待，也不可能检查两女的包裹。

看到桂星寒进入，她嫣然一笑匆匆收拾杂物，将包裹系妥。

桂星寒乖乖转首他顾，不便看到包裹的内容，女人的衣物男人视为禁忌，即使有些衣物本来是为取悦男人而制的。

幽香满室，压下了茅屋原有的怪味。这间看守人的茅屋有幸，破天荒有这么一位遍体幽香的高贵女人光临。

柴门是半开的，好在门背着风，冷风不会吹入，屋内依然寒气甚浓。

"我认为还是走远些，找农舍安顿比较妥当。"桂星寒在草铺的地面盘膝坐下："在这里什么都不方便，样样都缺，至少在小河里洗漱，就不是你所能习惯的……"

"哼！星寒，你以为我是大家闺秀，饭来张口衣来伸手的千金小姐？"李凤笑吟吟，左颊绽放一个醉人的笑涡："我是出外见世面，体会江湖生涯的人。别人能，我也能。你能睡草铺，我当然能。不要为我担心，好吗？"

她的纤纤玉手，大方自然地搭在桂星寒的右肩上。桂星寒一抬头，便几乎与她俯下的脸庞接触。

"傻女孩，那是说给那些无财无势的笨蛋听的。"桂星寒伸手轻拍按在肩上的小手，温润的感觉与异样的触感震撼着他，心潮一阵汹涌，眼前美丽可爱的面庞，似有一股巨大的吸引力牵引着他："你和我，名义上是在江湖见世面，事实我们都不曾从事江湖行业，没帮助江湖朋友所从事的工作，仅偶或管管江湖事，或者有意无意地介入江湖纠纷，并不能算是江湖人。像这样睡草窝衣食不周，也决不能代表过的是江湖生涯。"

"你的意思……"

她的手，反转握住了桂星寒的巨掌，滑下长凳，贴在桂星寒身侧挤坐在一起。

"我的意思……"桂星寒只感到心跳加快，入鼻的幽香更浓，情不自禁握住掌中的可爱小手，有急欲一亲几已相贴的粉颊一吻的冲动："像飞天夜叉，她有十几个男女随从，穿金戴银衣食依然奢华，行走天下依然像女皇宫主，她却是不折不扣的江湖女英雄呢!"

"有了权势，就有追随的人呀！星寒，我问你一个问题，希望你能坦诚地回答。"

她快要整个人倚在桂星寒身上了，在耳畔昵喃。

"你要问什么?"

"我觉得，有人追随拥护，并不是坏事。"

"一千个江湖闯道者，有九百九十九个人，希望有人追随拥护，而且努力争取这种权势地位。"

"你呢?"

"我还没打算这样做，一些事我还丢不开。"

"什么事?"

"朋友有病痛上的困难，我答应他出来找一个叫九灵丹士的人，讨药治病或者把人请去医治，已经找了一年多，迄今仍然没有着落。"

"那不是什么重要的事……"

"话不能这样说，问题不在是否重要。"桂星寒不住轻抚那可爱的小手，有点晕淘淘的意乱情迷感觉，幸而理智还是清醒的："轻于言诺的人是靠不住的，答应了的事就必须守信。没找到九灵丹士之前，我不打算进行其他的事。"

"我懂你的意思，你是一个可敬可信的人。"她微笑着将粉颊轻倚在桂星寒的胸膛上，吐气如兰，亲昵的举动，诱发了桂星寒的生理变化。

"你还没把问题说出来呢!"桂星寒有点不稳定的大手，紧挽住她投怀的小蛮腰。

"弥勒教的实力，是不是非常庞大?"她在桂星寒怀中，抬起动人的面庞，快要触及下颌了。

"是的，非常庞大。"桂星寒含糊地说，有渴望亲一亲那红艳艳脸颊的冲动，甚至有不顾一切，亲吻那醉人樱唇的需要。

"如果他们诚意地拉拢你，有大量的人拥护你……"

"我们不谈这些，我不想沾惹这些野心太大的妖人。"桂星寒总算没昏了头："通常一些有抱负有理想的人，志在扬名立万，不管他走的是正道或邪道，多少有些英雄气概，很少残害无辜的人。而弥勒教的妖人，却在残害普通的愚夫愚妇，一旦不受裹胁，注定了人死财空。江湖下九流朋友，固然手段毒辣，为害甚烈，但仍有行规不至于太过残暴。而弥勒教妖人灭门绝户的手段，绝大多数江湖人士深恶痛绝。"

"可是……"

"算了，我不要谈他们。"

"他们对你……"

"他们最好见机放手。"桂星寒轻抚她吹弹得破，也因生理激情而引起嫣红发烫的粉颊："他们将会发现，所需付出的代价太大了。哦！你是不是担心他们会伤害你？"

"这个……"

"我会回避他们，不希望波及你。过几天，他们会走的，不可能在这里多作停留。以后他们在东，我们往西走，天下大得很呢！他们不可能长期聚集大批人手，作长期的追蹤，放心啦！"

"何不和他们的主事人谈清楚？"

"没有必要，我不想谈。哦！你打算往何处游览？"

"下湖广，走江南……"

"我要先到荆山。"

"到荆州再下江南，我们乘船安逸。"

"对，可以先到洞庭湖放舟，也许可以碰上蛟龙，我一直不相信洞庭有龙这种怪物。"

"你就是一条会飞腾变化的龙。"她咭咭笑，缩在桂星寒怀中，绵绵地抚摸他不曾修剪的小胡子。

桂星寒终于激情地紧抱着她，亲她火热的粉颊。

她嗯了一声，火样的热情爆发，屋中寒气袭人，她俩却感到春已降临大地，紧拥热吻驱走了彻骨的寒流。

一声轻咳，惊醒了迷醉了的一双男女。

桂星寒吃了一惊，俊脸如火，松了拥抱慌乱地站起整衣，瞥了门外冷然注视的侍女丁香一眼，匆匆地溜出门外呼出一口长气，远远地走避。

李凤在意乱情迷中清醒，瞪了丁香一眼，脸上的春情很快地消退，第一次涌现不快的神色。

"怎么啦？"她冷冷地问。

"联络上了。"丁香不像是婢女了，没有外人在场，脸色似乎更为寒冷，眼神更为幽深。

"如何？"

"大少主将到。"

"很好。"她轻点蝤首。

"恐怕不太好。"

"怎么一回事？"

"大少主责怪我们不该杀了锦衣卫许多人，被他们查出一些可疑线索，正派人对我们兴师问罪，情势对我们极为不利。"

"发生不测，怎能怪我们？这……"

"大少主恐怕不认为是变生不测，我们恐怕得多费口舌解释呢！那老邪怪呢？"

"他说要到处走走，不知走到何处去了。"

丁香默默地瞪着她，眼神怪怪地。

"怎么啦？"她一怔。

"那么，只有你和他两人在这里了？"丁香说话了，语气也怪怪地。

"是呀！"

"你放过机会了？"

"咦！放过什么机会？"她讶然反问。

"你没趁机使用离魂香。"丁香沉声说。

"屋子里八面透风，效用有限。"她大声反驳："万一效力不足，引起他的疑心，岂不前功尽弃，反而陷入绝境？你未免把事情看得太简单了。"

"三宫主，你不要强辩。"丁香扭头瞥了远处，站在寒风中的桂星寒背影一眼，再看了看凌乱的草窝："你们卿卿我我拥抱在一起，至少该有一千次机会制他的穴道，甚至置他于死地，是吗？"

"我可不想冒险……"

"三宫主，我知道这小畜生人才出众，武功惊世，是个好人才，是怀春少女们梦寐以求的……"

"欧护法，你给我闭嘴！"她羞恼地沉叱："少给我胡说八道语出不逊。他的人才武功皆与我无关，我结交过比他更出色的男人。你心里明白，我们一等一甚至超等的高手，武功与道术皆奈何不了他。我只有一击的机会，必须有九成把握才敢动手，万一失败，死的将是我，我能不小心谨慎，等候最佳时机吗？"

弥勒教有多少护法，该教的弟子也所知有限。既然名之为护法，可知必定是身手超拔的人物。这位娇小玲珑小女孩似的侍女丁香，竟然是地位高高在上的护法，委实令人难以置信。

李凤竟然被称为三宫主，表示她是龙虎大天师的第三个女儿了。

龙虎大天师造反称王，儿女称少主宫主理所当然，至少在教中弟子面前，可以收到振奋人心士气的功效。

这位大天师到底有多少亲生儿女，以及多少义子义女，也只有该教的至亲心腹，才知道其中隐秘。大少主，该是他的亲生长子李大仁。

可是，在教中弟子面前，不论少主或宫主，都不称姓名。似乎一些重要地区，都是大少主或其他少主活动，到底哪一位是真的大少主，知道的人恐怕没有几个。因此京都出现的大少主，与在南京活动的大少主，决不可能是同一个人；开封的大少主，也绝不是湖广武昌那位大少主。教中弟子们，从不追究也不敢追究谁真谁假。

"老邪杰不在，大少主将到，正是动手的好机会。马上动手，现在。"丁香一字一吐，语气坚决。

"他不会回来了。"她无可奈何地说："你一回来，他不会亲近我。"

"我找借口离开，让你们亲热。"

"这……"

"男人在这时候是最脆弱的。"丁香用行家的口吻说："像狼。公狼平时凶狠、机警、精明、有耐心；一旦碰上母狼，所有的精明机警都不存在了。"

"你形容得不伦不类。"她不悦地说。

"好好利用吧！时辰不多了。"丁香冷冷地说完，扭头向桂星寒走去。

"我要一锭碎银。"丁香向桂星寒说，脸上的寒森神情冲淡了许多，话也说得柔和了些："那边三里外有一座小村庄，可以买到食物。小姐带的是金叶子，在小村庄派不上用场。"

桂星寒心中有鬼，也对冷森的丁香没有好感，从荷包中掏出一锭二两碎银递过，不再叮咛小心一类关切的话，他知道说了也是枉然，丁香不会理睬的。

"我会带午膳回来的。"丁香居然淡淡一笑，掉头快步走了。

桂星寒摇摇头，茅屋前的李凤正向他招手。

"不要介意丁香的态度。"李凤脸上绽起令他心荡的媚笑，挽了他的手重回茅屋："她小时候生活很苦，来到我家一直就怀有心病，乖巧聪明又肯下苦功，只是神色就是改不过冷淡的毛病。我看得出，你不喜欢她。”

"我只是觉得，她不喜欢任何人。"桂星寒拉了李凤在长凳上排排座："对每个人都怀有敌意。奇怪，你的性情开朗活泼，怎么会与一个性情截然相反的人合得来？我不会介意她的态度，只是觉得有些地方不对。"

"比方说……"

"比方说她的武功，昨天晚上她的表现，只有超拔两字才能形容，与她的年纪毫不相称。恕我多问，她练了几年内功？"

"哦！她六岁卖到我家，整整苦练了八年。"李凤偎在他肩下，手在狐袄内摸索："星寒，你好像练的不是内功，而是炼丹，是吗？"

"炼丹与练功其实并无多少差异，只是方法与目标各有所不同而已。因此要求的深度，以及修炼所演化的生理变化呈现有异，功能就也各擅胜场，在修至化境之前，彼此火候相当，是很难分出优劣界限的。"

"你真坏，并没回答我的问题。"李凤扭身抱住了他的虎腰，脸偎在他的胸膛上："我可以听到你的心跳声，表示你没练成，不能保持血气柔畅平静……"

"你……你像一团火。"他忘情地亲亲李凤的鬓角："我又不是木头人，哪能保持气血柔畅平静？"

"你真的喜欢我，是不？"李凤突然抬起面庞，脸上又羞又喜的神情美极了。

"何止是喜欢？"他双手捧住娇艳的面庞郑重地说："小凤，你相信世间真有一见钟情的事吗？"

"你认为呢？"

"各种相，与及各种缘，因缘凑合，才会发生这种现象。"

"咦！你炼丹，怎么谈起佛门的因缘来了？"

"佛与玄，有些地方是异中有同的……唔！奇怪。"他突然鼻翼掀动，在李凤的身上嗅。

"星寒，奇怪什么？"

"你身上散发的香味，怎么……怎么突然有……有极为微小的变……变化……"

"不可能的，你……"

"唔！"他抬起头，摇摇脑袋，眼神一变。

"你真难缠……"

他猛地一扭身，无巧不巧地避开李凤插向他七坎大穴的双指，指擦胸而过，传出激烈摩擦外袄的擦刮声，皮袄的布面裂了缝。

双手一用劲，李凤的身躯飞抛而出。

他挺身而起，身形一阵急晃。

李凤猝不及防，被摔翻在壁角下，猛地飞跃而起，反应超尘拔俗。

慢了一刹那，他已踉跄飞退出门。

一声娇叱，李凤电射而出。

屋后侧的枯草丛中，丁香随娇叱声暴起。

"咦……咦……"桂星寒已远出二十步外，发出奇怪的啸声，在余音袅袅中，踉跄奔入矮树丛。

"用暗器……"丁香尖叫。

丁香是从屋后听到娇叱声才现身的，追赶时也就慢了好几步，心中大急，因此提醒李凤使用暗器。

李凤没有发射暗器的机会，桂星寒在生死关头，强烈的求生意识，激发了生命的潜能，在头脑昏眩，眼前发黑的恶劣情势下，居然产生神力，窜逃的速度，甚至比平时更快上一倍。

李凤主婢走后片刻，银扇勾魂客像疯子般狂奔而至。

"小子……"老怪杰站在茅屋内门口狂叫。

四周鬼影俱无,门口掉落桂星寒的荷包。

那时,不论男女,腰间挂各式各样精美荷包,蔚然成风,里面可以盛装小巧物品。比方说,小珍饰、小金银锭、制钱、银票……在腰袋中盛钱,已经不时兴了。荷包不但可以当饰物,也可以表示身份。普通的平民百姓,荷包的精美就比富豪大主差得多。

桂星寒掏银子给丁香,荷包的绣带并没拴牢。

"小子发警啸示警,这时两个人都不见了,大事不妙。咦!小子的荷包……"银扇勾魂客拾起荷包,倒抽了一口凉气。

"小子!"他再次大叫。

冲入屋中,抓起桂星寒的背箩,和自己的包裹,顺手也抄起李凤的包裹,急急撤离现场。

藏妥包裹,银扇勾魂客开始寻踪搜迹,他不死心,绕至西南角小心翼翼逐段推进。

这次,他不再带剑。他的趁手兵刃是银扇,换用剑也表示他胆小,没有担当,他一直就为了这件事苦恼。但如果不用剑,被锦衣卫的人发觉他的身份,今后他休想在江湖逍遥自在了,会被当成钦犯缉拿。

现在,他顾不了后果啦!桂星寒是他最欣赏的年轻人,出了事,他一咬牙豁出去了。

他听到声息,立即往树下一伏,悄然蛇行,突觉顶门上空有高速飞行掠过的声音,惊得毛骨悚然。这是暗器穿枝透隙的声浪,假使他伏下的速度慢了一刹那,背心可能贯一支弩箭或者一枚钢镖。

他一跃而起,大旋身银扇唰一声抖开了。

啪一声脆响,拍飞了第二枚透风镖。银扇抖开面积大,有如一面盾牌，不但可以拍击兵刃，正面也可以挡住暗器，禁得起剑刺刀砍。

三个人快速现身，堵住了他的身后。

"原来是你这浪得虚名的什么江湖怪杰。"为首那人怪叫，一声剑吟青芒出鞘："妙极了，那天杀的什么天斩邪刀，一定躲在这附近，你是他的死党，惟你是问。"

他吃了一惊，暗叫不妙。

他认识这个人，也认识这把青芒暴射的七星剑，一个名震江湖的凶悍老道，曾经在解州云台观修真的法师，天殛真人太玄。

弥勒教的妖人来了，他对妖术有莫名的恐惧。

另两人是一刀一剑，剽悍之气令人心悸。左面那人的左掌，晶光四射的是一枚透风镖，随时都可能出手，大概刚才的两枚暗器，是这位仁兄所发的了。

"太玄仙长，人是我的，不要和我争。"亮镖的人火爆地叫："第三镖要不了他的命，我飞天虎今后不用镖算是栽了。"

银扇勾魂客脸色一变，心中叫苦。黑道大豪飞天虎庄元彪，手中刀和镖在江湖罕逢敌手，轻功犹佳，所以绰号叫飞天虎。这家伙天生的冷血，挥刀时六亲不认。他的扇能否挡得住飞天虎狂野的刀，大有问题，再加上妖术通玄的天殛真人，他毫无希望。

"你一镖打死了他，还会有口供吗？"天殛真人大为不悦，沉下脸阻止飞天虎发镖："给我站到一边凉快去，他是我的，我要活口，我要他乖乖地跪下讨饶，我要……呃……"

同一瞬间，天殛真人背部传出一声不太猛烈的爆炸，有火光闪动，威力似乎并不大。

天殛真人说了一连串的我要。现在，他没有什么可要的了，人向前一栽，丢剑仆下了，背心出现一个血洞，是某种小型爆炸物所造成的创口，血肉一团糟，大罗天仙也救不了这种创伤。

一个人影破空下搏，剑出狠招天龙行雨，从飞天虎的背后上空下搏，与爆炸声同时到达。

银扇勾魂客福至心灵，已猜出来人是谁了，犯地向前飞扑，手一沾地奋身急滚，银扇就在这瞬间旋削，把那位持剑待发的人右小腿削断了。

变生仓促，猝然的袭击极为快速猛烈。飞天虎根本不知道杀神自天而降，顶门中剑依然不知如何被杀的。这家伙先用镖偷袭，也死在偷袭下。

"快走，大批妖人快到了。"宰了飞天虎，轻灵飘落的飞天夜叉急叫，向南一指："他们将从这一面来，有十几个之多。"

"谢啦！那就快溜。"银扇勾魂客一听有十几个妖人，哪有勇气逞英雄？三十六着，走为上着。

他知道飞天夜叉也怕妖术，所以改制流光弹，作为对付妖术的利器。但如果对方事先有所防备，流光弹的效用有限，威力并不比飞镖大，用来偷袭或许有效而已。一枚流光弹击毙了天殛真人，就是偷袭侥幸成功的，真要面对面相搏，飞天夜叉绝对逃不出妖道的手掌心。

"你真是救苦救难大菩萨！"银扇勾魂客藏身在一丛矮树下，向身旁的飞天夜叉由衷地道谢："那个什么天殛真人，我老怪杰绝禁不起他的妖术摆布。那个黑道大豪飞天虎，第三镖可能要了我的命。你怎么来了？好像只有一个人？"

"我是指引那些人来的，抄到前面看动静。"飞天夜叉向前一指。

百步外，十三个男女分为两拨，利用地势分别潜行窜走，越野北行，警戒的措施颇为周到，可以随时应付意外的袭击。

"真是弥勒教的人？"

"是的。"飞天夜叉往右侧方一指："我是被一群人追踪，也有十几个，目下可能距此不远。你追我赶，一点也不有趣。幸好我是一个人，还能来去自如。"

"还有一批人？他们真要倾巢而至呢！"

"那群人是锦衣卫的侍卫老爷。"

"天杀的！他们联手勤快得很呢！"

"不，他们要活捉星寒兄，也要捉弥勒教的妖人。正确地说，双方闹翻了。哦！你没和星寒兄在一起？"

"原来是在一起的呀！我在四周走动戒备，听到桂小子发出警啸……"银扇勾魂客把变故说了，最后取出桂星寒遗落的荷包说："人都不见了，桂小子却还留下他的荷包，一定出了意外……"

"哎呀！"飞天夜叉变色惊叫。

"怎么啦？桂小子失荷包，并不表示他……"

"他身边的那两个女人，是不是李凤主婢？她们是弥勒教的人，星寒兄可能已遭了毒手。"飞天夜叉急得几乎要跳起来："锦衣卫的人，已证实两个妖女，确是弥勒教的重要人物，认为她两人帮助星寒兄，屠杀了锦衣卫十个人，所以与弥勒教反脸。老天！我已经得到消息，锦衣卫的一个侍卫，用消息交换他的性命，说出这两个女人，其中的李凤可能是弥勒教的妖女，因为他曾经对这个李凤有点眼熟，依稀记得这女人曾在弥勒教的藏身秘窟出入，只是不敢确定而已。本来我想提醒星寒兄提防的，又怕引起他的误会，因此往密县方向，查这两个女人的行踪……"

"你真的很蠢哪！"银扇勾魂客收起荷包埋怨："既然有可疑的消息，你就该告诉他呀！你怕引起他的误会，反而误了他的性命，你……"

"这不能怪我呀！那两个鬼女人，杀了弥勒教颇有身份的黄泉双魔，因此我不敢确定消息的正确性。而且在破庙我提出疑问时，星寒兄就感到不悦，认为我疑心太大，指我把李凤误认是七仙女之一。废话少说，我们得赶快找他的下落。"

"我们盯牢弥勒教的人，或许有希望。我们只有两个人，可合不可分，像盲人瞎马般四处乱找，不但难以找到，自身更有危险。"

"那就走！"飞天夜叉变得十分急躁不安，一窜三丈迫不及待飞赶。

共有十六个人，聚集在一条小河旁。

小河的冰还没解冻，可以看到有些地方呈现挤裂的现象。河宽约两丈左右，轻功稍有成就的人，可以一跃而过，不需冒险踏冰而渡。河岸的枯苇在寒风中抖动，响声乱人听觉。

"他不可能逃到此地，更不可能踏冰而过。初春的冰承载不了一个人的重量，也没有踏裂的痕迹。"李凤大冷天中，热化的雾气不但从口中逸出，也从衣领内冒发，可知经过长期奔掠，相当耗损精力："咱们必须往回搜，或者沿河上下搜寻。"

已经远离茅屋五里以上，一直就不曾发现桂星寒所留下的踪迹。

"你认为他受到离魂香的侵袭了？"那位曾经自称吴世，作书生打扮的人沉声问。

"如果他没受到侵袭，岂肯善罢甘休逃走？"李凤急急分辩："他的武功和道术，绝不是我们这些人所能对付得了的，发觉神智有异，才见机拼全力逃走。"

"你如果能肯定，为何远追到此地来？"吴世不满意李凤的分辩："离魂香入鼻即受到禁制，即使嗅的分量不多，也支持不了片刻，逃出一里半里，一定神魂脱离躯体，一倒下去就起不来了，至死方休。三妹，你真的误会。快往回搜，分两路散开，留意第一处树丛草坑，必须在他死前找到他，我要活的。"

"何不先搜河岸？"侍女丁香不同意往回搜："这小畜生也许天生异禀，离魂香的效果慢。我和三宫主是同时追出的，眼睁睁看到他去势宛若电射星飞，三五起落，便似乎平空幻没消失了，可能真有奔出五六里，香效才发挥作用的能耐呢！"

"你们的神行术也追不上他？"

"当时草木挡住视线，有让我们乱了视觉的可能。"丁香脸色冷森，不愿坦然承认神行术不如桂星寒。失败者找借口掩饰自己的无能，是正常的反应。

"有没有追错方向的可能？"吴世紧锲不舍追问，不想浪费时间在这一带白搜。

"应该不会，他确是从这一方向遁走的。"丁香答复的语气不怎么肯定。

"好，先搜搜看。"

立即分派人手，分别向上下游河岸搜寻。

侧方百步左右，飞天夜叉和银扇勾魂客，潜伏在乱草丛中窥伺。他俩伏在下风，而李凤几个人，说话的嗓门甚大，虽然远在百步左右，依然可以隐约听到不怎么模糊的语音。

"杨前辈，你在这里等。"飞天夜叉说，开始系紧腰带，将剑改系在背上。

"你干什么？"

"引走他们。"

"你去引？"

"不错，不能让他们再仔细搜寻。"

"你不要冒险，这些妖人可以腾云驾雾，御气飞行瞬息千里……"

"鬼话！我对我的轻功有信心。"

"你打算……"

"引他们去和锦衣卫的人结算，那些人可能已经循踪追来了。放心啦！我会小心的。"

贴地一窜，两起落便形影俱消。

"女飞贼名不虚传，她真的会飞。"银扇勾魂客大感惊讶，飞天夜叉掠走的速度，委实骇人听闻，眨眼间便消逝在视线外。

片刻，里外娇啸声划空而至。

刚分为两拨，沿上下游搜出二三十步的十六个人，不约而同停止搜索，向啸声传来处张望。

一声令下，十六个人向啸声传来处飞奔。

"沿河岸找。"飞天夜叉坚决地说："回头找已经不可能了。我担心他踏破冰层，跌落冰下那……老天！不要让这种事发生，不要……"

她发疯似的向小河飞奔，向上游急走，留心察看枯苇的折断形状，与及河面是否有裂洞。

银扇勾魂客比她细心，跟在后面用树枝探拨枯苇。

她俩先前潜伏处在下游不远处，向上游搜寻，也就是向李凤那些人所立处接近的。

她本能地强烈感觉出，李凤所追的方向大致是正确的，御尾穷追，被追的人如果折向，追的人一定可以看到的，只有直追才会失去被追者的形影，因为被追者逃走的速度太快。

她心中焦灼，搜寻的速度无形中加快，不久便看到踏草的痕迹。

那是八个往下游搜的人，所留下的足迹。

她心中大乱，这一段河岸不用搜啦，急急前奔，要超越弥勒教妖人已经搜过的地段。

后面，突然传来勾魂客的欢呼声。

"这小子在这里，老天爷保佑。"银扇勾魂客丢掉树枝，从干芦苇丛中，拖出死人似的桂星寒。

她欢叫一声，回身奔到。

桂星寒可能是被枯苇绊倒的，倒下去就起不来了，下面距结了冰的河面不足三尺，距弥勒教妖人搜到处，也只有十步左右。

如果飞天夜叉引走妖人的啸声，慢片刻传到，桂星寒势必被搜出，大事休矣！

人一拖上来，两人脸色大变，笑容僵住了，倒抽了一口凉气。

人似乎已经僵了，死人哪能救？

"不！不……"飞天夜叉掩面尖叫，声泪俱下。

人拖上来时，硬得像一段木头，当然是死了，僵化了。这是说，人死去没多久。

天寒地冻，人也会发僵。

人死后不久，各种器官功能丧失，器官、筋、骨、肌肉，因能量中断而失去输送供应功能，便会因神经失去作用而强烈收缩、凝结，便呈现暂时的僵化现象。

之后，便开始结构坏死、松弛、腐化了，成为一堆软绵绵烂肉啦！

桂星寒死了，那是一定的，尸体发僵，表示死去没多久，她们来晚了。

银扇勾魂客也老泪纵横，心中一阵酸楚。听到飞天夜叉那撕裂人心的尖叫声，老怪杰蓦然心动。

这不像是发自关切朋友的感情激动。飞天夜叉与桂星寒之间，甚至还不能算是朋友，桂星寒甚至在有意无意间，与飞天夜叉保持距离呢！

飞天夜叉擒捉桂星寒，逼迫入伙是事实。桂星寒救过飞天夜叉，也是事实。

难道说，这女飞贼存有感恩的心念，图报无由的负疚念头，而发出的至情激动现象？

他知道不是。失去图报机会，不会令人如此痛伤，飞天夜叉激情的表现，不像与负疚念头有关。

"她爱上了这个该受到天妒的英才！"老怪杰凄然叹息："桂小子却浑然不觉，便遽然撒手离开人世。"

第十五章　剑拔弩张

娇啸声吸引了两方人马的注意，全向该处急奔，谁也不知道发生了什么事，本能地奔向有动静的地方。有如黑夜中荒野的飞虫，本能地向耀目的火光飞去。

双方都怀有强烈的戒心，在树丛凋草中小心地急进，不敢公然放胆一拥而上，便形成乍现乍隐的阵势。

领先急进的吴世，最先发现对方的人。

"三妹，你和欧护法火速离开。"他缩在一株树下，脸色微变："是冷剑天曹那些人。快！"

李凤也一惊，与丁香不进反退，向侧一绕，三两闪便消失无踪。

对面的人，也发现他们了。发现了目标，警觉心与紧张的情绪便会松懈许多，一声暗号之下，人陆续现身往主事人身边聚集。

共有十二个人，有五个是带刀侍卫。

冷剑天曹与方世杰的地位，当然比带刀侍卫低，也当然负责对外打交道或传话，笨鸟儿先飞，打旗的先上。冷剑天曹与江湖人士熟悉，是与江湖人士打交道的主将，所以列阵停当之后，领先出列打交道。

五个带刀侍卫，脸色极为冷森，虎目怒火炽盛，有如面对不共戴天的仇人。

被丁香发动突袭所死的十个人中，有大半是身份地位不低的侍卫。这些军老爷袍泽感情深厚，替同袍复仇的念头十分强烈，正是仇人相见，分外眼红。

"原来你们躲在这里。"冷剑天曹皮笑肉不笑，是老练的江湖嘴脸："吴老兄，你知道我们为何而来的吧？"

"你们的理由不充分。不要逼我，姓项的。"吴世不再示弱，语气也就不友好："咱们远撤出戒严区外，已经情至义尽，真要闹翻了，谁也得不到好处。"

"卫里的将爷要求并不苛刻，你心里明白。"

"要求不苛刻？老兄，你们要求的，是莫须有的要求。"吴世英俊的面庞杀气涌腾："既要在下向你们投到，又要在下交出我们的两个女人。我的要求也不苛刻，那就是彼此保持和气。目下天斩邪刀……"

他想说出桂星寒已受制，想趁机要求对方共同搜寻的建议，先把快要死的人找到，尔后再解决其他棘手的问题，那就省事多了，双方主要的目标，本来就是桂星寒。

可是，情势已由不了他主宰。

"你给我闭嘴！"震耳欲聋的沉闷，打断了他的话。

是那位领队的人，虬须戟立相貌威猛的侍卫，随着喝声大踏步而出，手按刀鞘屹立如天神，站在他面前八尺左右，像一座山。

"你的人，杀了我的部属。"侍卫一字一吐，声色俱厉，铜铃眼厉光四射，像要吃人："你是全权使者，当然是你一手策划的。有何理由分辩，我会给你机会，但不是现在，带你回去再说。你愿意跟我回去吗？"

锦衣卫和东西两厂，合称厂卫，是皇家两大特务系统对外的组织名称，内部还有许多不为外人所知的小组织。在职掌上，几乎无法把他们分开；名称不同，却又是事权几乎相同的组织。

被厂卫弄到手的人，不死也得脱层皮。

双方既然已经因此出了人命，愤而分道扬镳，便成了势不两立的仇敌，双方的人皆心中明白，一旦落在对方手中，惟一的结果是任由宰割，决无他途。

吴世受不了对方咄咄逼人的态度，更无法接受这种断绝去路的要求。

"办不到！"吴世的嗓门，更有慑人的威力，斩钉截铁，强硬率直："阁下，不要把我对你们的让步，认为是理所当然的事，你还不配在我面前说这种该死的大话，少在我面前撒野……"

侍卫哼了一声，猛地一耳光掴出。手长脚长的人，跨出一步出手掴耳光，真有泰山压卵的声势，极易引人反感。侍卫愤怒中出手，显然没把对方看成人物，倨傲托大的态度，激怒了所有弥勒教妖人。

吴世虽然愤怒，却也识势地退出、挪移，并没乘势招架这种最容易反击的狂妄招式，采取最消极的方法闪避，明显地示弱。

他的同伴，却受不了侍卫的倨傲态度。

一枚扔手箭，挟风雷而至，直奔侍卫的心坎，一闪即至，这种大型的箭可以及远，可知劲道必定惊人。

一声怪响，箭反弹跳坠。

侍卫退了一步，巨眼暴张，左手向前一挥，一枚晶亮的铁胆破空而飞，体积虽大，但速度太快，所以仅看到一道晶虹，光到人倒。

"呃……"将箭扔出的人，不知道侍卫的锁子甲，并不怕粗大的箭，以为必定箭到人倒，还来不及有所动作，铁胆已经及体，侍卫的反击太快了。

即使是体积最小的一寸径铁胆，击中人体也会骨裂肉陷。侍卫这枚铁胆有寸半径，真有如千斤巨锤狠砸，也是用扔手劲发出的，与扔手箭手法几乎相同，噗一声击中胸口，胸骨内陷，被脊骨所挡住，身躯倒掷而出，撞翻了后面的两个同伴，劲道可怕极了。

一声刀啸，绣春刀出鞘。

侍卫的同伴更快一步，他的轻功首屈一指，人似飞隼般斜跃冲出，下搏时剑似雷电轰击。

一个刚闪开摔倒的同伴，以及被撞及的中年人，还没有拔剑的准备，剑光已如雷电自天而降，剑从右颈侧贯入，直透胸腔。

立即引起可怖搏杀，惟一可做的事是杀死对手，二十余个人群殴，一接触便有人死伤不可收拾。

"该替他准备后事了，让我拖他走。"银扇勾魂客冷冷地说。

她坐在冰冷的土地上，抱住桂星寒的上身，背胸相贴抱得紧紧地，不住轻轻地摇晃。脸上满是泪水，脸颊在桂星寒的发髻摩擦。

不知道为什么，她就是毫无理由地喜欢这个不喜欢她的男人，而且喜欢的程度与时俱增。

她心中否认，与感恩图报无关。

也许，她想拉近桂星寒对她划出鸿沟界限的距离。

也许，得不到的东西偏要想得到。

当然，她拒绝相信是占有欲在作怪。

她警告葛春燕，要葛春燕离开桂星寒远一点，就是占有欲的具体表现，当然也掺入了其他方面的感情。

她的爱落了空，桂星寒冷僵的尸体，就抱在她怀中，这是无可置疑的事实。

那种撕裂心肺的感觉，形容为伤心欲绝决不为过。

"林姑娘……"老怪杰不知该从何劝解。

"不要管我。"她冷冷地说，任由泪水似泉涌："我还有人手，我会替他善后。"

"你没有必要……"

"我有的，前辈。"她抱住桂星寒轻轻地前后晃动，语声遥远："不仅是我对他有一分亏欠，而且我喜欢他，甚至爱他，虽然我知道他并不喜欢我。"

"可是……"

"我应该倔强地，直接警告他，那两个女人，确是弥勒教的妖女。天啊！我为什么介意他不悦？"

"你喜欢他，所以介意他不悦。男与女，都一样；如果你对某人没有印象，也就不在意对方的情绪变化反应。我想，你确是真心喜欢他。"

"是的，所以我决定暗中跟在他后面……唉！"

"坚强些，姑娘，你还有很长的人生道路要走。"银扇勾魂客对她最后那一声，充满绝望的叹息深感不安，硬着头皮婉言相劝。

"我会活下去的。"

"那就好。唔！荷包内没有他的路引，可能在怀袋内。"老怪杰一面打开荷包搜查一面说："希望路引不是伪造的，才能替他办理后事。"

男人的衣服，基本形式变化不大，通常开襟可分三种形式。褂，中间开襟；袄，掩襟；套，圆领，也就是圆领套头衫。不论哪一种衫，怀袋都设在内层，仅皮袄在袄面设袋。袍衫一类，还另有袖袋。腰带设暗袋，叫腰袋或腰囊。

贴身藏妥，指的就是怀袋。

外出旅行，远出百里外，必须申领路引，上面有详细的户籍记载。没有这玩意，只好按无名尸体处理，往乱葬岗一埋，一了百了。

她用麻木的手，探入桂星寒怀内。

"你怎么啦？"银扇勾魂客看到她脸上的神色变化，颇感纳闷。

"他的心还……在……跳……"她狂喜地叫，几乎要跳起来。

老怪杰将信将疑，蹲在一旁伸手相探。

"不可能的。"老怪杰摇头放手苦笑。

"没错，他活着。"飞天夜叉坚信自己的感觉，跳起来将桂星寒的身躯摆平，急急将皮袄脱下加盖在桂星寒身上："帮助我，替他推命经络活血，我帮助他呼吸，他……他还活着。"

她用对口度元气，以及有节拍压胸的方法，有耐心地帮助桂星寒增大呼吸量。

老怪杰不忍拂她的兴，在桂星寒的上下肢用工夫。

"这小子也会邪术，已经羽化登仙了。"老怪杰一面推拿一面嘀咕："即使不是死僵，这老半天，死人也会冻成冰棒……"

"求求你闭嘴！"她叫声嘶哑，有如哀求。

"好好好，我真该闭上这乌鸦嘴。咦……这……这条手臂像……像动了一下。"

"他的口中有热气了。"她狂喜地欢叫，凤目中的泪水反而流得更多。

喜极而泣，就是这副德性。

好杀成性，是卫将爷门的特征，本来就是掌生死大权的特殊人物，从不理会对方的申诉和要求，一旦认定对方该死，那就绝对冷酷无情加以处决。

所以，一言不合，就立即挥刀相向，不顾一切先杀了再说。

方世杰所表现的骁勇，今天似乎最为出色，他飞跃攻击弥勒教后方的人，其实比在前面针锋相对交手安全些，出其不意便击毙了一个人。

第二个人，可没有那么容易了。

这人手中的剑，也是吹毛可断的神物，无所畏惧地硬接他的青霜宝剑，剑术极为辛辣霸道，与他的游龙术似乎难分轩轾。

传出一阵清越的金铁交鸣，两人展开了空前猛烈的拼搏，进退间迅速绝伦，你来我往棋逢敌手，逐渐远离原处，狂野的缠斗险象横生。

为首的侍卫虽然用铁胆击杀了一个妖人，身上穿了甲不怕兵刃暗器及体，但四肢五官仍不能禁受打击，碰上了吴世，可就占不了便宜啦！

人太多太乱，大白天施展妖术效果并不佳，吴世用上了真才实学抢攻，专向侍卫的四肢五官攻击，剑术就比侍卫的刀法神奥多多。一轮惊心动魄的狂攻，把侍卫逼得一步步后退，三四十剑之后，侍卫只有招架与闪退的份，失去反击回敬的机会，逐渐险象横生了。

片刻之后，四周共倒了五个人。弥勒教的人，多死了一个。

双方都是有组织的组合，只许有一方是胜家，输的一方，必定死光为止。

激斗正酣，刀光剑影飞腾。

突然传出二短一长三声怪啸，发自吴世口中。

眼看不久将胜算在握，紧要关头他居然发出撤走的信号。

弥勒教的人纷纷撤开对手，溜之大吉。

吴世是最后撤走的，掩护同伴先撤出现场。最后一剑把侍卫逼退出丈外，身形起处，有若星跳丸掷，向西北角如飞而遁。

二十个密探与侍卫，正越野向斗场飞驰而至。

难怪吴世在占得优势时撤走，原来侍卫们策应的另一批人马到了，十二匹健马飞驰蹄声如雷，可惜仍然来晚了，驰抵现场，妖人们早已无影无踪。

死了三个，带走了弥勒教三具遗尸。

弥勒教失去搜寻桂星寒尸身的机会。侍卫们并不知道弥勒教妖人计算了桂星寒。

飞天夜叉驱虎斗狼的妙计十分成功，幸运地争取到寻找桂星寒的好时机。

这一场冲突，加深了弥勒教与锦衣卫之间的仇恨。

利害相结合而产生的仇恨，并非不可化解的，如果重新因更好的利害条件，一定有重新结合的可能，问题在于有没有更好的条件作价码了。

"大难不死，必有后福。"银扇勾魂客在一旁摇头晃脑，怪腔怪调说风凉话："你小子一无呼吸，二无体温，硬邦邦，死跷跷，十足一具冰冷死尸，居然被这个夜叉救回阳世，委实不可思议。真邪门，天下居然有死而复生的怪事？"

桂星寒在一旁活动筋骨，不时猛摇脑袋，似要摇掉遗留未退的昏眩感，活动时双脚仍有欠灵活，有点像宿酒未醒的酒鬼。

"如果没有你们施救，我的魂魄可能已经出窍了。"桂星寒一面活动取暖一面说："我的灵智还没完全模糊，知道用本能保住心脉，利用体能冲淡毒物的诱发力，就是不能完全清醒，因此就差那么一把劲，那种力不从心的感觉，真会逼得人发疯。谢谢你助了我一把劲，有外力相助，我才活过来了。林姑娘，我欠你一份情。"

"没什么啦！你也曾经救了我。"飞天夜叉开心地笑，愁容全消："喂！你是怎么一回事？"

"哈哈！该问他遭了甚么祸事。"银扇勾魂客悻悻地说："女祸，女人祸水，准错不了。"

"你胡说什么呀？"飞天夜叉大发娇嗔。

"你也有一份。"

"什么？你……"

"如果你扳起脸，揪住这小子的衣襟，警告他那两个女人是妖女，岂不太平无事？"

"妖女杀了黄泉双魔，我能无凭无据说她们是妖女？星寒兄肯信吗？"飞天夜叉力加分辩。

"这也怪我。"银扇勾魂客苦笑："我一个成了精的老江湖，也因此事而没生丝毫猜疑。妖女们杀了自己人以取信于这小子，委实够狠够毒，这是绝大多数的江湖组合，包括最冷酷黑道帮派，也做不出这种狠毒的事来，难怪我们都上了当，可怕。"

"黄泉双魔在江湖朋友眼中，是颇为可怕的凶魔，但在弥勒教中的地位，却上不了台盘，因为弥勒教以蛊惑裹胁一般愚夫愚妇为主。该教的弟子武功高强与否并不重要，重要的是有没有聚合领导群愚的能力。"桂星寒说："黄泉双魔性情古怪凶暴，相貌丑陋更没有耐性，在该教派不上多少用场，只能担任联络站的跑腿。这种人，注定了是可以牺牲的。"

"你小子是后知后觉。"银扇勾魂客嘲弄地说："上了当才想通。"

"到底你是怎样上当的？"飞天夜叉的好奇心更旺。

桂星寒哪有脸说出当时意乱情迷的光景？也说不出口，男女间的事，是不能搬出来当众叙述的。

"她受了伤，在茅屋里只有她一个人，她逮着了好时机，便迫不及待施放一种香；一种可以令嗅入的人，魂魄离体成了白痴的毒香。"桂星寒简略地说明经过："幸好我习惯了她所使用的脂粉香，一发觉香味有变，就心生警觉，锁住元神全力远逃脱身。"

"你居然发现她的体香有异……"

"老哥，别提了好不好？"桂星寒讨饶。

要发现一个女人的体香，突然有了变化，那表示两人的亲密程度，已到了不足为外人道的地步了。寒冷的天气，香味散发效力有限，而且茅屋透风，除非双方紧密依偎拥抱甚或更进一步罗襦半解，不然决难发现香味有异，老怪杰一听便听出语病。

"那妖女杀了黄泉双魔，仍未消除我对她的猜疑，因此着手调查她的行踪，她根本不像一个初出闯道的人，言谈举止漏洞百出。"飞天夜叉显然不明白，老怪杰语气中的暧昧含义："星寒兄，她不会死心的，除非你不再以天斩邪刀的身份出现，不然她将继续计算你，今后你得特别提防她弄鬼。"

"我不会改变身份，更不会隐姓埋名。"桂星寒疲倦的双目中，涌发另一种怪异的光芒："她很厉害，武功与道术，恐怕比我相差不远，居然用邪门手段来计算我，可知她对我一定不陌生。好啊！我会去找她。"

"你还要去找她？"飞天夜叉白了他一眼："哼！她一定张开双臂欢迎你……"

"我也欢迎她呀！她那种出色的大美人，谁不欢迎呀？"桂星寒停止活动，脸上已逐渐恢复红润，出现开心的神采："只是她那个侍女丁香很讨厌，不像一个侍女，却像管家婆，我得设法治好她的毛病。"

"你……"

"好啦好啦！我不找她，她也会找我的，弥勒教也会命令她找我，是吗？"桂星寒拍拍脸色不佳的飞天夜叉肩膀："再次谢谢你，林姑娘。哦！能请教你的芳名吗？只知道有人知道你姓林，是父姓吧？"

女人成家就随夫姓，也就是姓名随出嫁而消失了。父姓，意思是在室闺女。桂星寒的意思，显然在试探飞天夜叉是不是有了婆家的人，在称呼上免闹笑话。

这期间双方都在生死途中闯荡，桂星寒一直就没真正打听飞天夜叉姓甚名谁，可知他不愿与女飞贼打交道的心理，一直不曾改变。

江湖一些名号响亮的人物，仅亮绰号的人为数不少，真姓名反而不为世人所知，这与他们不愿泄底，或者曾经落案有关，也许有不可告人的隐情。飞天夜叉如果不通名，谁也不知道她的底细。

"你就叫我飞天夜叉好了。"飞天夜叉赌气一跺脚，避到一边去了。

"生气啦？呵呵!"桂星寒大笑："在江湖闯荡的人，并不认为向姑娘们请问芳名，是无礼的鲁莽举动。别放在心上，好吗?"

"好了好了，该讨论正经事啦!"银扇勾魂客打断两人的话，不希望久留险地："下一步有何打算？当务之急，该是赶快离开，须防那些人去而复来，我可不希望受到两方的人马夹攻。"

"的确需要离开险地。"桂星寒知道自己元气还没全复，很难应付两方面的人："林姑娘，你的人呢?"

"我打发他们往西远走，日后在南阳聚会。"飞天夜叉感到不安，神色有异。

人都走了，她才感到孤单。当初决定时，由于关心桂星寒的安危，决定留下寻找桂星寒，没想到找不到或找到之后，下一步该怎么走。

现在，找到桂星寒了，桂星寒的动向她并不了解，面临的问题，是她何去何从。

她可以一个人走，无牵无挂。但是，她平空生出孤零零的感觉。

桂星寒是不会和她走的，在心理上她已有准备。

"哦! 你取消盗取皇家珍宝的计划了?"桂星寒颇感意外。

"算了。"飞天夜叉泄气地说："已经暴露形迹，出了事日后也脱不了关联，成功的机会并不大，按理我也该见机放手的。"

"那就暂且结伴一起走吧! 多一个人也多一分安全的保障。"桂星寒提出邀请："反正我们是有难同当，真要发起威来，咱们三个人，足以冲垮一队御林军。"

"好呀! 他们最好避免让我们发威。"飞天夜叉心中大喜，求之不得："我要回去取行囊……"

"不要乱跑了，得避避风头。"桂星寒说："好在天气寒冷，三两天不换衣物算不了什么，等皇帝走后，再取回行囊岂不风险少？"

"我把妖女的行囊带走了，也可以派用场呢！走啦！"银扇勾魂客催促两人上路。

"我才不要妖女的东西。"飞天夜叉大声说。

新郑城被各式各样衣甲鲜明的兵马，围成一个坚固的铁桶。城郊十里之内，除了持有特别符牌的人之外，只许兵马巡逻走动，其他一概禁止通行。

本城所有的治安人员，都已经在警区坐镇，不能擅离，也不能越区走动。城内临时召集的丁勇，城外的乡勇，皆镇守在防区内，实际指挥权已移至御林军手中，各就定位也禁止擅自走动。

原来在新郑负责部署的人，近午时分便离城南下了，责任转移，警戒任务已由另一批人所取代。

但几个有特殊关联的人，破例留下了。

冷剑天曹、方世杰几个人，奉命留下善后，因为他们对最近三天来所发生的特殊意外事故，有深入的了解，也是事故的重要关系人物。

至于正式军职人员，陈百户、罗百户等等，皆在午前领了所属人马与密探，浩浩荡荡南下了。

留下的人，并没留在城内。指挥站设在西郊外的张家庄，距城仅四里左右，位于洧河南岸。新来的指挥官，有一群似乎并不怎么出色的部属，军容不整懒懒散散，与其他盔甲鲜明军容壮盛的御林铁卫不同。身上兵刃的盛具甚多，形形色色种类不同，大多数不是军中所用的制式兵刃，连护臂套也是铁瓦式的金属制品。

有些人所使用的刀，就不是制式的绣春刀。

总之，这些人像是一队杂牌军。

可是，每个人的符牌都是象牙制的。

象牙制的符牌，俗称牙牌，是出入朝房宫殿的身份证明。出入宫禁任何一座门，都需不嫌烦琐逐一查验，即使是熟悉的人也不例外。

够资格出入午朝门参加朝会的大官小官，都有这种牙牌，随时可能收缴或颁发。遗失这牙牌，那是大灾祸，死定了。

侍卫亲信，也都必须凭牙牌出入。

杂牌军持有牙牌，那是决不可能的事。因为宫中所颁发的牙牌，不论性质如何（内外官都不同），都有统一编号，每年不定期查验校证，决不可能发给无关的人持有。调职移动，要与印信同时呈缴，丢失牙牌，等于是丢掉了老命。

大军云集，表示明天傍晚时分，皇帝的车驾便可到达新郑。郑州至新郑是一日程，不足百里。皇帝的车驾人马众多，御车庞大，不可能一天走上一百里，按理应该分两天。那么，今晚皇帝的行宫，应该在中途的郭店驿附近，明天傍晚时分才能抵达。

张家庄的大祠堂内，成为这队人的临时指挥站，入暮时分灯火通明，但似乎警卫并不森严。

杂牌军，警卫不森严是正常的事。

地当西行大道，居然派这种杂牌军驻扎。好在西面五六里，共有五处御林军的防区。各村庄本身的乡勇，也有新来的官方军职人员监督列阵守卫，如果发生事故，应该不会波及张家庄的杂牌军。

一座农舍的小厅内，方世杰与天权仙女，膳后在厅中掌灯品茗，气氛融洽，相处亲昵不像是敌人。

这家农舍分派给几个密探居住，方世杰这一间内厅比其他的人舒适，小厅内甚至有取暖的火盆，可知他的身份地位并不低。

"奇怪，你们这些人，似乎丝毫不紧张，甚至懒散无所事事。"天权仙女其实也显得懒散，几天的俘虏生活显然过得相当如意满足："今上车驾已到，正是刺客光临的紧要关头，你们不加强巡逻搜索，反而安逸地在此闲散享福，是不是反常?"

"呵呵……这些不关我们的事。今上是否到了，我们也不知道。我们奉到的指示，只是准备胆大包天的狂徒来找我们。你不必多问好不好?我不能告诉你任何事。"

"只因为我是外人?"

"是呀!上级指示得够明白，不信任投诚合作的人，虽然并没指名道姓说你。"

方世杰似乎缺乏机心，泰然自若坦诚相告。以他的身份地位，也应该知道皇帝的确切行踪。

问题是，他凭什么胆敢把一个逆犯带在身边?即使这个逆犯已经投诚合作。

"我明白，我不可能获得你们的信任。你也明白，我是真心真意跟着你的。"天权仙女笑容可人，一点也不为目下的处境担心忧虑："我所知道的事，都已经毫无隐瞒地告诉你了。我和你一样，对上级的事所知有限。跟在桂星寒身边的两个女人，如果真是有如你们所说，是弥勒教的人，那一定是不属于河南路香坛的弟子，我不可能知道她们是谁，你要我怎么说?编一套谎话诓你们?"

"算了，这件事已经不重要。目下重要的是，今晚你们的人最好不要走险接近县城。"

"他们不会来的。"

"是吗?梅英，不要说得太肯定了。"方世杰脸上，有诡异难测的表情："双方已经反脸兵戎相见，都死了不少人，你们那些心怀异志的重要弟子中，妄想抓住机会，劫持皇上走险作孤注一掷，是有这种可能的。"

"哦！你所指的狂徒……"

"桂星寒。"方世杰抢着说："希望你们这些人，不要前来走险揽局，以免玉石俱焚与桂星寒陪死。梅英，我真的不希望你的人前来送死，不希望你挥剑与曾经是自己人的弟子相向，以免日后见面双方必须走上绝路。"

"他们不会来，劫持皇上对他们毫无好处。而且，他们没有这分能力。"

"那可不一定哦！你们圣堂的一些人，武功超绝法术通玄，用法术穿越千军万马，也如入无人之境，入城劫持皇上轻而易举。"

"你算了吧！世杰。"天权仙女嫣然媚笑："你以为我不知道？活神仙陶仲文，和他的小天师儿子陶世恩，都来了。三十六天将带了各种可怕的法器随行，在皇上的行宫，布下了天罗地网。陆指挥使的天兵飞虎营，更在天罗地网外围，布下了金城汤池。弥勒教那些人，如果真具有遁入的神通，早在河北岸沿途下手了，还用等到现在？"

"这个……"

"你以为我们的消息，真的不灵通？我感到奇怪的是，你们为何不让桂星寒长驱直入，自投虎口，却在外围等他，他会来？"

"他一定来，布下的棋局，他一定按局走。"

"什么棋局？"

"不久自知。"

"好，我拭目以待。"

"你不会失望的。"方世杰肯定地说。

"如果你碰上他，有胜他的信心吗？"

"我并非真的胜不了他。"方世杰脸一红，言不由衷的人就是这般窘态："不过，轮不到我应付他。京都西山锦衣卫武学舍的教头中，武功比我高百十倍的人多的是，我算不了什么，所以乐得清闲。”

谈话间，一声低沉的怪声破空传到。

“准备应变。”方世杰一蹦而起，火速将佩剑摘下，改系在背上。

午后不久，便有人陆续离开县城向西走，每个人走的路线都不同，有些走官道，有些走村径，有些干脆偷偷摸摸越野而走。

每个人的身份装扮都不同，有些则携有兵刃。

这些人一出警戒区，沿途不再停留。有些携有包裹行囊，似旅客却又不像。

桂星寒三个人，已经远离警戒区十余里，附近的村庄鸡犬不惊，没有发生任何事故。村民得到村正里正甲首的通知，这几天禁止前往将近三十里的县城，理由是大军过境，其他不许询问。

再往西十余里便是山区，那就是嵩山的东伸余脉。

一个背了行囊，佩了一把虎头钩的大汉，沿小径大踏步向西奔，一看便知是途径此地的江湖豪客。通常，这种人很少在乡村小径中走动。

小径在各村集间蜿蜒，是各村落往来的通道，平时只有附近村落的乡民往来，一个陌生的带凶器旅客，极易引起乡民的注意。

经过一株大树旁，树下安坐着银扇勾魂客。

“喂！老乡。”银扇勾魂客笑吟吟挥手打招呼：“城里闹翻了天，好几天了，你居然从县城来，必定是非常特殊的人物。歇歇腿，喝两口酒挡寒，如何？”

酒葫芦摇得稀里哗啦响，里面还有半葫芦酒。

“鬼的寒，跑路跑得浑身热乎乎。不过，有酒也不错。”大汉取下背上的包裹，在一旁坐下接过酒葫芦喝了一口：“去他娘的特殊人物。我从郑州来，沿途只能抄小径走，大道禁止通行，兵马如潮。"

"从郑州来，该知道郑州的事。"

"郑州已封城两天。"大汉说："好像是什么皇帝要来，哪怎么可能？见鬼。"

"天下间没有不可能的事。老兄，怎么往这里走？"

"绕城走呀？绕到西北面的鲁家庄，被一队兵勇拦住了，说是必须往西走，不然就捆起来看管。"

"那是对你客气，你也幸运地碰上乡勇，而不是官兵，不然你就有罪受了。"

"我只好乖乖远走喽，先避避风头再说。再往前走，一定可以找到绕往南面的小径。我有急事要赶往裕州，不能逗留耽误行程。当然，我知道很幸运，被扣留那就灾情惨重，有牢狱之灾。"

"牢狱之灾还算幸运呢！你这种人，抓住了要杀头，或者剥皮。"老怪杰不像有意嘲弄，正经八百更不像开玩笑："好像一个皇帝，就喜欢剥皮。他的几副漂亮的马鞍，就是人皮所制的。好像其中一张人皮，是京都大贼陈希的。你也是江湖有名的悍贼，抓住你剥皮硝制之后，做马鞍一定很漂亮。"

大汉丢掉葫芦一蹦而起，手搭上了钩鞘。虎头钩的鞘构造怪异，与九环刀鞘的制法差不多，与其称为鞘，不如称为匣比较符合实情。

"混蛋！你这家伙认识我？"大汉警觉地怪叫。

"你那个朝天鼻，加上左颊的红胎记，虽然风帽的掩耳放下了，仍然可以隐约看到。你这混蛋是独行剧盗疤面虎刘英，早晚你这脑袋会被挂在城门口示众。"

"你……你是……"

老怪杰一掀袄尾，露出银扇囊。

"我不曾目击你犯案，事不关己不劳心，不会管你是什么虎，你滚吧！"老怪杰拾回酒葫芦，挥手赶人。

"银扇勾魂客!"疤面虎刘英吃了一惊,但也看出老怪杰没有敌意,往后退:"你这该死的怪杰,天不收地不留,有敌人没有朋友,怎么做起官府的……皇家的走狗来了?这不是你的作风。"

"你混蛋!我也是被兵马赶离县城的。"

"没骗人?"

"去你娘的!"

"你最好也走,说不定兵马会推进到此地来。"疤面虎往来路一指:"那边十余里,有处小村叫张家庄。"

"我知道,在河旁边。"

"那里有一批不三不四的人,好像专门捕拿江湖人杀鸡儆猴。"疤面虎说:"幸好我是偷偷摸摸探入的,不然后果可怕。"

"偷偷摸摸,是你这剧贼的习惯。"

"没有这种习惯,我活不到现在。"

"反正也活不久的。喂!看出是些什么人?"

"看不出,却知道他们抓了些什么人。"

"你看到了?"

"看到一部分。哼!我是探道摸底侦伺的行家。"

"我知道,大白天你也可以神出鬼没千变万化。喂!看见了些什么人被捉?"

"我看到神鹰李奎和五湖逸客谷方。唔!还有女的。另一处囚禁着一群男女,我一个也不认识。他们互相交谈,皆自称弟子,很怪异,根本不像师徒关系。"

"弥勒教的人。"老怪杰心中狂跳,脸色大变。

神鹰李奎,五湖逸客谷方,都是张家大院所聚会的侠义英雄。神鹰李奎,更是主事人伏魔剑客张永新的知交,侠义道中颇有地位的名宿。

这是说,张家大院的人,已经全被逮捕押出城,少林高僧已庇护不了他们啦!

弥勒教的人被捕，似乎不是意外。

很不妙，正邪双方的人被捕，而且押出城外一同囚禁，意味着可能一同被处决。

早两天到达布防的军方指挥者与密探，显然已向南推进走了。后续抵达的指挥者，为了安全的理由，把一切可疑的人逮捕处决，是极有可能的事。

"弥勒教的人？胡说八道。"疤面虎嗤之以鼻："我多年曾经在京都作案，早就知道龙虎大天师的事。"

"这是天下人所共知的事，你的消息果然灵通呢！"老怪杰嘲弄地说。

"那家伙如果没有武定侯郭勋的包庇勾结，早就死在法场了。京都人士，都知道他两人订了协议。皇帝如果真来了，武定侯必定也随驾同来。"

"那是一定的。"

"那岂不明白了？"

"明白什么？"

"弥勒教的人，决不会在皇帝附近生事，甚至会暗中帮助武定侯，防止不法之徒惊扰皇帝。武定侯是皇帝的亲信，勾结龙虎大天师，其实出于皇帝的主意，京都知道内情的人多得很呢！因此，弥勒教的人应该是皇帝的忠实走狗，会被抓住砍头？没知识。"

这是实情，老怪杰也知道是怎么一回事。

"我说过，世间没有不可能的事。"老怪杰冷笑："以利害相结合的人，早晚会因利害而互相残杀。不关你我的事，你走吧！"

"胡说八道！"疤面虎嘀咕着提了包裹动身。

后面的树林里，桂星寒着手准备，脱掉皮袄，仅穿淡青色紧身衣裤。大冷天，他一点也不介意寒冷。

刀系在背上，百宝囊加带系紧。皮护腰上，排了一排他精心削制的柳叶刀，轻飘飘像柳叶，风一吹就掉，那能作为武器？能丢出丈外，已经难能可贵了。

飞天夜叉在一旁帮助他检查，背系的天斩邪刀，走动时是否碍事，衣袖裤脚，走动时有否擦及身上其他杂物而发出声音。她是行家，轻功绰号为飞天，知道一个夜行人，身上的穿着与武器，该如何整理而不妨碍行动，行动不发出任何声息。

"你不问我今晚要到何处？"桂星寒向她笑问。

"大丈夫行事，何须问及妇孺？"她理直气壮似笑非笑："我不会干预你的行事。因为我知道，你是一个不会做坏事的人，一个可以信任甚至信赖的人。"

"我要去找那个叫李凤的妖女，天知道她是不是真叫李凤？"

"好哇！捉她来，我替你宰她。"她欣然说。

"我不宰她。"

"咦！你……"

"我要问清楚内情，也许她是被逼的……"

"你是见鬼。"她跳起来："她当然必须奉命行事，什么被逼的？"

"这个……"

"你不杀，我杀。"她笑不出来了，柳眉倒竖火冒三千丈："敌我已经分明，你不下手，我下。我一见到她，就知道她不是东西，果然几乎要了你的命，她该死。我跟你去，我一定要宰了她！"

"你宰不了她，她的妖术厉害。"

"这……"

第十六章　夜闯县衙

提起妖术，她嘴硬不起来了，的确心中发毛，没有勇气面对真正妖术通玄的人。

她有坚定的信心，凭武功，连龙虎大天师也不在她眼下，但妖术……

任何一个练了几年武功的人，除非他曾经碰上更高明的人，而且吃过亏，不然必定认为自己了不起，人都是一双手两条腿，谁怕谁呀？

她也犯了同样的毛病，但却知道妖术可怕，因为她对妖术一知半解，而且吃过亏。

"要不要我指点你一些应付妖术的心法与技巧？"桂星寒笑问。

半天的相处，桂星寒逐渐了解她的性格，也知道她之所以自命女飞贼，完全是打抱不平的顽皮心理在作怪，向那些豪强挑战下手，并没打善良人家的主意。

敢向皇帝打主意，可知她是怎样一个不知天高地厚的任性女孩。

她已经表示放弃盗劫皇帝珍宝的主意，双方已经没有利害冲突。

葛春燕也是这一类型的人，说风是风说雨是雨。

桂星寒对葛春燕有好感，了解飞天夜叉之后，也就自然而然地对她产生好感。接近才能了解对方的为人，半天的相处，飞天夜叉在桂星寒的心目中，有了极为鲜明的印象，消除了往昔的成见。

"那还用说吗？多笨的问题。"飞天夜叉开心地大叫大嚷："喂！要不要拜师？"

"老天爷！我敢收你这种泼野的徒弟？"桂星寒盯着她怪笑："我肯定地相信，你师父一定被你捉弄得头疼万分。"

"才不呢！我是师父眼中的聪明肯学的好徒弟，我爹娘眼中的乖女儿，你可不要红口白舌坏了我的名声。"飞天夜叉得意洋洋，但背着他装鬼脸。

"老王卖瓜，自卖自夸。"

"哼！"飞天夜叉直翻白眼。

"还有半天工夫，我先教你临阵磨枪。"桂星寒停止整装，转向在一旁的老怪杰叫："老哥，老半天没听到你说话，发什么呆？"

银扇勾魂客坐在一株大树下，倚树假寐，但口中下意识地咬嚼一条草梗，证明并没真的假寐养神。

"我在想，疤面虎这家伙的话，有几分可信度？"银扇勾魂客睁开双目："他的话，你躲在不远处，应该都听到了，我心中乱得很。"

"乱个屁！"桂星寒说："亏你还是一个老江湖呢！那混蛋所说的情节，最少有一半是编出来骗人上当的；部分情节，是有人要他这样说的。"

"小子，你不要疑心生暗鬼。"老怪杰不同意他的评论："那恶贼人非常的坏，却是一条好汉，不会撒谎，更不会骗人。小子，他没有理由骗我上当。"

"是吗？"

"当然。"

"你没听出语病？"

"什么语病？"

"张家庄距城有多远？这地方你我都知道。"

"四里多一点，这……"

"那已经在警戒区内一半距离了，四周多少兵马民壮列阵封锁？"

"这……"

"换了你，你能经过那地方吗？你真相信他能白天神出鬼没，往来自如？在荒野走动，能逃得过四面八方上千双监视的锐利眼睛？只有神仙或鬼怪才能办得到，凡人决不可能？"

"唔！小子有道理……可是，他为何要编这些话来骗人？"

"有人授意他的，希望我们到张家庄。"

"为何？"

"我敢打赌，他们已经知道你我在一起了。你与伏魔剑客那些人有交情，他们也知道葛姑娘曾经衔命与我联络，他们有难，你我能坐视？有弥勒教的男女被囚，其中显然有李凤在内，她们坑害我，算定我不会善了。我想，他们已经知道我还活着。"

"这……这只是你凭空猜测……"

"我不会凭空猜测，而是就事论事。"

"那么，你为何准备要去？"

"我去，但不是去张家庄。"

"那你要去……"

"进城，把新郑城闹个天翻地覆。"桂星寒虎目中杀机怒涌："锦衣卫那些混蛋，不但不肯摆手，反而出动骑军对付我们，是可忍孰不可忍。天杀的混蛋！他们惹火我了。"

"老天爷！进城……"老怪杰大惊失色。

"不错，进城。林姑娘，我们来讨论什么叫妖术。"桂星寒拉了飞天夜叉的手，走向堆放背箩包裹的树下，那是他们暂时落脚的地方。

"我叫林月冷。"飞天夜叉紧握住他的手,脸红得像西天的红霞,喜上眉梢。

"月冷?"桂星寒一怔:"真要命,你是故意和我唱反调吗?"

"什么意思?"飞天夜叉白了他一眼。

"我叫星寒,你叫月冷,冷月的光芒,怎么比也比寒星亮呀!"

"啐!名又不是我自己取的。你怎么不说……不说……"飞天夜叉说不下去了,颊红似火躲到他身后。

"不说什么?"

"为什么不说冷月伴寒星?"

"哦……"桂星寒突然怔住了。

"我要去张家庄,不看个究竟放心不下。"银扇勾魂客固执地说,一面整理包裹,将包裹藏在树的横枝上。迄今为止,他们不敢找村落歇脚投宿。

夜幕将降,是行动的时候了。

"不要去,老哥。"桂星寒诚恳地说:"那是陷阱,我几乎敢打包票。"

"你又不是天下四大钱庄的东主,你所打的保票不可能兑现。即使你是宝源钱庄的东主,开出的票也不见得能保兑。"老怪杰不愿谈正题,在无关紧要的题外事大做文章:"去年我在京师通州,山西人所开的宝源钱庄,给我开了一张凭票即付,不扣厘金的五百两庄会票;在北京皆可兑现的保票。结果,我在保定就栽了,票不但被止付,而且还送官究办呢!"

"唷!看不出你还是有钱的江湖怪杰呢!"桂星寒只好放弃劝阻的念头,干脆打趣老怪杰:"绝大多数江湖浪人,身上掏不出一百两银子呢!"

"你呢？不会闹穷吧？"

"不会，我不是在江湖混名利的人，对从事江湖行业毫无兴趣，没有钱哪敢在天下遨游？"桂星寒拍拍腰囊："我不但带有可观的金银，还带有南京宝泉局所开发，天下各府通汇的官会票，有好几张，面额自一百两至三百两。你需要吗？"

"你说过，我是一个有钱的江湖怪杰。该动身了，有二十几里路要走呢！"

官营的宝泉局，所开的银票称为官会票。私营的钱庄，所开的银票称庄会票。俗称官票和庄票会票，功能是相等的，甚至庄票的信用，要比官票高。大商贾做买卖，动辄千两万两，随身所能携带多少？因此官票庄票，成为金融流通的利器。

但这玩意缺点甚多，开票承兑，只限于同一银号的分店，只有该系统的人，才有办法分辨真伪。面额稍大的，兑现时还得觅保具结。普通的商号，不收陌生人的大额银票。伪造银票罪名严重，很可能会被判处死刑。

闯荡江湖的人，真的绝大多数，身上掏不出百十两银子，除非他是大豪大霸。

那年头，米一斗不过二十文制钱。而一两银子，可换一千文制钱，甚至一千二。私铸钱换得更多。身上有百十两银子，已经算是有钱人了。所以一二十文钱，可以引起一场大纠纷，甚至打破头出人命，赚一二文钱真不容易。

桂星寒带了金银和会票走江湖，身怀巨金相当危险。

临时结伴，各有各的事，各有目的，当然不可能统一行动。

这期间，银扇勾魂客一直就单独行动，为张家大院那些侠义英雄奔忙。

今晚，老怪杰仍然为了那些人操心。

桂星寒也有自己的事，不得不分道扬镳。

飞天夜叉一颗芳心，已完全寄托在桂星寒身上了，就算桂星寒要去跳刀山，她也将毫不迟疑跟着往下跳。桂星寒本来不许她参与的，但想像得出必定白费心机，姑娘们缠人的功夫，绝不是一般男人所能应付得了的，尤其是像飞天夜叉这一类型的姑娘更为难缠。

两人的衣衫是淡青色的，近乎灰色，与当时的大地颜色相吻合，但不是夜行衣，以高速掠走，不会引起衣袂带风声。

夜黑如墨，寒风凛冽。两人越野潜行，小心翼翼逐段奔向县城。

"我仍然有点担心杨老哥。"桂星寒藏身在一丛枯草下，全神贯注察看前面下一段进路有否危险："我相信我的判断，张家庄是可怕的陷阱。"

"银扇勾魂客是人精，用不着你担心啦！"倚伏在他身侧的飞天夜叉，看法比较乐观："他不会糊糊涂涂一头撞进去。如果你不放心，我们不进城好不好？"

"不进城？不行。"桂星寒断然拒绝："不大闹一场，日后那些人将肆无忌惮，放心大胆向我挥刀舞剑，我哪有好日子过？他们有大索天下的权势，必须杀得他们心胆俱寒，才能吓住他们妄动，让他们不敢找我才是上策。"

"那就不要多想老怪杰的事呀！心无二用；你如果分心，那就……"

"好吧！我得专心办自己的事了。唔！前面有人马巡逻，我们绕右面走。"

蹄声隐隐，二十余匹健马越野小驰。是巡逻的骑军，弥补戒区之间的空隙，也是快速打击的主力，任何地方有警，都可以快速赶到声援。

已经进入警戒区，他们必须神不知鬼不觉穿越。

要说他真能专心办自己的事，那是违心之论。

银扇勾魂客是他尊敬的朋友，共患难的知交，互相关切，这是朋友的道义。

今晚他所要进行的事，并没有多少意义，一时的激愤报复而已，何时进行无关宏旨。

他愈想愈丢不下，愈想愈心中难安。

新郑已成了一座死城，未牌时分便已宣告军事接管，禁止所有的市民外出走动，连家犬也必须拴在屋内，家家闭户，人人惊悚。

全城的士绅与及退休的故老官员，皆被召至县衙待命，随时准备皇上召见垂询民意。

行宫设在西门城外，华丽的宫账连绵屏列。原野中停满了龙车御辇，旗帜如海，在罡风中飘扬猎猎有声，灯火通明有如白昼。

只是，停车场中没停有大车辇与大凉步辇，也没有步辇、红板轿。

那是皇帝专用的御车御轿，表示皇帝其实并不在行宫，目下究竟在何处？外界不可能知道。

总之，已经宣告圣驾光临，信不信由你。

城内城外一片灯海，成了百年难得一见的奇景。

行宫以西两里地，火把形成四五里长的火屏，成半圆形排列，每隔二十步是两支火把，每隔五十步是一堆篝火，极为壮观。

火把与篝火旁，皆设有一座小军账，有三个甲士负责守卫。这是行宫外围的第一线警戒区，三个甲士是弓手、刀手、枪手，任何风吹草动，皆可能有箭射出。

后面半里，是骑军的账幕，马嘶声在寒风中远传数里外，打破荒原的沉寂。

两个人要突入这千军万马环绕的地方，那简直是开玩笑痴人说梦。

内部明里的警戒，已经如此周延、绵密、浩大、壮盛，外面暗中的伏哨、巡逻、搜捕网等等，必定更为严密，更为精锐。

桂星寒志不在皇帝，行宫的灯火城引诱不了他。

神不知鬼不觉深入，他从城西南角越城而入。

看到行宫的灯火城，他改变了主意。

县衙已经不是先锋营的指挥部，先锋营已经早就带了兵马离城南下了。

锦衣卫的精锐飞虎营，是陆柄另行组织的亲信单位，名义上他们仍是锦衣卫的建制官兵，但名册留在原单位并未外调，实际上已成了飞虎营的成员。

后来陆柄正式与大国贼严嵩翻脸之后，先后再成立了几个秘密执行任务的组织。干得最有声有色，令天下大奸大恶土豪恶霸心惊胆跳的组织，是赫赫有名威震天下的铁血锄奸团。其中一部分精锐，就是从飞虎营调用的。

接替先锋营的单位，就是飞虎营。

已经是二更将尽，知县大人公馆中，飞虎营的几位重要负责校尉，在大厅品著谈论公务。正式办公的地方是县衙，晚上有人值夜而已。

按理，皇帝圣驾已到，驾驻行宫，行宫在城外，飞虎营的人应该彻夜忙碌的。可是，这几位重责在身的校尉，却无忧无虑在公馆品著，无所事事自得其乐。

厅堂广阔，灯火通明，尽管厅外的门廊，有六位甲士守卫，警卫并不森严。

第一次暗哨声传到，六位校尉互相打手势示意，依旧谈笑自若，但有意无意地整理身上的绣春刀，以及软甲等各种附带佩件。

第二次暗哨声传入，六个人置杯而起。

堂上六个人一字排开，发出一声叱喝。

把门的三甲士左右一分，远离大开的三座大厅门。

人影乍现，一男一女当中门而立。

"请进。"为首的校尉声如洪钟，大踏步下堂伸手揖客，豪气飞扬，威风凛凛。

桂星寒一怔，随即昂然入厅。

飞天夜叉淡淡一笑，并肩举步。

显然，这些人在等候他们，似乎料定他们会来，看到他们之后，丝毫没感到惊讶。

校尉气概不凡，严肃地先行军礼致敬。

"我，上骑都尉欧阳长虹。"校尉相当客气："阁下想必是天斩邪刀桂星寒，幸会。这位姑娘尊姓芳名……"

桂星寒拉了飞天夜叉一把，阻止她回答，不希望她亮名号，卷入这场是非，日后凶险重重。

"请不必多问。"桂星寒也客气地行礼："区区正是天斩邪刀桂星寒，来讨公道的。"

在武官六品十二勋中，上骑都尉是正四品，官阶与爵位相当高了。但在锦衣卫中，上骑都尉算不了什么，他们很少有外放的机会，天下各卫所根本容纳不了他们这些勋臣子弟。

比方说，各地卫指挥使，官阶只有正三品。

连锦衣卫本身，也矛盾百出。官阶爵位高低大小，与职掌无关，有职才有权，有权才有势。以南北两镇抚司来说，两位镇抚司的官阶只有从五品，比上骑都尉低了两阶，名义上是锦衣卫的对外衙门，卫内的上骑都尉，反而得看镇抚的脸色。

桂星寒怎知道这些事？反正都是些御林军的将爷，官阶大小与他无关，他来，就不怕任何大官小官，连陆指挥使也奈何不了他。

"我知道你来要找的人是谁，先锋营的人早已不在新郑城了，你白来一趟。不过，你真要找的人，我知道在何处可以找得到，但是……"欧阳长虹最后两个字拉得长长的。

"但是什么?"

"其一，我要试试你是否真的勇敢无匹。你如果过不了我这一关，你前往找他们不啻送死。其二，我要你保证不侵扰圣上的行宫。"

"你知道我真要找的人?"

"不错。"

"他们都是你的袍泽……"

"现在已经不是了。"

"你的意思……"

"他们已经透过某一种管道，由武定侯郭侯爷，借其他名义，调离原单位，执行某一种秘密任务，与我们不但不相干，甚至可能对我们不利。郭侯爷甚至把他的八家将，派出相助那些人。八家将号称山西八彪，一个个都是刀枪不入，内外功火候纯青，打尽山西无敌手的可怕人物，你恐怕应付不了。"

"我不是逞匹夫之勇的笨蛋，应付不了我就不会来。你最好不要试试我的勇敢与否，刀挥剑发是不能试的。"

"不试，我不会告诉你任何事。"欧阳长虹坚决地说。

"你在逼我。"

"那就算是吧!"

"好，你试吧!"

一声刀吟，欧阳长虹首先拔刀。

其他五个人纷往堂下抢，五把刀两面一分。

"我当先。"飞天夜叉拔剑上。

"那是我的事，请你退。"桂星寒拉住了她，天斩邪刀出鞘。

欧阳长虹的绣春刀，晶亮如一泓秋水，森森刀气逼人肤发，所流露出来的杀气慑人心魄。胆气不足的人，看到慑人的刀光便已心虚手软，再被森森刀气一逼，精神很可能崩溃。

欧阳长虹威猛逼人的气势，也有令对手胆寒的威力，横刀屹立凛若天神，虎目炯炯慑人心魄，一个勇将所具有的凌厉气势，站着不动也表露无遗。

其他五个人半弧形列阵，威猛凌厉的气势同样强烈，也散发出一股阴森诡谲的气氛，谁也猜不透他们是否加入，又何时加入围攻。

这可不是印证较技，更不是以武会友，刀一出将生死两判，毫无疑问这是一场剧烈的生死搏斗，任何几微的疏忽，便将人鬼殊途。

桂星寒夷然无惧，吸口气功行百脉，刀一举，无边杀气风起云涌。

一声令下，双方同时行献刀礼，向对手致上敬意，先礼后兵表示尊重对手的礼数。

滑进一步，天斩邪刀发龙吟。

对方有软甲护身，小臂有护套，脚下有护膝，短皮靴里面可能包有铁瓦。这是说，他攻击的地方有限。

同时，他也不希望一刀砍下对方的脑袋。

这是一场形势对他不利的生死相搏，一场并不怎么公平的生死决斗。

再滑进一步，距离接近至出刀的部位。

欧阳长虹屹立如山，极为冷静地等候他先发起攻击，炯炯虎目紧吸住他的眼神，似乎要主宰他的一举一动，在神意上，双方已先一步以气势作猛烈接触了。

飞天夜叉仗剑在他后方戒备，跃然若动，像一颗即将向侵近巢穴的猛兽发起扑击的母豹，身上每一根肌肉，皆接近激烈释放爆发力的临界点。

一声沉叱，天斩邪刀猛然幻化为炫目的光弧，刀气迸发中，他豪勇地扑上了。

外围五把刀，有如电光乍闪。

刀光有如满天雷电骤变，人影如流光乍合。

天斩邪刀的光芒，在行将接触的电光石火间，出现略为扭曲的闪光，更猛然暴涨。

人影也在刹那间，扭曲变形失去人的形态。

利刃破风的锐厉呼啸中，同时传出了铿锵的金铁交鸣，以及重物体的打击迸爆声，蓦地聚合的刀光，狂野地怒张，人影也一蹦而散。

乍合乍分，这电光石火的接触，目力难及，旁观者也无法看清这瞬间的变化。

刀光人影蹦散，表示一接触便倏然分开了。

胜负已判，一接触便有了结果。

桂星寒取代了欧阳长虹所站立的地位，天斩邪刀斜举作龙吟，左手立掌半伸，刀气散逸的啸声隐然消逝，四周灯火摇摇徐徐恢复原有的光芒。

欧阳长虹退至堂内侧，左臂无力地下垂。左肘挨了一刀背，臂没断十分幸运。

另三个人暴退丈外，胸、胁、肋皆有刀痕，锁子甲外的战袄，被划裂的裂缝清晰可见。

另两人斜冲出丈外，一个背部有裂缝。

惟一没中刀的人，摇头晃脑脚下大乱，摇摇欲倒，总算能勉强稳下马步站住了。

右背肋挨了桂星寒一记重掌，锁子甲只能消去七成劲道，另三成直震内腑，难怪差那么一点点就要倒下了，相当幸运。

"住手！"欧阳长虹沉喝。

想重新扑上挥刀的三个人，闻声猛然收势。

"你对付得了山西八彪。"欧阳长虹收刀入鞘："他们在张家庄布下埋伏等你。但人太多，阁下双拳难敌四手，听我的忠告，不要去。"

桂星寒心中一惊，暗暗叫苦。

银扇勾魂客完了，被他不幸而料中。

"不要去骚扰行宫，以免把事情闹大了。"

"陆大人呢？"他沉声问。

"目下可能已抵达长葛县了。"

"他不在行宫？"

"不在。"欧阳长虹答得简单明了。

"武定侯呢？"

"不知道。"

他扭头收刀大踏步出厅，头也不回偕飞天夜叉突然凌空而起。

外面的三个警卫只觉眼一花，人已失踪。

欧阳长虹六个人也随后奔出，人已不见了。

"糟！这小子一定去行宫闹事。"一位将爷叫起苦来："咱们将受到连累……"

"让他去吧！反正圣驾该已接近长葛了。"欧阳长虹往回走："陶真人已经随专使前往嵩山祭岳，没有人能挡得住这小子的刀。行宫目下由郭侯爷的亲军警卫，让这小子前往闹一闹，咱们乐得坐山观虎斗。咱们都闭上嘴，没有咱们的事。"

原来皇帝已经走了，并没在新郑停留。目下的行宫是虚设的，皇帝已用金蝉脱壳计走掉了。

新郑不但有弥勒教的妖孽横行，更有一个令人难测的天斩邪刀闹事，复有一群桀骜不驯的锦衣卫亲军，勇于私斗，要找天斩邪刀替同袍报仇，在这里停留未免太危险了，一走了之是惟一的上策。

陆大人不但是勇冠三军的骁将，也是足智多谋，忠心耿耿的谋臣，情势波诡云谲，他怎敢大意，任由皇帝涉险？万斤重担他承受不起，因此不在新郑逗留。

从郑州出发，车驾便以高速赶路，沿途不歇息，午后不久便通过新郑南下了。

皇帝早几天在河北岸卫辉驻跸，行宫三更大火，几乎被烧死在行宫内，幸有陆大人冒死冲入火海，将皇帝救出大难不死，但已惊破了胆。

向外发布的消息，是行宫失火。

陆大人的看法却不一致，认为有叛逆纵火。到底实情如何，大概只有少数几个人知道。

皇帝本来已是惊弓之鸟，一听新郑有危险不宜逗留，比陆大人更心焦，亲颁圣旨务期早过新郑，克期赶往长葛驻跸。

这位皇帝真像惊弓之鸟，跑得比任何人都快。三月初一渡过黄河赶到郑州，三月初三便到达钧州，从钧州打发使者祭中岳，他自己十万火急南奔。

三月十二，嘉靖皇帝终于赶到承天老家，比一般乘坐骑的旅客，几乎速度快了一倍。通常，如此庞大的车队，加上有两万兵马随行，每天的行程不曾超过六十里，比一般乘马旅客慢一半的。

而他，一天几乎赶两百里。